まえがき

簿記論と財務諸表論は同時に学ぼう！

本書を手にしたみなさんにとって大切なことは「まずは、いかにして税理士試験の会計科目（簿記論、財務諸表論）に合格していくか」ということではないでしょうか。

そこで、認識しておきたいのが、次の状況です。

・簿記論はほぼ100％計算問題であり、財務諸表論では50％が計算問題、残りの50％が理論問題で出題され、計算問題の内容は簿記論と財務諸表論で差がないこと
・これまで財務諸表論で出題されていた内容が突然簿記論で出題されるなど、片方だけの学習では網羅できない可能性があること
・計算問題を解くにも、理論的な背景（財務諸表論の理論部分）がわかっている方が有利なこと
・学習する際にも理論と計算を並行した方が頭には入りやすいこと
・財務諸表論の合格率は、平均すると20％弱と比較的高いこと
・仮に簿記論を落としても、財務諸表論さえ合格していれば、学習量的にみて税法に進めること

これらの状況を勘案すると、簿記論と財務諸表論は絶対に同時に学習した方がいい。1つの計算ミスで合否が入れ替わってしまう簿記論の試験のためだけに、1年かけて学習するのはリスクが大きすぎる。

このような判断から、簿記論・財務諸表論一体型の教科書及び問題集になっています。
さらに、本書はネットスクールが提供するWEB講座の採用教材にもなっていますので、独学で学習する方が授業を聴きたいと思ったときにも無駄になることなく活用いただけます。

また本書は、日商簿記３～２級の学習経験者がスムーズに学習し、合格してもらうために作られた本ですので、日商簿記３～２級の復習からはじまり、本試験のレベルまでを収載しています。

状況は我々が整えます。
みなさんは、この本で勇気を持って始め、本気で学んでみてください。
そうすれば、みなさん自身ばかりではなく、みなさんの周りの人たちをも幸せにできる、そんな人生が開けてきます。
さあ、この一歩、いま踏み出しましょう！

ネットスクール株式会社
代表　桑原　知之

目次
Contents

税理士試験　教科書
簿記論・財務諸表論Ⅱ　基礎完成編

本書で使用する略語や記号について

本書で学習するうえで、次の略語を使用しています。下記の略語は、一般的にも使用されているので、ぜひ覚えてください。

① B/S ： 貸借対照表(Balance Sheetの略)
② P/L ： 損益計算書(Profit and Loss statementの略)
③ S/S ： 株主資本等変動計算書(Statements of Shareholders'equityの略)
④ C/F ： キャッシュ・フロー計算書(Cash Flow statementの略)
なおC/S(Cash flow Statement)と表記する場合もありますが、本書ではC/Fで統一しています。
⑤ C/R ： 製造原価報告書(Cost Reportの略)
⑥ T/B ： 試算表(Trial Balanceの略)
⑦ a/c ： 勘定(accountの略)
⑧ @ ： 単価や単位(atの略)

なお、本書では勘定科目(表示科目)については、科目名を意識していただく狙いから『　』を使って記載しています。つまり『○○』は、「○○勘定」を意味しています。

(例)投資有価証券勘定に加算するとともに、その他有価証券評価差額金勘定に計上…
　　→『投資有価証券』に加算するとともに、『その他有価証券評価差額金』に計上…

本書は2024年4月時点の会計基準等にもとづいて作成しています。

本書(教科書)の構成・特長

❶ episode

冒頭で、これからどのような内容を扱うのか、何が問題なのかを簡潔にまとめてあります。内容がイメージでき、スムーズに学習を進めることが出来ます。

❷ 重要度ランキング

学習テーマごとに、A、B、C で**重要度**を示しています(Aがもっとも重要度が高いことを表します)。なお、「簿記論」と「財務諸表論　計算問題」では重要度が異なることがあるので、簿A、財計A と科目別に示しています。

また、本書は主に計算対策用の教材となりますが、財務諸表論の理論対策用教材として『税理士試験教科書　財務諸表論　理論編』がありますので併せてご利用ください。

❸ 側注

補足的な説明や知識を示しています。

❹ イラスト

イラストにより学習テーマの内容が理解しやすくなります。

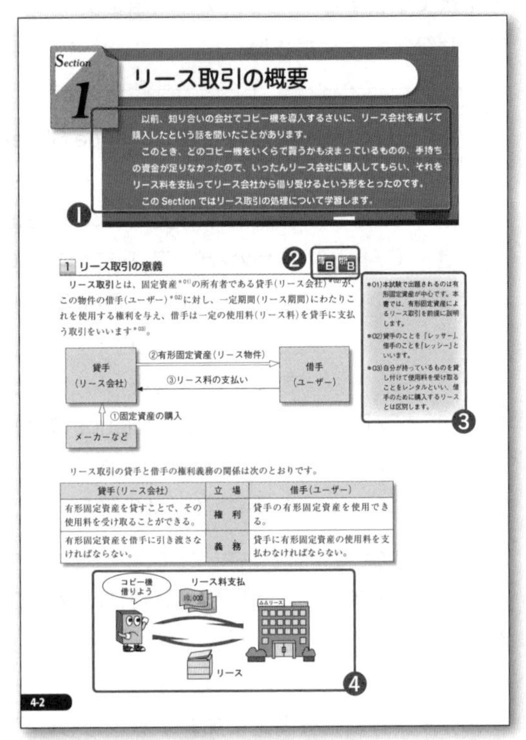

Section 1 リース取引の概要

以前、知り合いの会社でコピー機を導入するさいに、リース会社を通じて購入したという話を聞いたことがあります。

このとき、どのコピー機をいくらで買うかも決まっているものの、手持ちの資金が足りなかったので、いったんリース会社に購入してもらい、それをリース料を支払ってリース会社から借り受けるという形をとったのです。

この Section ではリース取引の処理について学習します。

1 リース取引の意義　簿B 財計B

リース取引とは、固定資産*01)の所有者である貸手(リース会社)*02)が、この物件の借手(ユーザー)*02)に対し、一定期間(リース期間)にわたりこれを使用する権利を与え、借手は一定の使用料(リース料)を貸手に支払う取引をいいます*03)。

*01) 本試験で出題されるのは有形固定資産が中心です。本書では、有形固定資産によるリース取引を前提に説明します。

*02) 貸手のことを「レッサー」、借手のことを「レッシー」といいます。

*03) 自分が持っているものを貸し付けて使用料を受け取ることをレンタルといい、借手のために購入するリースとは区別します。

リース取引の貸手と借手の権利義務の関係は次のとおりです。

貸手(リース会社)	立　場	借手(ユーザー)
有形固定資産を貸すことで、その使用料を受け取ることができる。	権　利	貸手の有形固定資産を使用できる。
有形固定資産を借手に引き渡さなければならない。	義　務	貸手に有形固定資産の使用料を支払わなければならない。

4-2

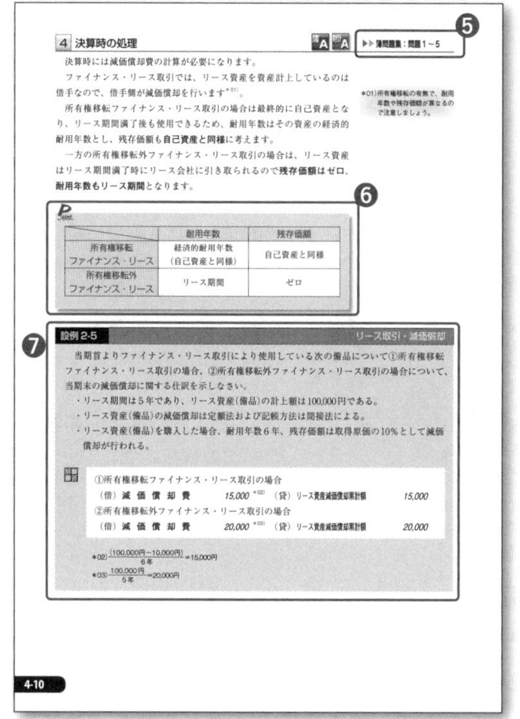

4 決算時の処理

▶▶簿問題集：問題1～5

決算時には減価償却費の計算が必要になります。

ファイナンス・リース取引では、リース資産を資産計上しているのは借手なので、借手側が減価償却を行います*01)。

*01) 所有権移転の有無で、耐用年数や残存価額が異なるので注意しましょう。

所有権移転ファイナンス・リース取引の場合は最終的に自己資産となり、リース期間満了後も使用できるため、耐用年数はその資産の経済的耐用年数とし、残存価額も**自己資産と同様**に考えます。

一方の所有権移転外ファイナンス・リース取引の場合は、リース資産はリース期間満了時にリース会社に引き取られるので**残存価額はゼロ、耐用年数もリース期間**となります。

Point

	耐用年数	残存価額
所有権移転ファイナンス・リース	経済的耐用年数（自己資産と同様）	自己資産と同様
所有権移転外ファイナンス・リース	リース期間	ゼロ

設例2-5 リース取引・減価償却

当期首よりファイナンス・リース取引により使用している次の備品について①所有権移転ファイナンス・リース取引の場合、②所有権移転外ファイナンス・リース取引の場合について、当期末の減価償却に関する仕訳を示しなさい。

・リース期間は5年であり、リース資産(備品)の計上額は100,000円である。
・リース資産(備品)の減価償却は定額法および記帳方法は間接法による。
・リース資産(備品)を購入した場合、耐用年数6年、残存価額は取得原価の10%として減価償却が行われる。

①所有権移転ファイナンス・リース取引の場合
（借）減価償却費 15,000*02) （貸）リース資産減価償却累計額 15,000
②所有権移転外ファイナンス・リース取引の場合
（借）減価償却費 20,000*03) （貸）リース資産減価償却累計額 20,000

*02) $\frac{(100,000円-10,000円)}{6年}=15,000円$
*03) $\frac{100,000円}{5年}=20,000円$

4-10

❺ 問題番号

基礎完成編の教科書と問題集は、学習内容が完全に対応されています。教科書の該当テーマを学習し終えたら、問題番号で示した問題を解くようにしましょう。なお、「**簿問題集**」は簿記論対策の問題、「**財問題集**」は財務諸表論(計算問題)対策の問題となります。

❻ ポイント

テーマごとに「注意点」をPoint(ポイント)としています。復習するさいにもPointを追っていくことで、学習内容の再確認ができます。

❼ 設例

会計の学習では数値例が必須です。テーマごとに【設例】を設けていますので、数値により確認しながら、内容の理解を深めることができます。

学習をはじめる前に

講師からのメッセージ

WEB講座の講師である中村雄行先生、穂坂治宏先生から、本書を学習する前の心構えとしてメッセージがございます。本書を最大限に有効活用するためにも、まずはこのメッセージをお読みください。

プロフィール
講師　中村雄行（なかむらゆうこう）
講師歴35年。
実務的な話を織り交ぜながら誰もが納得できるように工夫された、わかり易い講義が大好評！
WEB講座税理士簿記論講義等を担当。

プロフィール
講師　穂坂治宏（ほさかはるひろ）
講師歴21年、税理士開業（登録平成6年）。「わかればできる」をモットーに、経験に基づく実践的な講義は、楽しみながら学習出来ると大好評！
ＷＥＢ講座税理士財務諸表論講義等を担当。

◆基礎完成編の内容について

教科書と問題集は、「基礎導入編」「基礎完成編」「応用編」の３部構成となっています。
基礎完成編で主に取り上げられている項目は「税効果会計」「リース会計」「減損会計」「退職給付会計」「社債」「純資産会計」「外貨換算会計」などです。基礎導入編で取り上げた内容と同様、これらの項目はいずれも税理士試験で頻繁に出題される重要項目となりますので、引き続きしっかり学習を進めていきましょう。

◆基礎内容はこれで万全

簿記論と財務諸表論の計算問題では実にさまざまな項目が出題されますが、その内容の多くはこの基礎完成編までに取り上げられた個別項目が中心となっているのです。したがって、まずはここまでの内容をしっかりマスターできていれば、本試験で出題される基礎項目の多くは解答できるようになります。苦手項目を残さないよう、それぞれの内容をしっかり理解できるようしておくことが大切です。

◆繰り返し練習しましょう

基礎完成編の教科書と問題集は学習内容が完全に対応されていますので、教科書の学習を終えたら必ず問題集の問題を実際に解くようにしましょう。初めのうちは標準時間内に解き終えることができないかもしれませんが、繰り返し解くことにより解法手順が身につき、その結果、解くスピードが増すとともに正確な解答ができるようになってきます。問題集の問題は繰り返し解く練習をするようにしましょう。

"講師がちゃんと教える" だから学びやすい！分かりやすい！

ネットスクールの税理士WEB講座

【開講科目】簿記論、財務諸表論、法人税法、消費税法、相続税法、国税徴収法

ネットスクールの税理士 WEB 講座の特長

◆自宅で学べる！ オンライン受講システム

臨場感のある講義をご自宅で受講できます。しかも、生配信の際には、チャットやアンケート機能を使った講師とのコミュニケーションをとりながらの授業となります。もちろん、講義は受講期間内であればお好きな時に何度でも講義を見直すことも可能です。

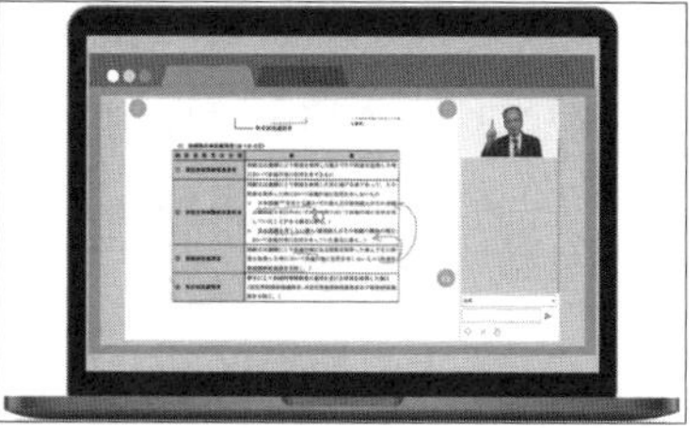

▲講義画面イメージ▲

★講義はダウンロード可能です★

オンデマンド配信されている講義は、お使いのスマートフォン・タブレット端末にダウンロードして受講することができます。事前に Wi-Fi 環境のある場所でダウンロードしておけば、通信料や通信速度を気にせず、外出先のスキマ時間の学習も可能です。

※講義をダウンロードできるのはスマートフォン・タブレット端末のみです。

※一度ダウンロードした講義の保存期間は 1 か月間ですが、受講期間内であれば、再度ダウンロードして頂くことは可能です。

ネットスクール税理士 WEB 講座の満足度

◆受講生からも高い評価をいただいております

WEB講座
79.5%

▶ Zoom 面談は、孤独な自宅学習の励みになりましたし、試験直前にお電話をいただいたときは本当に感動しました。（消費／上級コース）

▶合格できた要因は、質問を 24 時間受け付けている「学び舎」を積極的に利用したことだと思います。（簿財／上級コース）

▶質問事項や添削のレスポンスも早く対応して下さり、大変感謝しております。（相続／上級コース）

▶講義が 1 コマ 30 分程度と短かったので、空き時間等を利用して自分のペースで効率よく学習を進めることができました。（国徴／標準コース）

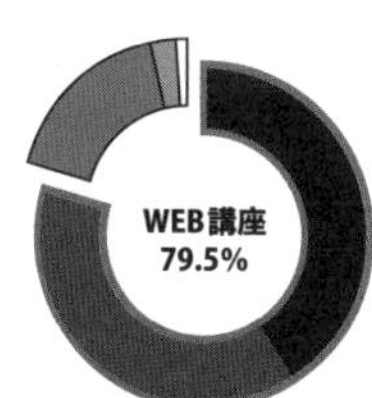

▶理論教材のミニテストと「つながる会計理論」のおかげで、今まで理解が難しかった論点が頭の中でつながった瞬間は感動しました。（財表／標準コース）

▶テキストが読みやすく、側注による補足説明があって理解しやすかったです。（全科目共通）

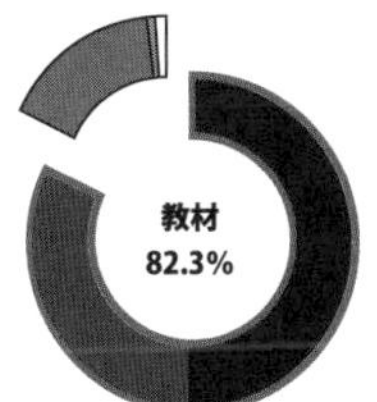

▶財務諸表論の穂坂先生の理論講義がとてもわかり易く良かったです。（簿財／上級コース）

▶先生方の学習面はもちろん精神的にもきめ細かいサポートのおかげで試験を乗り越えることができました。（法人／上級コース）

▶堀川先生の授業はとても面白いです。印象に残るお話をからめて授業を進めて下さるので、記憶に残りやすいです。（国徴／標準コース）

▶田中先生の熱意に引っ張られて、ここまで努力できました。（法人／標準コース）

※ 2019 ～ 2023 年度試験向け税理士 WEB 講座受講生アンケート結果より

各項目について 5 段階評価

不満⬅ 1 2 3 4 5 ➡満足

税理士 WEB 講座の詳細はホームページへ **ネットスクール株式会社 税理士 WEB 講座**

https://www.net-school.co.jp/ ネットスクール 税理士講座 検索

※税理士講座の最新情報は、ホームページ等をご確認ください。

ネットスクールの書籍シリーズのご案内

税理士試験合格に向けた学習

教科書／問題集　Ⅰ基礎導入編

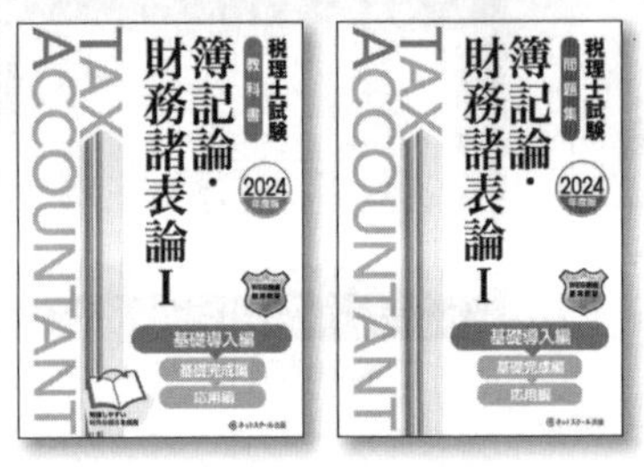

次年度の試験に向けた学習を開始しましょう。まずは日商簿記検定３級・２級の学習内容を含めた基礎的な部分について、教科書でインプット学習をします。その後、教科書に準拠した問題集でアウトプット学習を行い、どれだけ理解できたかを確かめます。教科書には、問題集の問題番号が記載されているので、すぐに学習した内容の問題を解くことができます。

教科書／問題集　Ⅱ基礎完成編

基礎導入編での学習が終わったら、基礎完成編に移ります。基礎導入編と同様に、税理士試験で頻繁に出題される重要項目ばかりなので、漏れなく学習を進めましょう。

基礎完成編も基礎導入編と同様に、教科書でインプットしたことを必ず問題集を使ってアウトプットし、学習した知識を定着させましょう。

教科書／問題集　Ⅲ応用編

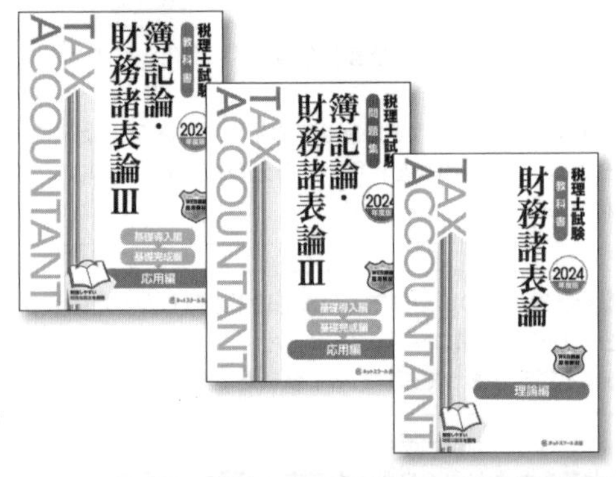

基礎完成編での学習が終わったら、応用編の学習に移ります。

また、理論問題対策用の教科書として、「財務諸表論 理論編」も刊行しています。「税理士試験 教科書 簿記論・財務諸表論」シリーズの各編（基礎導入編・基礎完成編・応用編）にある各 Chapter 名と同じテーマで並行して取り組んでいただくことで、計算対策と理論対策を同時に行うことができるようになっています。

穂坂式つながる会計理論

「財務諸表論」の“効率的”な理論学習を行なうための問題集で、模範解答を覚えることなく、問題集を「読む」ことで合格する力が付くような構成になっています。

この問題集を繰り返し解くことで、合格に必要な体系的な理論学習を行うことができます。本試験での応用的な出題にも対応できる力を身に付けましょう。

過去問ヨコ解き問題集

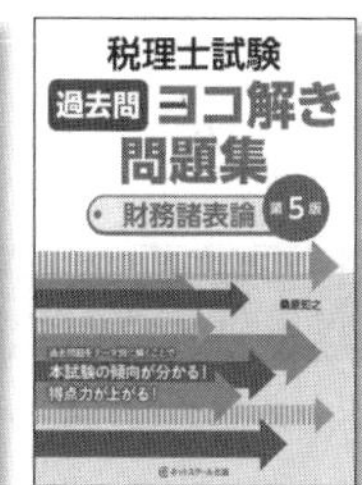

教科書や問題集を使った学習が一通り終わったら、本試験の過去問題を解きましょう。過去に出題された試験問題を解くことで、出題傾向や本試験のレベルを体験できます。

また、「ヨコ解き過去問題集」では、試験１回分を通しで解くのではなく項目ごとに解いていくため、苦手な項目をピンポイントで繰り返し解くことができます。苦手克服に繋げましょう。

解答・解説では解答方法の記載だけではなく、特筆すべき箇所については、各論点が実際に出題された際の考え方を『ポイント』や『参考』としてまとめておりますので、基本テキストを使った復習（今後の学習方法・戦略の立て方）にお役立てください。

ラストスパート模試

過去問題集での学習が終わったら、本試験形式で構成された模擬試験問題を解きましょう。本シリーズでは、ネットスクールの税理士講師の先生が作成した模擬問題を３回分収載しています。

試験問題を本体から取り外し、YouTube で配信している「試験タイマー」を流しながら解くことで、試験本番の臨場感の中で解くことができます。学習してきた力を試験本番で十分に発揮できるよう訓練をしましょう。

試験合格！

※掲載している書影は、すべて 2024 年８月現在の最新版、教科書／問題集シリーズは 2024 年度版のものとなります。
※書籍のお求めは全国の書店・インターネット書店、またはネットスクール WEB-SHOP をご利用ください。

多数の"合格者の声"が信頼と実績の証です！

ネットスクールWEB講座 合格者の声

ネットスクールで見事！合格を勝ち取った受講生様からのお言葉を紹介いたします。

takk 様（40 代男性、簿記論・財務諸表論合格）

簿記1級より引き続き、ネットスクールで簿記論・財務諸表論を受講し、合格をすることができました。ネットスクールの皆様には感謝の言葉しかありません。

1級合格後、簿記論と財務諸表論のテキストを購入しましたが、独学が非効率だと感じ、簿記論・財務諸表論上級コースを受講することにしました。1級と勝手が違うこと、既に講義が始まっていたこと、財務諸表論の理論は馴染みがなかったことから混乱しましたが、疑問点やスケジューリングなど、ことあるごとに先生に相談をしていました。

直前期はとにかく問題を解きました。総合問題を主軸に、理論は講義を受けつつアウトプットとして穂坂先生のつながる会計理論を周回していました。おかげで平均点はじりじりと上がっていきましたが、ときにはひどい点数の時もあり、何度先生に泣きついたか。陰鬱な内容を送ってしまうこともありましたが、聞き入れてくださり、気持ちを前向きにする助けとなりました。メンタルコントロールにとても配慮していただいたように思います。

試験当日は平常心を心掛け、ベストを尽くしてきました。ケアレスミスが若干あり、自己採点では合否どちらにも転がりうるという感じでしたが、結果は合格でした。ほっと胸を撫で下ろすとともに、合格の旨を報告させていただきました。

M.K. 様（30 代女性、医療従事者、財務諸表論合格）

簿記とは全く縁のない職種で働いておりますが、第一子の出産を機に、税理士を目指して簿記論と財務諸表論を独学で勉強しておりました。試験について無知であったため、直前対策コースを受講しましたが、学び足りないことを痛感して 1 年目の試験を受け、不合格でした。2 年目は標準コースで学びなおそうと思い、受講したことが今回の財務諸表論の合格につながったと思っています。

本年は、育休から復帰し、仕事と家事と第一子の育児、また第二子の出産 (11 月) とイベントが多く、勉強する時間が限られておりました。しかし、講師の方々のわかりやすく丁寧な講義を早朝や通勤時間にダウンロードして見ることができたこと、再生スピードを調整することができたこと、また、試験までの見通しを把握して勉強できたことが合格につながったと思います。

簿記論は合格できませんでしたので、また来年度の試験に挑もうと思っております。税法にも挑戦できればいいなと思っているところです。

財務諸表論に合格できたのはひとえにネットスクール講師の先生のおかげだと思っております。本当にありがとうございました。

官報合格者も
続々輩出！

中井　優様（40 代男性、会計事務所勤務、財務諸表論・官報合格）

所長税理士の引退が現実味を帯び、事務所内に有資格者がいない中、会計2科目を残す自分が合格を目指すしかない状況となった。2021 年 1 月より簿記論・財務諸表論の学習を他校で開始した。第 71 回本試験では、両科目とも合格ボーダーに全く届かず。しかし、不十分ながらも最後まで学習を継続したことで、簿記の「歩留まり」が自分に発生する。

学習を継続して挑んだ第 72 回本試験では、簿記論は合格。財務諸表論は 53 点（理論 18 点、計算 35 点）で惜しくも不合格となった。時間的な余裕もないので、穂坂先生の講義を受けるべく、ネットスクールの門を叩いた。

答練期より、自身の学習スタイルが確立する。5 時起床からの 2 時間の早朝学習。21 時から 23 時までの 2 時間の夜学習の計 4 時間／日の学習の習慣化、学習時間の確保である。基本、この学習スタイルを継続した。休日はこの学習に数時間を加算した。通勤移動のスキマ時間には、スマートフォンなどを用いた理論の学習をした。答練期の一例では、早朝の 2 時間で過去問や答練の解答。夜に採点と間違いノートへの書き出しと復習を行った。答練の成績は大原で上位 20%程度（上位 40% 位までが合格圏内）であった。

財務諸表論の理論学習については、つながる会計理論の知識を定着させること意識して、基本センテンスの書き出しや音読、デジタルアプリ「ノウン」の問題編をタブレットやスマートフォンで繰り返し回答した。

結果、合格確実ラインを超える点数（理論 29 点計算 41 点の計 70 点）を得て、官報合格を勝ち取ることができた。

C．T 様（女性、財務諸表論合格）

以前は他社の通信講座で 2 年程学習していましたが、全く結果が出せなかったので、思い切ってネットスクールに乗り換えました。

そこでまず驚いたのが、手厚いサポートでした。最初の Zoom カウンセリングにて、これまでの状況を手短に説明しただけで、熊取谷先生に「財務諸表論は計算問題から取り掛かるようにしたらどうですか」というアドバイスをもらいました。私にとってはすごく参考になりました。

講義もとにかく面白く分かり易かったです。ライブ授業の日は、毎回朝から楽しみでした。そして、ひたすら苦行だった理論の勉強が、穂坂先生の講義のお陰で、めちゃくちゃ楽しい時間に変わった事にも驚きました。試験対策だけではなく、背景にあるものや作問に関わっている先生方がどういう考えでいるかなど、とても興味深い話が聞けて、飽きることなく学べました。

現在、3 人の子供達の子育てをしながら勉強しておりますが、今年は結果が届いてすぐ、子供達に「合格したよ！」と知らせる事ができ、心の底から嬉しかったです。子供達も一緒に喜んでくれました。毎年、子供達に少し寂しい思いをさせてしまいますが、今年は結果が出せて本当に良かったです。

ネットスクールが自信をもって提唱する

簿財一体型の学習法

【税理士受験を始めた人に共通する最大の悩み】

⇒簿財の会計2科目のボリュームが多くて心が折れそう……

しかし、実は簿財の学習内容は**50％重複**しています。

※ (　)内の時間は１年間での標準学習時間となりますが、日商簿記検定などの学習経験や学習時期などの相違により個人差があります。

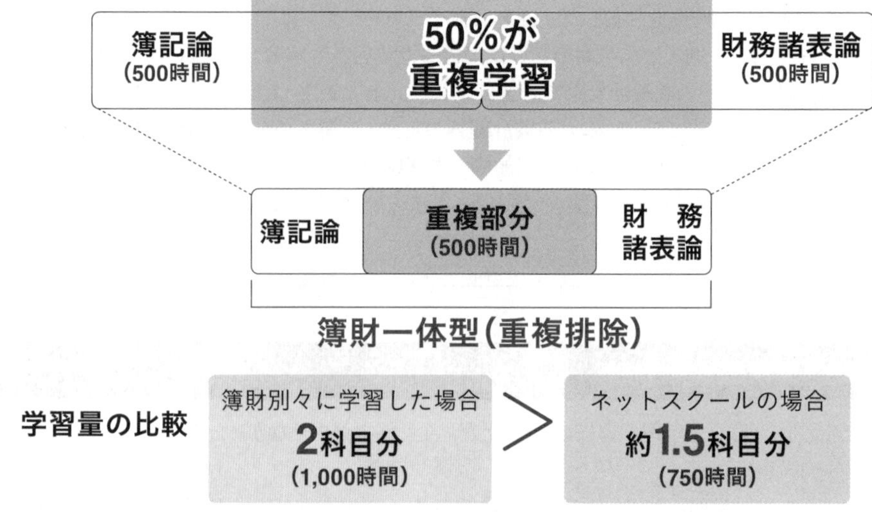

⇒悩みをスッキリ解決する新学習法が、**簿財一体型の学習法**です！

【参考】簿記論・財務諸表論の重複学習項目一覧

貸借対照表の作成	現金預金	金銭債権	棚卸資産	金融商品
有形固定資産	無形固定資産	繰延資産	営業費	負債会計
退職給付会計	純資産会計	外貨換算会計	リース会計	減損会計

なお、簿記論は基本的にはすべて計算問題として出題されますが、**財務諸表論では100点満点中50点までが理論問題の出題**となり、その出題量は相当なものとなりますので、**十分な理論対策が必要**となります。理論学習は日商簿記検定試験では１級会計学の出題内容となるため、特に３～２級までの学習修了者にとってはその理論対策が重要となってきます。

基礎導入編、基礎完成編、応用編の教科書・問題集は主に簿記論・財務諸表論の計算問題対策の教材となっていますので、財務諸表論の理論対策については別冊の**「財務諸表論教科書・理論編」**をご利用ください。

プロの会計人を目指すチャンス到来

今こそ税理士試験にチャレンジしよう！

簿記論および財務諸表論の受験資格が不要となったことに伴い、日商簿記の学習経験者にとってはこれまでよりも税理士試験（簿・財）にチャレンジしやすい環境になるものと考えられます。

これまで多くの税理士受験生が日商簿記検定の学習からスタートし、学習の進捗度合いや各級の合格を機に、簿記論や財務諸表論へステップアップしています。

そこで、以下の日商簿記検定試験の学習範囲との関連性（重複学習の度合い）をご参照いただき、今後における税理士試験へのチャレンジに向けて、学習開始の目安としていただきたいと思います。

なお、税理士試験では原価計算の出題はありません。また、工業簿記についても原価計算を行わない簡便的な工業簿記（商的工業簿記）の出題に限られています。

◆ 日商簿記検定試験の学習範囲との関連性

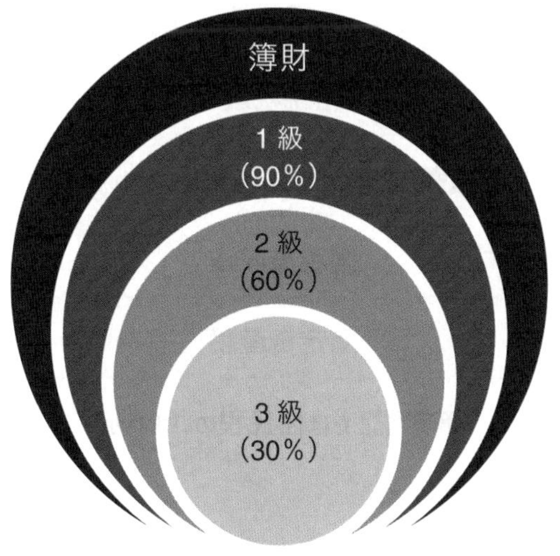

日商簿記１級

・ほとんどの内容は学習済みであり、復習もかねて学習を開始することができます。

・11月の検定試験後～年明けからのスタートが可能です。

日商簿記２級

・学習済みの内容も多く、比較的余裕をもって学習を開始することができます。

・理想は9月からですが、11月前後からのスタートも可能です。

日商簿記３級

・新規の学習項目も多くなりますが、基礎固めをしながら学習を進めていくことになります。

・9月から約1年をかけての学習をおススメします。

税理士試験（簿記論・財務諸表論）の学習については、これまででしたら日商簿記検定２級（商業簿記）の学習修了者が主な対象と考えられてきていたのですが、近年の日商簿記検定試験の出題範囲の改正等も考慮すると、**今後は日商簿記検定３級の学習修了者でも税理士試験（簿記論・財務諸表論）の学習開始は十分可能**であると考えられます。

さあ、今こそ税理士試験にチャレンジしましょう！

税理士試験は難易度の高い試験ではありますが、科目合格制度を採用しており、コツコツと努力を続ければ必ず合格できる可能性がある試験です。そして、税理士の資格は様々な分野で活躍できる魅力にあふれています。この魅力あふれる資格に今こそチャレンジしてみてください！

税理士試験の概要

税理士試験の2大特徴

特徴その1　科目選択制度

以下の試験科目全11科目から5科目を選択して受験する制度です。会計科目の2科目と選択必須科目1科目以上を含む税法科目3科目の合計5科目に合格する必要があります。

会計科目	必須の2科目	簿記論
		財務諸表論
税法科目	選択必須の1科目 ※法人税法または所得税法のいずれか	法人税法
		所得税法
	選択科目 ［2科目または1科目選択］	相続税法
		消費税法または酒税法のいずれか
		国税徴収法
		固定資産税
		事業税または住民税のいずれか

特徴その2　科目合格制度

1度の受験で5科目全てに合格する必要はなく、1科目ずつ受験することができます。
なお、1度合格した科目は生涯有効となります。

税理士試験の受験資格及び試験日程については、国税庁ホームページをご覧下さい。

https://www.nta.go.jp/index.htm

国税庁ホームページ　＞　税の情報・手続・用紙　＞　税理士に関する情報　＞　税理士試験

Chapter 1

法人税等・租税公課

私たちは、日常生活において所得税や住民税を負担しています。税金を負担するのは企業も同じで、法人税や事業税といった税金を負担しています。

このChapterでは、企業が負担する法人税や事業税などの会計処理について学習します。

Section 1

法人税等

企業は、事業活動を行っていくうえで、消費税、法人税、固定資産税など様々な税金を納めますが、税金によって納める理由・条件が異なってきます。

このSectionでは、企業(法人)の利益ともっとも密接な関係にある法人税等について学習します。税理士を目指す皆さんは、不得意とはいえませんよ。

1 法人税等とは

法人税等*01)とは、企業の各会計期間の利益*02)に対して課される税金をいいます。したがって、当期の税額は当期末に確定*03)し、翌期に納めます。ただし、通常はその全額を翌期に納めるのではなく、当期中に中間納付として当期の法人税等の一部を仮払いしておき、残額を翌期に納めることもあります*04)。

*01)『法人税、住民税及び事業税』を指します。

*02)厳密には「税務上の課税所得金額」に対して課税されます。ただし、課税所得の計算は法人税法の内容です。

*03)決算において当期の利益が確定しないと、法人税等の計算ができないためです。

*04)中間納付の有無は、前年度の法人税額の納付実績によって決まります。

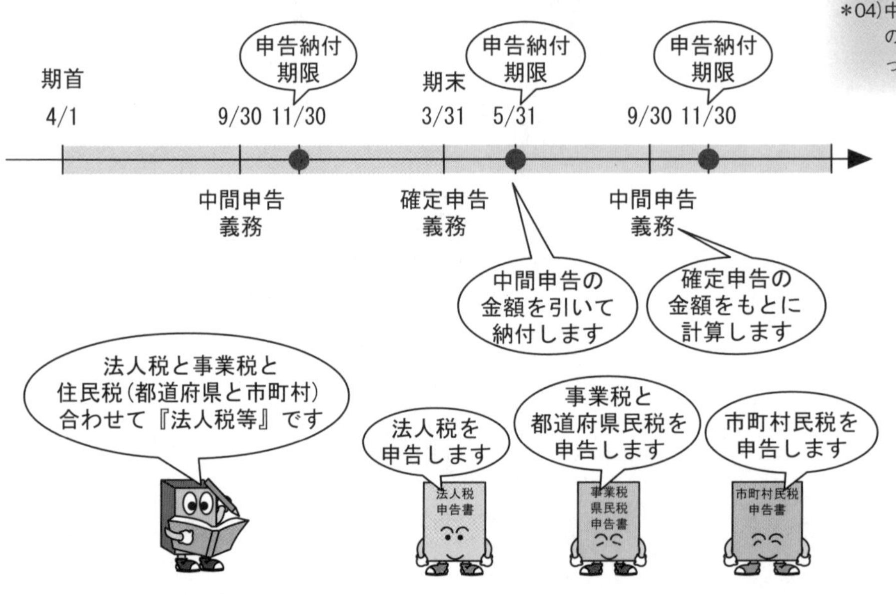

2 中間納付の処理

簿B 財計B

法人税等の中間納付を行った場合は、期末に確定する法人税等の一部を仮払いしたと捉えるので、『**仮払法人税等**』で処理します*01)。

*01) 法人税等の「等」は必ず入ります。
略して『法人税』と書かないように！

設例 1-1 法人税等の中間納付

次の取引の仕訳を示しなさい。

法人税等の中間納付として、8,000円を現金で納付した。

(借)	仮払法人税等	8,000	(貸)	現金預金	8,000

3 期末の処理

期末に税引前当期純利益が確定し、計算された法人税、住民税及び事業税の金額を『**法人税等**』として計上します。期末における未払分は、『**未払法人税等**』として計上します。

なお、**仕訳を行う上での勘定科目は**『**法人税等**』を使用しますが、**損益計算書における表示科目は**『**法人税、住民税及び事業税**』を使用します*01)。

*01) 税理士試験では、仕訳の勘定科目と損益計算書の表示科目の区別も意識して学習しましょう。

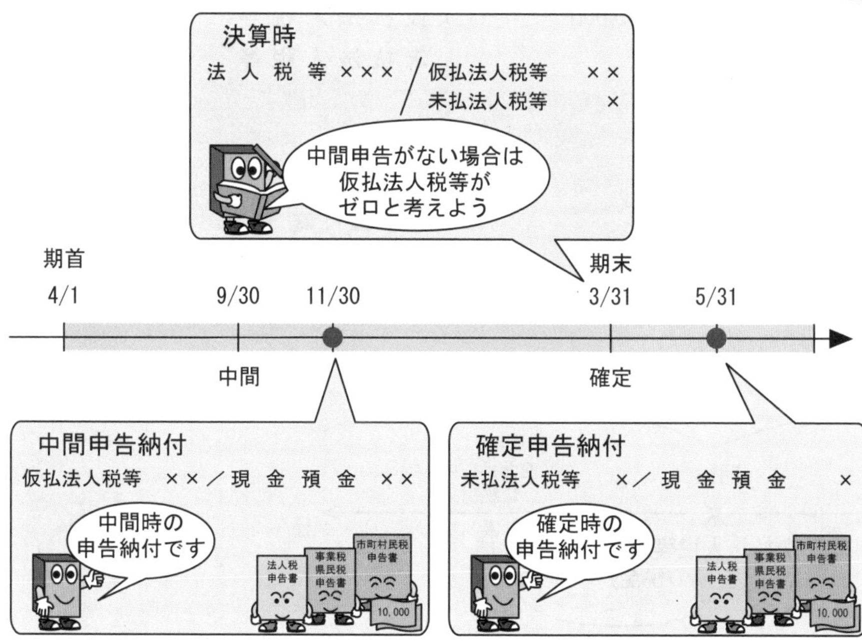

1．中間納付を行っていない場合

期末に計算した法人税等の金額を『**未払法人税等**』に計上します。

設例 1-2　法人税等の期末処理１

次の取引の仕訳を示しなさい。

決算の結果、当期の税引前当期純利益は50,000円であった。法人税等の金額は、15,000円である。

（借）法人税等	*15,000*	（貸）未払法人税等	*15,000*

2．中間納付を行っている場合

期末に計算した法人税等の金額から、期中に『**仮払法人税等**』で処理している中間納付額を差し引いた残額を『**未払法人税等**』として計上します。

設例 1-3　法人税等の期末処理２

次の取引の仕訳を示しなさい。

決算の結果、当期の税引前当期純利益は50,000円であった。法人税等の金額は、15,000円（うち事業税2,400円）とする。なお、中間納付額6,000円（うち事業税900円）を期中に支払っている。

（借）法人税等	*15,000*	（貸）仮払法人税等	*6,000*
		未払法人税等	*9,000* *02)

＊02）貸借差額

4　未払法人税等の納付

期末に計上した『**未払法人税等**』は、２カ月以内に納付しなければなりません。

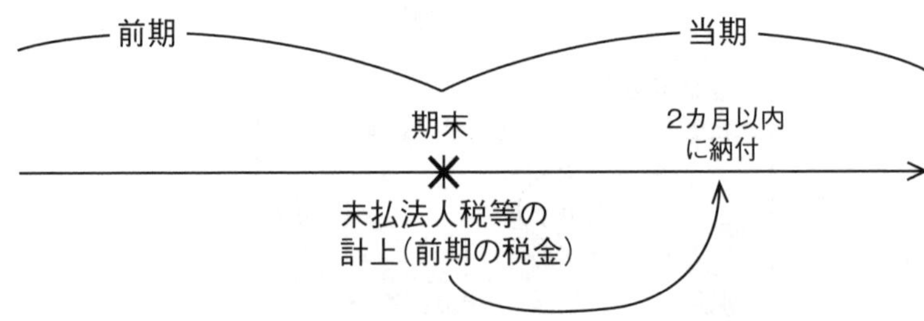

設例 1-4　未払法人税等の納付

次の取引の仕訳を示しなさい。

未払法人税等9,000円(うち事業税1,500円)を現金で納付した[*01]。

(借)	未払法人税等	9,000	(貸)	現金預金	9,000

*01)このタイミングで納付する未払法人税等は、前期末に計上した税金である点に注意しましょう。『仮払法人税等』で処理しないように！

5　源泉所得税の処理

▶▶簿問題集：問題1

企業が金融機関等[*01]から利息や配当等を受け取るさいには、所得税等が源泉徴収[*02]されます。この源泉所得税は、当期の法人税等から控除することができるので、『**仮払法人税等**』として計上します。

*01)銀行や所有している株式の発行会社などです。

*02)源泉所得税といいます。「法人税」ではなく、「所得税」という名目で課税されますが、その本質は「法人税の仮払い」です。

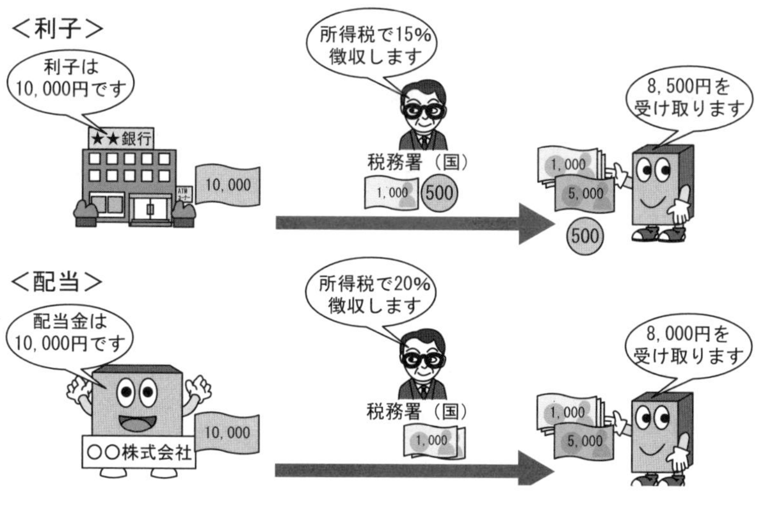

設例 1-5　源泉所得税の処理

次の各取引の仕訳を示しなさい。

(1)　株式に関する配当1,600円(源泉所得税400円控除後)を現金で受け取った。

(2)　銀行の普通預金にかかる利息425円(源泉所得税75円控除後)が普通預金口座に振り込まれた。

解答

(1)	(借)	現金預金	1,600	(貸)	受取配当金	2,000[*03]
		仮払法人税等	400			
(2)	(借)	現金預金	425	(貸)	受取利息	500[*04]
		仮払法人税等	75			

*03)源泉所得税控除前の金額　1,600円＋400円＝2,000円

*04)源泉所得税控除前の金額　425円＋75円＝500円

6 法人税等の追徴および還付

1．法人税等追徴税額

追徴税額とは、前期以前に行った法人税等の確定申告につき、修正申告*01)や更正*02)等により納付不足が生じた場合、追加して納付する税金の額をいいます。

この場合、追加納付した金額を『**法人税等追徴税額**』として計上します。

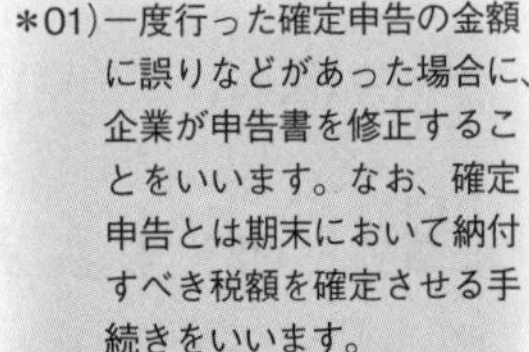
*01)一度行った確定申告の金額に誤りなどがあった場合に、企業が申告書を修正することをいいます。なお、確定申告とは期末において納付すべき税額を確定させる手続きをいいます。

*02)申告書に誤りがあった場合に、税務署が正しい税額に是正することをいいます。

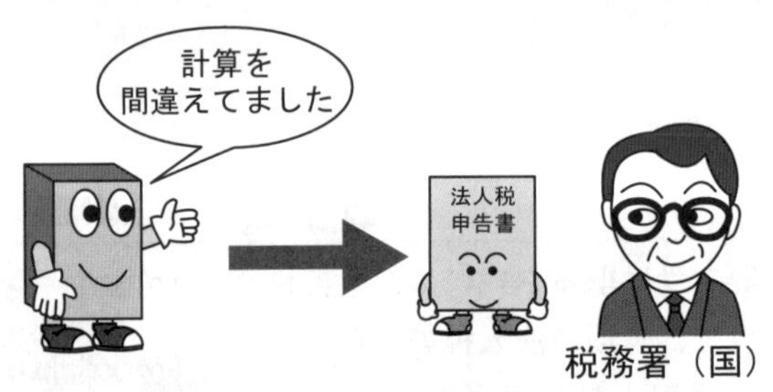

設例 1-6 法人税等の追徴

次の取引の仕訳を示しなさい。

前々期に申告した法人税等の修正申告を行い、追徴税額1,500円を現金で納付した。

解答

（借）**法人税等追徴税額**	*1,500*	（貸）**現　金　預　金**	*1,500*

2．法人税等還付税額

還付税額とは、前期以前に行った法人税等の確定申告につき、更正の請求等により過大納付が判明した場合に返還される税金の額をいいます。

この場合、還付された金額を『**法人税等還付税額**』として計上します。

設例 1-7 法人税等の還付

次の取引の仕訳を示しなさい。

前期に申告した法人税等の更正の請求を行った結果、還付税額1,000円を現金で受領した。

解答

（借）**現　金　預　金**	*1,000*	（貸）**法人税等還付税額**	*1,000*

7 法人税等の表示

簿C 財計A ▶▶財問題集：問題5

法人税等の損益計算書における表示科目は『**法人税、住民税及び事業税**』で、税引前当期純利益の次に表示されます。

また、『**法人税等追徴税額**』および『**法人税等還付税額**』は『**法人税、住民税及び事業税**』の次に表示し、当期の法人税等の金額に加算(追徴)または減算(還付)します[*01]。

なお、『**未払法人税等**』は流動負債に表示されます[*02]。

*01)期末現在で追徴税額が未払いの場合は、『未払法人税等』に含めて表示します。

*02)税法の規定により、納付期限が期末日の翌日から2カ月以内のため、流動負債です。

<損益計算書における表示例>

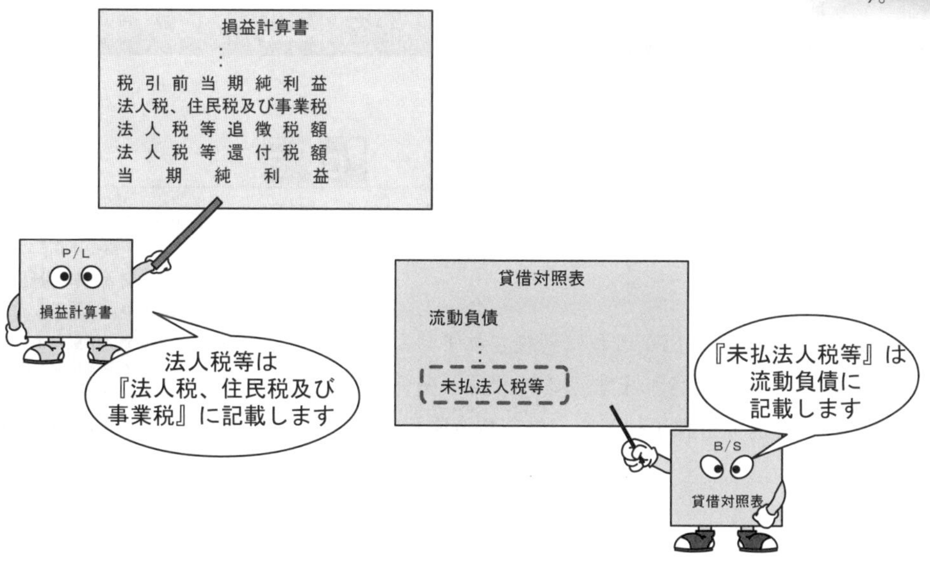

Section 2 事業税と外形標準課税制度

当期は利益が出なかったので法人税等は納付しないものと思っていたら、所轄官庁から事業税について納付するようにいわれました。事業税も法人税同様、利益が出たときに支払うものと思っていましたが…。

このSectionでは、事業税と外形標準課税制度について学習します。

1 事業税の分類

簿C　財計B

事業税は、企業の利益に対してかかるもの(**所得割**[*01)])と、企業の事業活動の規模を示す一定の基準に対してかかるもの(**資本割**[*02)]・**付加価値割**[*03)])に分類されます。

所得割は、法人税と同様に利益が出なければ課税されませんが、資本割・付加価値割は利益に関係なく課税されます。この利益と関係なく、企業の規模や資本金等に対して税金を課す制度を、**外形標準課税制度**[*04)]といいます。

*01) 企業の各事業年度の所得等に対して課税することです。

*02) 期末の資本金等に対して課税されることです。

*03) 企業が事業活動によって生み出した価値に対して課税されることです。

*04) 外形標準課税制度の対象となるのは、資本金1億円超の企業など、一部に限られています。

事業税
- 所　得　割 ＝利益に対して課税
- 資　本　割 ＝期末の資本金等に対して課税
- 付加価値割 ＝生み出した価値に対して課税

利益です

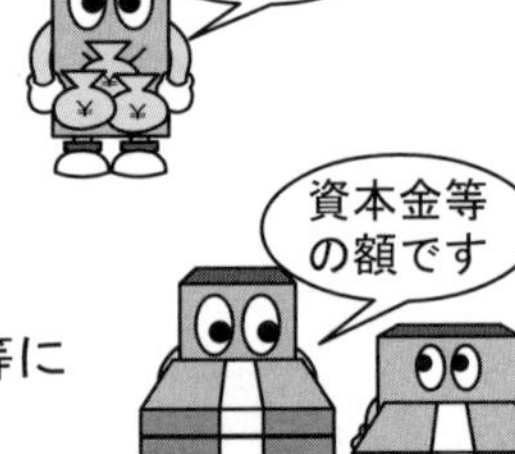

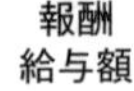

など

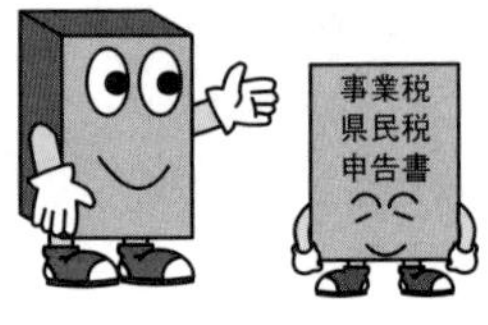

2 事業税の処理方法

簿C 財計A

▶▶簿問題集：問題2
▶▶財問題集：問題6,7

事業税のうち、**所得割部分**は『**法人税等**』(法人税、住民税及び事業税)として処理し、**資本割・付加価値割部分**は『**租税公課**』(販売費及び一般管理費)として処理します*01)。なお、いずれの部分であっても、期末の未払分については『**未払法人税等**』に含めて処理します*02)。

*01)勘定科目を使い分けます。しっかりと区別をしてください。

*02)『未払事業税』とはしません。注意しましょう。

事業税の種類		勘　定　科　目	表　示　科　目
事業税	所得割	法人税等	法人税、住民税及び事業税
	資本割・付加価値割（外形標準課税制度）	租税公課（販売費及び一般管理費）	

設例 2-1 事業税と外形標準課税制度

次の取引の仕訳を示しなさい。

当期末における法人税等は22,000円であった。なお、そのうち1,200円は事業税の外形標準による金額(資本割および付加価値割)である。

中間納付等は行っていないものとする。

(借)	法人税等	20,800	(貸)	未払法人税等	22,000
	租税公課	1,200			

Section 3

その他の税金（租税公課）

企業が営業活動をする上では、消費税や法人税等以外にも様々な税金とかかわります。

このSectionでは、租税公課という費用になる税金や資産の取得原価に含める税金について学習します。

ポイントは、費用処理するか、資産の取得原価に含めるのかという判断ができるかどうかです。

1 費用処理される税金

固定資産税や印紙税(収入印紙)など、「法人税、住民税及び事業税(所得割部分)」や「消費税等」以外のほとんどの税金は費用となるので、『**租税公課**』(販売費及び一般管理費)で処理します。

なお、期末における未納付分は『**未払金**』[*01]を計上します。

*01)『未払租税公課』ではありません。注意してください。

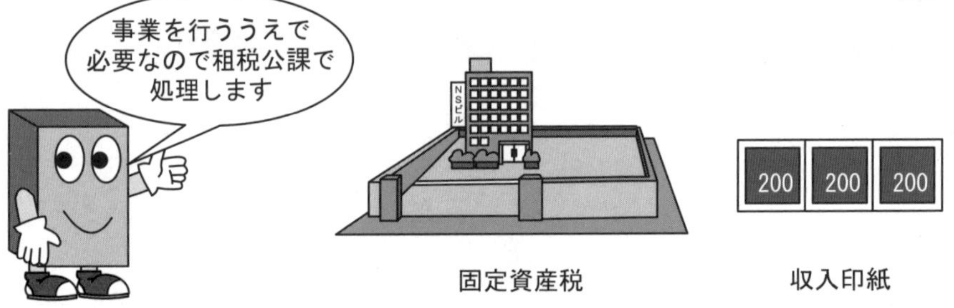

設例 3-1　　租税公課

次の取引(1)～(3)の仕訳を示しなさい。

(1)　当期の固定資産税20,000円を現金で納付した。

(2)　収入印紙1,000円を現金で購入した。

(3)　当期の自動車税は5,000円であった。なお、期末現在未納付である。

解答

(1)	(借) 租税公課	20,000	(貸) 現金預金	20,000
(2)	(借) 租税公課	1,000	(貸) 現金預金	1,000
(3)	(借) 租税公課	5,000	(貸) 未払金	5,000

また収入印紙については、購入時にすべて『**租税公課**』で処理しますが、期末に未使用分がある場合は『**貯蔵品**』に振り替えます。なお、前T／Bの貯蔵品に前期未使用分が含まれている場合は『**租税公課**』に振り替えます[*02]。

*02)教科書Ⅰ基礎導入編Chapter 7営業費で学習した通信費の処理の仕方と同じです。使用する勘定科目が違うだけです。

設例 3-2　　収入印紙の処理

次の一連の取引(1)～(3)の仕訳を示しなさい。

(1)　収入印紙15,000円を現金で購入した。

(2)　期末現在、収入印紙の未使用分が2,000円ある。当期は×1年度である。

(3)　×2年度の決算整理前残高試算表の貯蔵品のうち2,000円は、収入印紙の前期未使用分であるため、租税公課に振り替える。

(1)	(借) 租税公課	*15,000*		(貸) 現金預金	*15,000*
(2)	(借) 貯蔵品	*2,000*		(貸) 租税公課	*2,000*
(3)	(借) 租税公課	*2,000*		(貸) 貯蔵品	*2,000*

2 資産の取得原価に含める税金

▶▶簿問題集：問題3,4
▶▶財問題集：問題8

法人税等や消費税以外の税金は、基本的には『**租税公課**』として費用処理しますが、固定資産の取得に必要な税金*01)については、原則として「取得に要した付随費用」とし、**取得原価に含めて処理**します*02)。

*01)環境性能割(旧：自動車取得税)、不動産取得税、登録免許税などがあります。

*02)税法との兼合いで費用処理することもあります。問題文の指示に注意してください。

設例 3-3　　租税公課と取得原価

次の取引の仕訳を示しなさい。

土地500,000円を購入し、代金は翌月に支払うこととした。なお、不動産取得税15,000円は現金で納付した。

(借) 土地	*515,000*	(貸) 未払金	*500,000*
		現金預金	*15,000*

1 法人税等・租税公課
2 税効果会計
3 消費税
4 リース会計I
5 減損会計
6 退職給付会計I
7 引当金
8 社債
9 純資産会計I
10 繰延資産

この Chapter での表示と注記

貸 借 対 照 表

（資産の部）		（負債の部）	
Ⅰ　流動資産		Ⅰ　流動負債	
貯蔵品	×××	未払法人税等	×××
⋮		未払金	×××
		⋮	
		（純資産の部）	
		⋮	

損 益 計 算 書

⋮		
Ⅲ　販売費及び一般管理費		
租税公課		×××
⋮		
税引前当期純利益		×××
法人税、住民税及び事業税	×××	
法人税等追徴税額	×××	
法人税等還付税額	△××	×××
当期純利益		×××

Chapter 2
税効果会計

企業は、1年間の業務活動の結果、利益を得るとその金額に応じて法人税などの税金を負担します。利益は収益から費用を差し引いた残りとして計算するのですが、実はそのようにして計算した利益がそのまま課税対象額になるわけではありません。税法のルールと会計のルールに違いがあるのです。その違いがどのような影響をもたらすのでしょうか？

このChapterでは、税効果会計という会計処理について学習します。

Section 1

税効果会計の概要

1年が終わり、なんとか利益が出ました！　そこで、税引前当期純利益に税率を掛けた金額を法人税等として税務署に納付しようとしたところ、「納税金額が違いますよ！」と指摘されました。どうやら、会計上の利益に税率を掛ければいいという単純な話ではなさそうです。

このSectionでは、会計と税務の違いを調整するために行われる税効果会計の概要について学習します。

1　税効果会計とは

税効果会計とは、会計上と税務上とで計算した「法人税等[*01)]の額」に差異が生じる場合に、会計上の「法人税等を控除する前の当期純利益(税引前当期純利益)」と「法人税等の額」を合理的に対応させる手続きのことをいいます。

＊01)法人税等とは、『法人税、住民税及び事業税』のことをいいます。

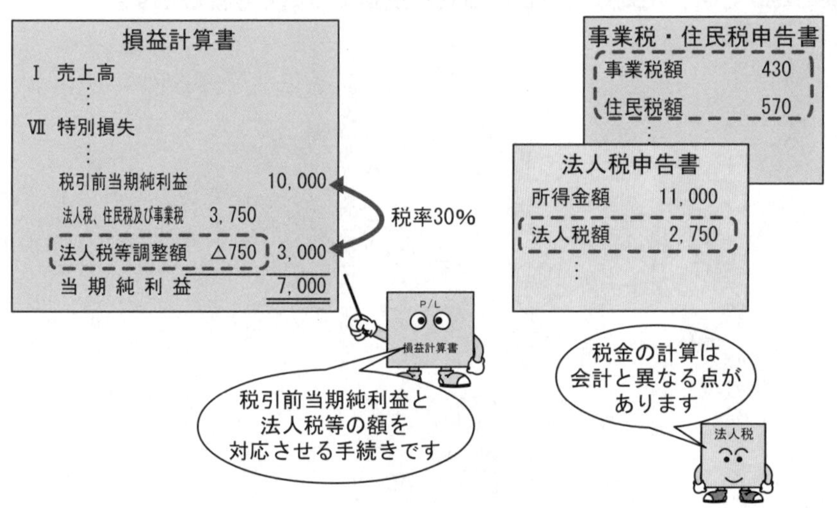

会計は、**適正な期間損益計算を目的**として、収益から費用を差し引いて、**企業の業績である利益(税引前当期純利益)**を計算します。一方、税務は、**適正な税金額の計算を目的**として、**益金**[*02)]から**損金**[*03)]を差し引いて、**企業の税金支払能力の基礎となる課税所得**を計算します。

このように会計と税務では計算目的が異なるため、収益と益金、費用と損金に差異が生じ、通常、税引前当期純利益と課税所得は一致しません。

＊02)会計における収益に相当します。

＊03)会計における費用に相当します。

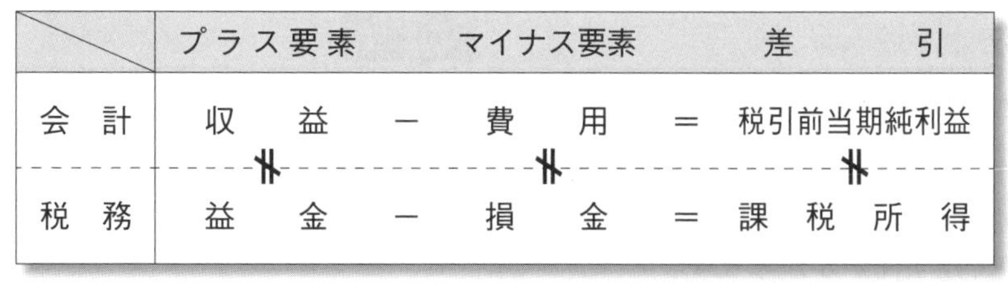

	プラス要素		マイナス要素		差引
会計	収益	−	費用	=	税引前当期純利益
	≠		≠		≠
税務	益金	−	損金	=	課税所得

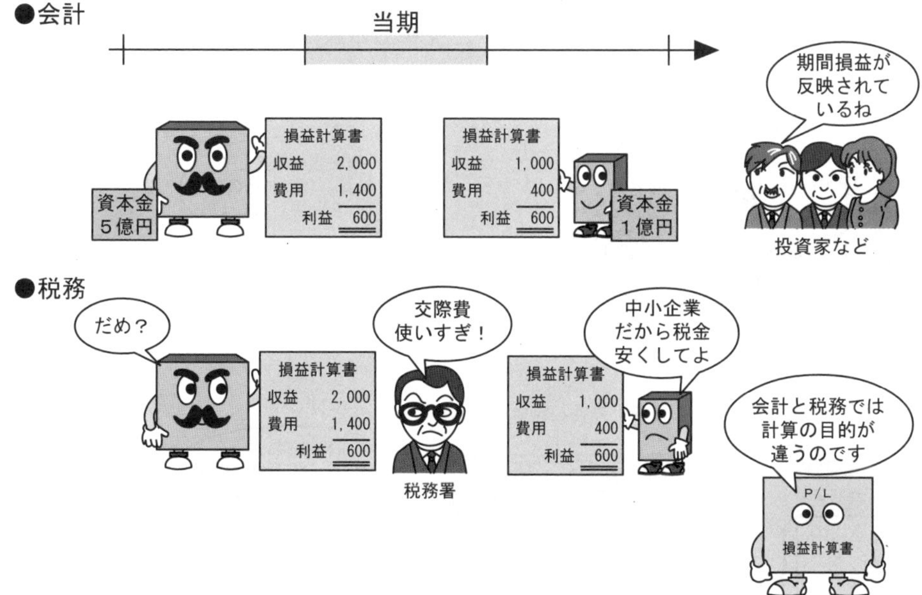

適正な期間損益計算を目的とする財務会計においては、「税引前当期純利益」と「法人税等の額」が税率で対応することが望ましいので、税効果会計を適用して法人税等の金額を調整して表示します。

2 課税所得の計算方法

税務上の課税所得は、前述のように益金から損金を差し引いて計算します。ただし、会計上で損益計算書を作成して税引前当期純利益を計算しており、税務上でまた別に益金と損金にもとづいた損益計算書を作成して課税所得を計算するのでは手間がかかります。

そこで、会計上で計算した税引前当期純利益に、会計上の収益・費用と税務上の益金・損金との差異を調整することにより、税務上の課税所得を計算します。

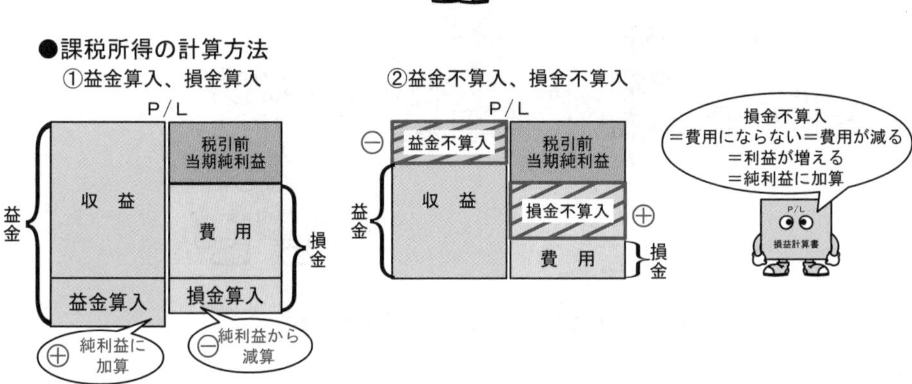

期末において、翌期に支払う予定の賞与に対して「賞与引当金 300 円」を設定したとします。会計では、当期の費用として「賞与引当金繰入 300 円」が計上されます。しかし、**法人税法での賞与の扱いは、実際に支払ったときに損金とする**ため、翌期の賞与支払時にはじめて損金となり、当期の損金にはなりません（損金不算入）。

つまり、会計上と税務上で、当期の費用について 300 円の差異が生じることになります。ここで、当期の税引前当期純利益が 3,000 円であった場合、3,000 円に 300 円を加算した 3,300 円が課税所得となります。

また、翌期の賞与支払時には、会計上は「賞与引当金 300 円」を取り崩すだけなので費用は計上されませんが、税務上は「支払った」という事実にもとづいて 300 円の損金が計上されます（損金算入）。

なお、翌期の税引前当期純利益が 5,000 円であった場合、5,000 円から 300 円を引いた 4,700 円が課税所得となります。

	当　期	翌　期
会計上の費用	300	0
税務上の損金	0	300

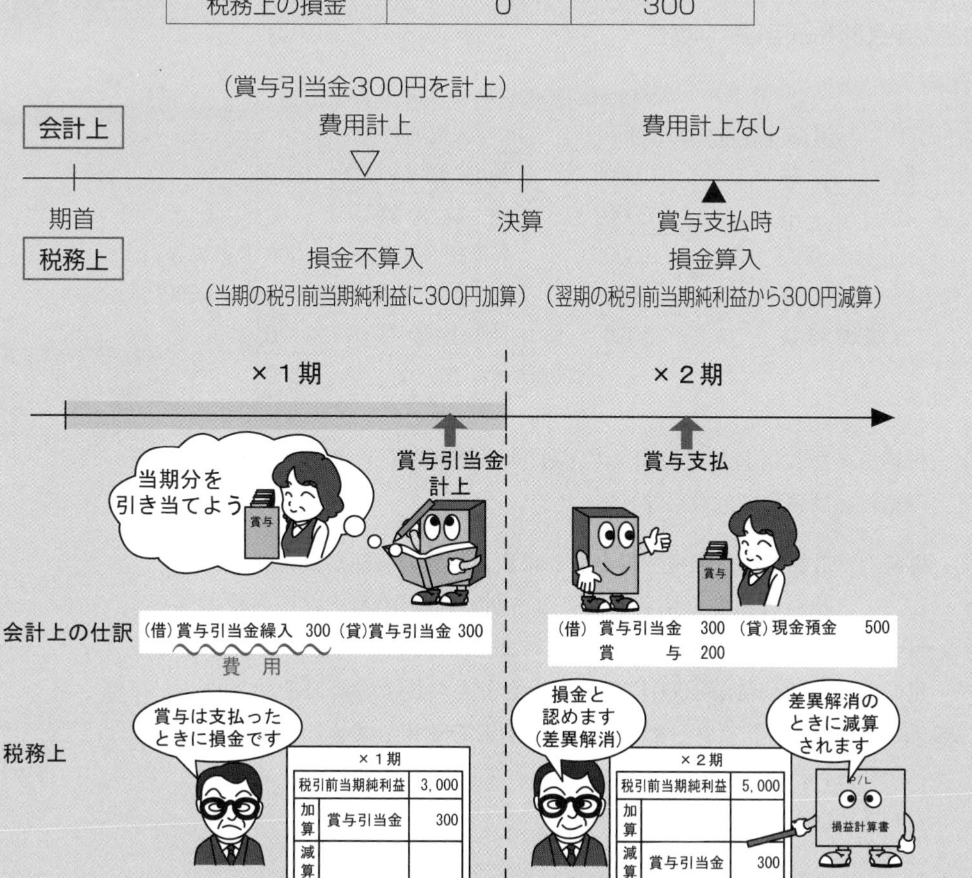

3 会計上の法人税等と税務上の税額

仮に、税効果会計を適用しないと、どうなるでしょうか？

法人税等の額は、**課税所得を基礎**として費用計上されます。会計上の税引前当期純利益と税法上の課税所得とに差異があるときは、**①法人税等の額が税引前当期純利益と期間的に対応しません**。また、**②将来の法人税等の支払額に対する影響が表示されない**ことになります。

ここでは、税引前当期純利益*01) に必要な調整を行い課税所得を計算するまでの流れを、(1)税効果会計を適用しない場合と(2)税効果会計を適用した場合とに分けて、具体的な数値を用いて見ていきます。

*01) この項目での税務上の計算は、税効果会計の理解のために、計算(計算方法)を簡略化しています。

> **【例】** 会計上、当期の収益総額は10,000円、費用総額は7,000円であった。なお、費用総額の中に税務上、損金に算入されない賞与引当金繰入300円が含まれている。
> 法定実効税率*02) は30%である。

*02) 法人税のほか、住民税・事業税の税率を考慮した税率です。

(1)税効果会計を適用しない場合

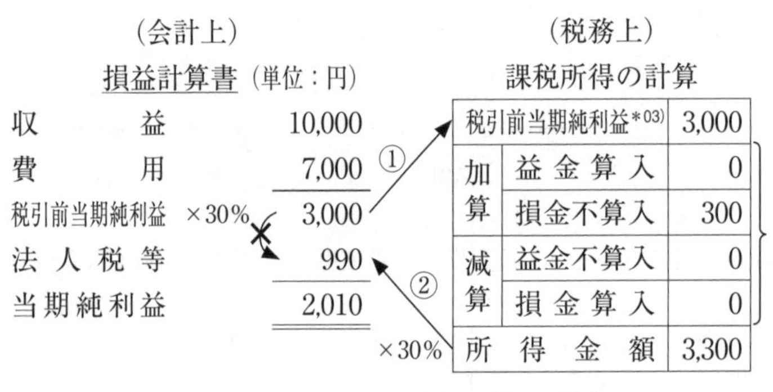

*03) 実際の法人税法では少し違う計算をしますが、便宜上、税引前当期純利益からスタートして説明しています。

① 税務上の課税所得は、会計上の税引前当期純利益に会計上と税務上の差異を調整して計算します。

② 税務上で計算された課税所得をもとに法人税等の金額が決まります。
ここで、損益計算書を見ると税引前当期純利益3,000円と法人税等990円が法定実効税率30%で対応していません。
税引前当期純利益が3,000円の場合、会計上の税金費用はその30%の900円であるべきです。そこで税効果会計を適用します。

(2)税効果会計を適用した場合

税引前当期純利益と法人税等が対応するように、法人税等の金額を調整します。このさい、法人税等の金額を『**法人税等調整額**』という勘定科目を使用して調整します*04)。調整金額は差異の金額に法定実効税率を掛けて計算します。

(借) 繰延税金資産	90*05)	(貸) 法人税等調整額	90

法人税等調整額は損益計算書の法人税等の下に表示します。

損益計算書(単位:円)

収　益		10,000
費　用		7,000
税引前当期純利益		3,000
法人税等	990	
法人税等調整額	△ 90	900
当期純利益		2,100

× 30%

これにより、税引前当期純利益3,000円と法人税等調整額考慮後の法人税等900円が対応します。

このように、税効果会計の適用によって会計上の税引前当期純利益に対応する法人税等の額となるように調整が行われます。なお、この調整はあくまでも会計上のものですから、税効果会計の適用の有無にかかわらず、**実際納付額(990円)は変わらない**という点に注意してください。

*04) 相手勘定は、差異の内容によって『繰延税金資産』または『繰延税金負債』となります。

*05) 調整金額:
300円 × 30% = 90円
差異　税率
税務上の所得が会計上の利益よりも300円大きいため、その分だけ税務上の法人税等の金額は大きくなります。ここでは税務上の法人税等の金額を会計上の利益をベースとした法人税等の金額に調整するため、差異に税率を掛けた金額を引いています。

Section 2

会計上と税務上の差異

会計上と税務上の差異があるために、税引前当期純利益と法人税等の額が対応しないことがわかりました。では、その差異にはどのような種類があるのでしょうか？

このSectionでは、差異の種類について学習します。

1 差異の分類

会計上と税務上の計算目的が相違することにより生じる差異は、税効果会計の対象となる**一時差異**と、対象とならない**永久差異**[*01]に分類されます。さらに、一時差異は「将来減算一時差異」と「将来加算一時差異」に細分されます。

*01) 基準上は「一時差異等に該当しない差異」といいます。

〈差異の分類〉

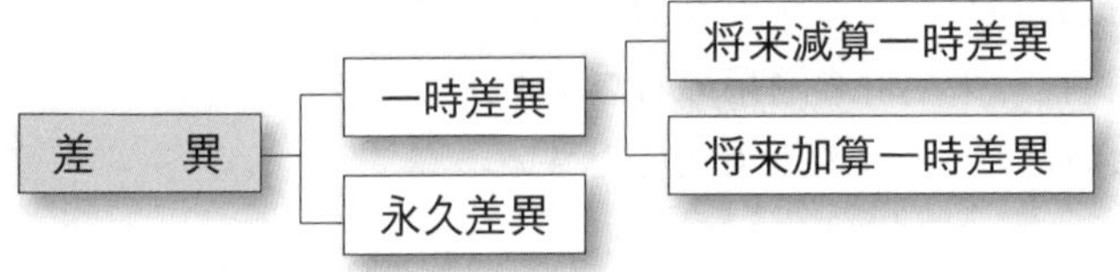

2 一時差異とは

簿B 財計B

一時差異とは、会計上と税務上の差異が一時的なもので、時間の経過とともにいずれ解消される差異のことをいいます。一時差異は、将来において課税所得の増減効果があるため、税効果会計の対象とされています。

なお一時差異は、「**将来減算一時差異**」[*01]と、「**将来加算一時差異**」[*02]とに分類されます。

① **将来減算一時差異とは、一時差異が解消するとき、その期の課税所得を減額する効果をもつもの**をいいます。

② **将来加算一時差異とは、一時差異が解消するとき、その期の課税所得を増額させるもの**をいいます。

*01) 将来減算一時差異は、差異が発生するときに課税所得に加算され、差異が解消するときに減算されるものをいいます。

*02) 将来加算一時差異は、差異が発生するときに課税所得から減算され、差異が解消するときに加算されるものをいいます。

将来減算一時差異の例

当期に会計上、賞与引当金繰入300円を計上したが、税務上は損金として認められなかった。翌期の賞与支払時に賞与引当金を取り崩して賞与を支払い、税務上は損金として認められた。

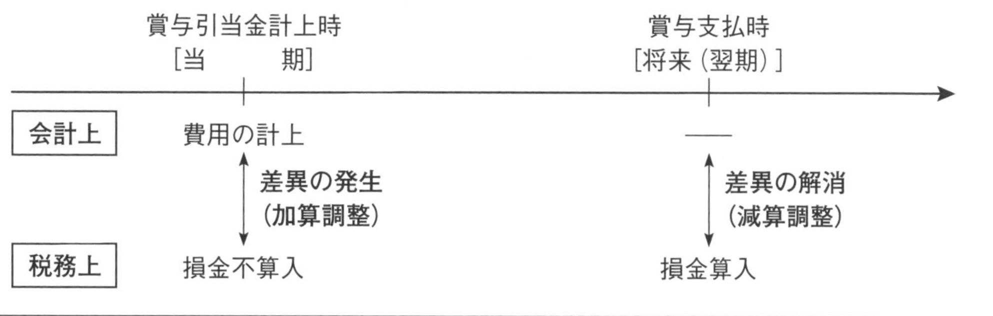

一時差異が発生する原因としては、次の２つが考えられます。

1．認識時期の相違によるもの

収益と益金、費用と損金の対象や金額は同じでも、その発生を認識するタイミング(期間)が異なることにより生じます。

2．その他有価証券の評価替え等によるもの

資産や負債の評価差額がP／Lには計上されずにB／Sの純資産の部に計上されることがあります。この評価差額が課税所得の計算に含まれない場合、B／Sの資産・負債の金額と、課税所得計算上の資産・負債の金額は不一致となり、一時差異が生じます*03)。

*03）教科書Ⅰ基礎導入編 Chapter 8 金融商品会計を参照してください。

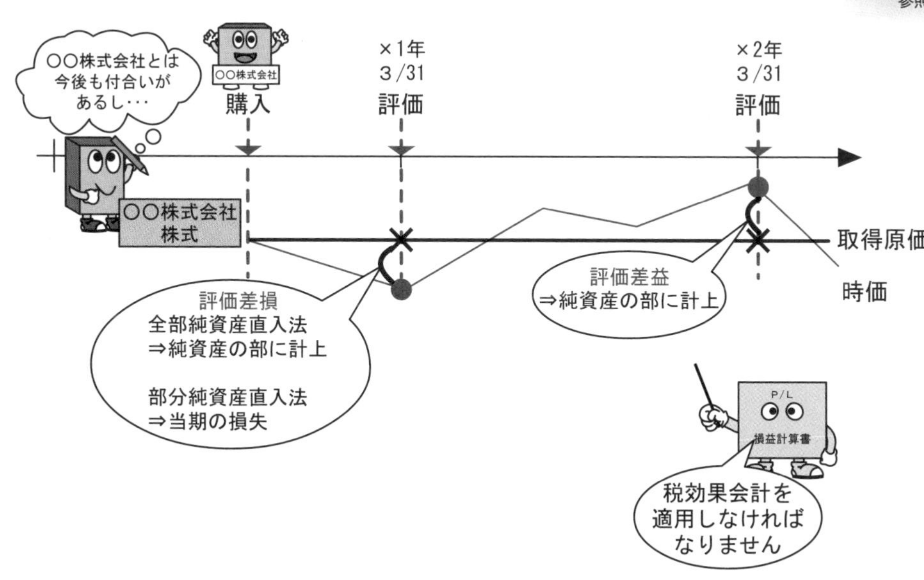

3 永久差異とは

永久差異とは、会計上は収益または費用として計上しても、税務上は永久に益金または損金に算入されない項目をいいます。永久差異は、将来において課税所得の増減効果がないため、税効果会計の適用対象となりません。

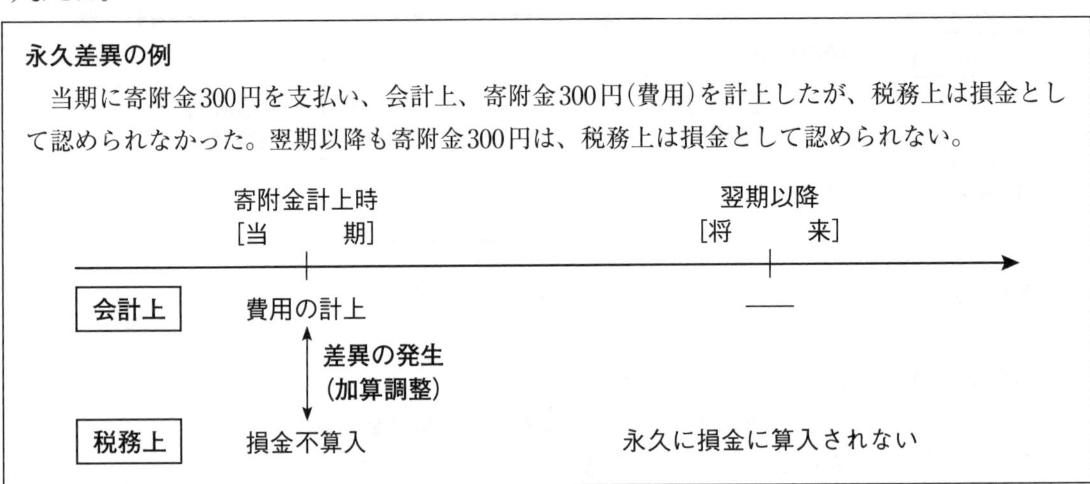

永久差異の例
当期に寄附金300円を支払い、会計上、寄附金300円(費用)を計上したが、税務上は損金として認められなかった。翌期以降も寄附金300円は、税務上は損金として認められない。
寄附金計上時
[当　期]
翌期以降
[将　来]
会計上
費用の計上
——
差異の発生
(加算調整)
税務上
損金不算入
永久に損金に算入されない

なお、この永久差異があるため、厳密には税効果会計を適用しても「税引前当期純利益に法定実効税率を掛けた金額」は「税効果会計を考慮した法人税等」とは**一致しません**。

差異の分類のまとめ

一時差異と永久差異について整理すると、次のとおりです*01)。

差異の分類			主な項目
税効果会計の対象となる差異	一時差異	**将来減算一時差異**	各種引当金の繰入限度超過額の損金不算入額
			減価償却の償却限度超過額の損金不算入額
			未払事業税
			その他有価証券の評価差額(評価差損)
		将来加算一時差異	その他有価証券の評価差額(評価差益)
			積立金方式による圧縮記帳の損金算入額
対象とならない差異	永久差異		受取配当金の益金不算入額*02)
			交際費の損金不算入額
			寄附金の損金不算入額

本試験では税効果会計の仕訳をする項目にはその旨が記載されているので、各項目を暗記する必要はありません。ただし、ひっかけとして永久差異も記載される場合があるので、永久差異の主な項目だけはおさえておきましょう！

*01) 各項目の具体的な処理については、このあと、順番に学習します。

*02) 会計上受取配当金(収益)を計上しても、税務上は原則として益金になりません。配当金はすでに税金を引かれた利益から分配されたものです。そのため、受取配当金が益金に算入されると二重に課税されることになるからです。

Section 3

将来減算一時差異

「今日がんばって働いたから、明日は少し楽ができる！」…税金に関して、将来減算一時差異はこんなイメージです。

このSectionでは、将来減算一時差異の処理方法について学習します。

1 将来減算一時差異とは

将来減算一時差異とは、将来、差異が解消するときに、課税所得を減額する効果がある一時差異をいいます。

将来減算一時差異は、差異の発生年度に多めの法人税等を支払う代わりに、差異解消年度(将来)には課税所得の減額を通じて法人税等の支払いが減額されることから、会計上、**法人税等の前払い**と考えられています。

税務上の計算

税引前当期純利益		3,000
加算	益金算入	0
	損金不算入	300
減算	益金不算入	0
	損金算入	0
所得金額		3,300

税務上の計算の一時差異のうち、加算項目に該当するものが「将来減算一時差異」です[*01]。

*01)当期の課税所得に加算され、税金を支払う代わりに将来に減算されるので「将来減算一時差異」です。

2 将来減算一時差異の処理方法

▶▶簿問題集：問題3

ここでは、将来減算一時差異の発生時、解消時の会計処理および法人税等の調整を、具体的な数値を用いて見ていきます。

1．発生年度の会計処理

将来減算一時差異の発生年度においては、法人税等の前払いを行ったと考え、『**繰延税金資産**』という資産の勘定で処理します。また、相手勘定は『**法人税等調整額**』(貸方に計上)という勘定によって**法人税等を減らします**。

設例 3-1　将来減算一時差異の発生

次の取引の税効果会計に関する仕訳を示しなさい。法定実効税率は30%とする。

会計上、当期の収益総額は10,000円、費用総額は7,000円であった。なお、費用総額の中に税務上、損金に算入されない賞与引当金繰入300円が含まれている。

また、税務上、課税所得をもとに計算された法人税等は990円である。

解答

(借)	繰延税金資産	90 *01)	(貸)	法人税等調整額	90

*01) 300円×0.3=90円

2．解消年度の会計処理

将来減算一時差異の解消年度においては、差異の発生年度に行った仕訳の貸借逆仕訳を行います。

設例 3-2　将来減算一時差異の解消

次の取引について、その取引が行われた期の税効果会計に関する仕訳を示しなさい。法定実効税率は30%とする。

設例3-1の翌期において賞与を支払い、会計上、賞与引当金300円を全額取り崩し、税務上、賞与引当金300円が損金に算入された。

なお、翌期の収益総額は11,000円、費用総額は6,000円であった。

また、税務上、課税所得をもとに計算された法人税等は1,410円である。

解答

(借)	法人税等調整額	90	(貸)	繰延税金資産	90

3．法人税等調整額による調整

損益計算書上、次のように法人税等を調整します。

①法人税等調整額が貸方に計上された場合

→ 法人税等から減算【設例3-1】

②法人税等調整額が借方に計上された場合

→ 法人税等に加算【設例3-2】

【各期のP/L】　　　　(単位：円)

(一時差異の発生年度)

当期の損益計算書

収　益		10,000
費　用		7,000
税引前当期純利益		3,000
法人税等	990	
法人税等調整額	△90	900
当期純利益		2,100

(30%で対応)

(一時差異の解消年度)

翌期の損益計算書

収　益		11,000
費　用		6,000
税引前当期純利益		5,000
法人税等	1,410	
法人税等調整額	90	1,500
当期純利益		3,500

(30%で対応)

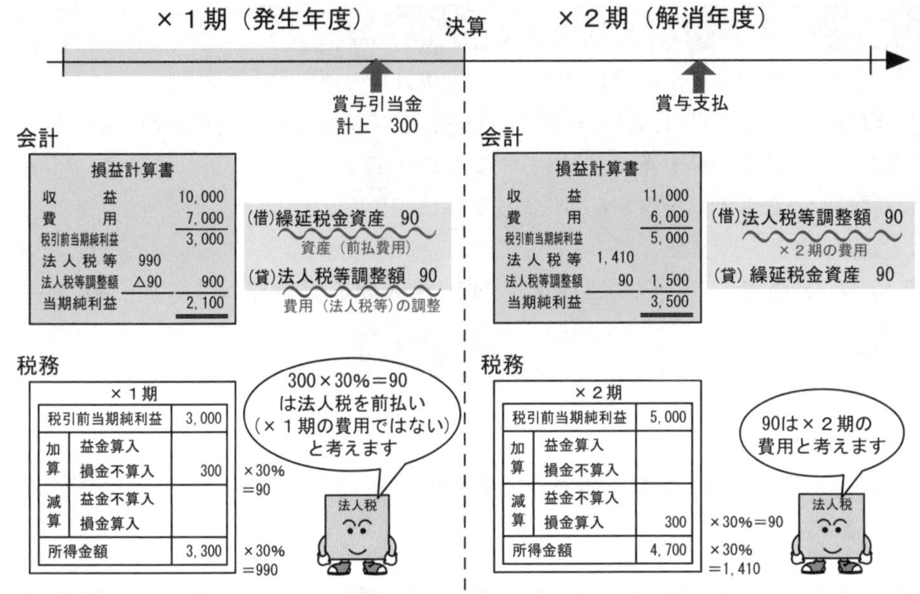

Point

税効果会計を適用することにより、税引前当期純利益と法人税等が合理的に対応する（永久差異などがある場合を除く）ことから、本試験では税引前当期純利益と法人税等調整額から法人税等を逆算する問題が、簿記論の総合問題で出題されています。

当期の収益総額 10,000 円、費用総額 7,000 円であった。なお、当期末において将来減算一時差異 300 円が発生している。当期の法人税等を求めなさい。なお、法定実効税率は 30%とする。

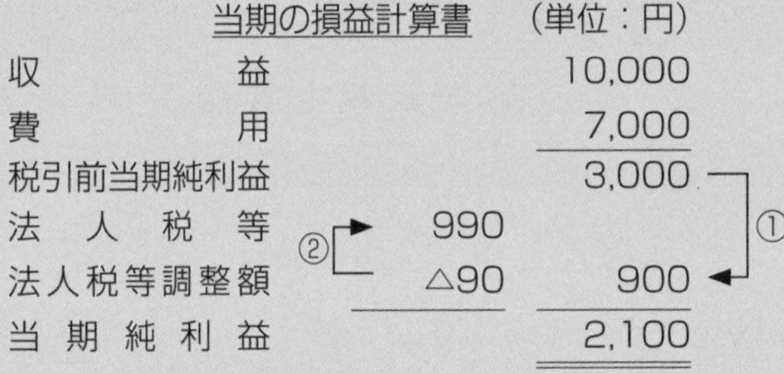

当期の損益計算書　（単位：円）

収　　　益		10,000
費　　　用		7,000
税引前当期純利益		3,000
法　人　税　等	990	
法人税等調整額	△90	900
当　期　純　利　益		2,100

① 税引前当期純利益から法人税等のうち会計上、計上すべき金額を求めます。
税引前当期純利益：10,000 円－ 7,000 円＝ 3,000 円
法人税等調整後の金額：3,000 円× 0.3 ＝ 900 円

② 法人税等を法人税等調整額から逆算します。
法人税等調整額：300 円× 0.3 ＝ 90 円
法人税等：900 円＋ 90 円＝ 990 円

3 具体的な会計処理

簿A 財計A ▶▶簿問題集：問題1,2,4~7 ▶▶財問題集：問題12～17

1．賞与引当金

賞与引当金の繰入額は、会計上は費用として計上しても、税務上は損金として認められない(損金不算入)ため、将来減算一時差異となります。

翌期に賞与を支払い、賞与引当金を取り崩したときに税務上損金に算入され、将来減算一時差異が解消します。

設例 3-3 賞与引当金繰入

次の資料にもとづいて、賞与引当金および税効果会計に関する仕訳を示しなさい。法人税等の法定実効税率は30%である。

(1) 当期末に翌期の従業員賞与の支払いに備えて、会計上賞与引当金300円を計上した。しかし、税務上は賞与引当金繰入の損金算入は認められなかった。

(2) 翌期に従業員賞与300円を当座預金より支払い(現金預金勘定で処理)、賞与引当金を全額取り崩した。これにともない税務上、賞与引当金の損金算入が認められた。

解答

(1)	(借)	賞与引当金繰入	300	(貸)	賞与引当金	300
	(借)	繰延税金資産	90*01)	(貸)	法人税等調整額	90
(2)	(借)	賞与引当金	300	(貸)	現金預金	300
	(借)	法人税等調整額	90	(貸)	繰延税金資産	90

*01) 300円×0.3=90円

2．棚卸資産の評価損

棚卸資産の商品評価損は、会計上は費用として計上しても、税務上は損金として認められないことがあります(損金不算入)。損金不算入の場合、将来減算一時差異が発生します。

この商品評価損は商品を売却・除却したときに税務上損金に算入され、将来減算一時差異が解消します。

設例 3-4 棚卸資産の評価損

次の資料にもとづいて、商品および税効果会計に関する仕訳を示しなさい。法人税等の法定実効税率は30%である。

(1) 当期に仕入れ、期末に手許にある商品25,000円について、収益性の低下が認められたため8,000円の評価減を行った。税務上は当該商品を売却または除却するまで損金算入は認められない。

(2) 翌期になり、上記商品を売却したため、評価損8,000円が税務上損金に算入された。

解答

(1)	(借) 繰越商品	25,000	(貸) 仕　　入	25,000
	(借) 商品評価損	8,000	(貸) 繰越商品	8,000
	(借) 繰延税金資産	2,400 *03)	(貸) 法人税等調整額	2,400
(2)	(借) 法人税等調整額	2,400	(貸) 繰延税金資産	2,400

＊03) 8,000円×0.3＝2,400円

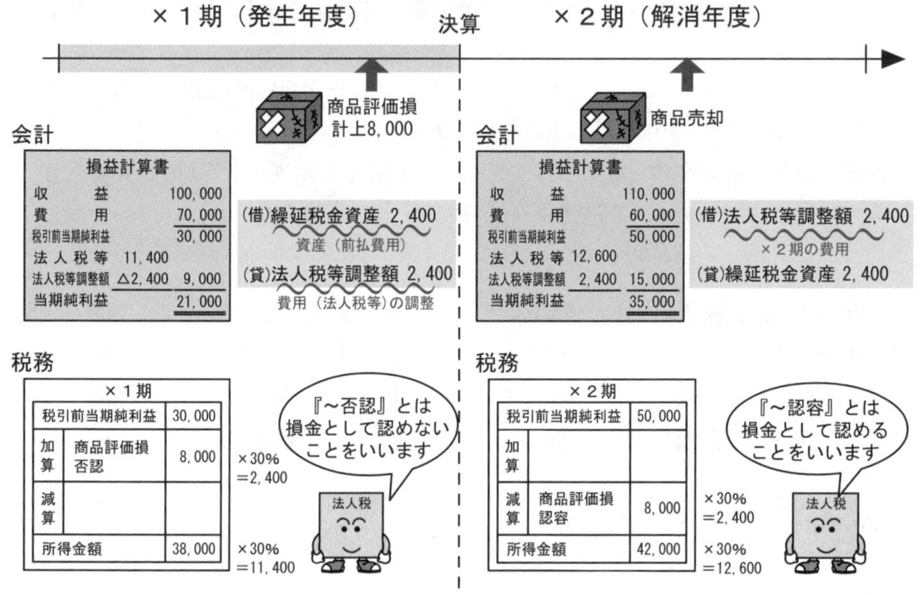

３．減価償却超過額

固定資産の減価償却費は、税務上は法定耐用年数にもとづいて計算しますが、会計上は会社が見積もった耐用年数で計算することができます。

たとえば、パソコンの法定耐用年数は４年ですが、３年ごとに買い換えている会社などは、実際の耐用年数３年で償却することがあります。ここで、税務上の減価償却費(減価償却限度額)を超える減価償却費(減価償却限度超過額)は、損金として認められない(損金不算入)ため、将来減算一時差異となります。

この損金に算入されなかった減価償却費は固定資産を売却・除却したときに税務上損金に算入され、将来減算一時差異が解消します。

設例 3-5　減価償却

次の資料にもとづいて、減価償却および税効果会計に関する仕訳を示しなさい。法人税等の法定実効税率は30％である。

(1)　当期首に機械12,000円を取得し、期末に会計上は８年(残存価額ゼロ)で定額法(間接法)により減価償却を行った。税務上の法定耐用年数は10年(残存価額ゼロ)である。

(2)　翌期末に減価償却を行った。

(3)　翌々期首に機械を売却したため、償却限度超過額600円が損金に算入された。

解答

(1)	(借)	減価償却費	1,500＊04)	(貸)	機械減価償却累計額	1,500
	(借)	繰延税金資産	90＊05)	(貸)	法人税等調整額	90
(2)	(借)	減価償却費	1,500	(貸)	機械減価償却累計額	1,500
	(借)	繰延税金資産	90	(貸)	法人税等調整額	90
(3)	(借)	法人税等調整額	180＊06)	(貸)	繰延税金資産	180

＊04) $\frac{12,000円}{8年}$＝1,500円

＊05) $\frac{12,000円}{8年}-\frac{12,000円}{10年}$＝300円(一時差異)

300円×0.3＝90円

＊06) 600円×0.3＝180円　または90円＋90円＝180円

4．貸倒引当金の損金算入超過額

貸倒引当金繰入額は、会計上は会社の任意で貸倒実績率を見積もることができますが、税務上は損金算入限度額が決まっています。ここで、税務上の損金算入限度額を超える貸倒引当金繰入額は損金として認められない(損金不算入)ため、将来減算一時差異となります。

この損金に算入されなかった貸倒引当金繰入額は、債権が貸し倒れたときなどに税務上損金に算入され、将来減算一時差異が解消します。

①貸倒引当金の残高がない場合

設例 3-6　貸倒引当金損金算入超過額１

次の資料にもとづいて、貸倒引当金繰入および税効果会計に関する仕訳を示しなさい。法人税等の法定実効税率は30％である。

(1)　当社が長期貸付金5,000円を有する得意先が経営破綻の状態に陥った。会計上は破産更生債権等に該当するため、破産更生債権等に振り替え債権金額全額に対し貸倒引当金を設定した。しかし、税務上は損金算入が認められなかった。貸倒引当金の残高はゼロである。

(2)　翌期になり上記得意先について会社更生法による更生手続が開始され、会計上貸倒引当金を取り崩した。また、税務上、前期に計上した貸倒引当金繰入5,000円が損金に算入された。

解答

(1)	(借) 破産更生債権等	5,000	(貸) 長期貸付金	5,000
	(借) 貸倒引当金繰入	5,000	(貸) 貸倒引当金	5,000
	(借) 繰延税金資産	1,500[*07]	(貸) 法人税等調整額	1,500
(2)	(借) 貸倒引当金	5,000	(貸) 破産更生債権等	5,000
	(借) 法人税等調整額	1,500	(貸) 繰延税金資産	1,500

＊07) 5,000円×0.3＝1,500円

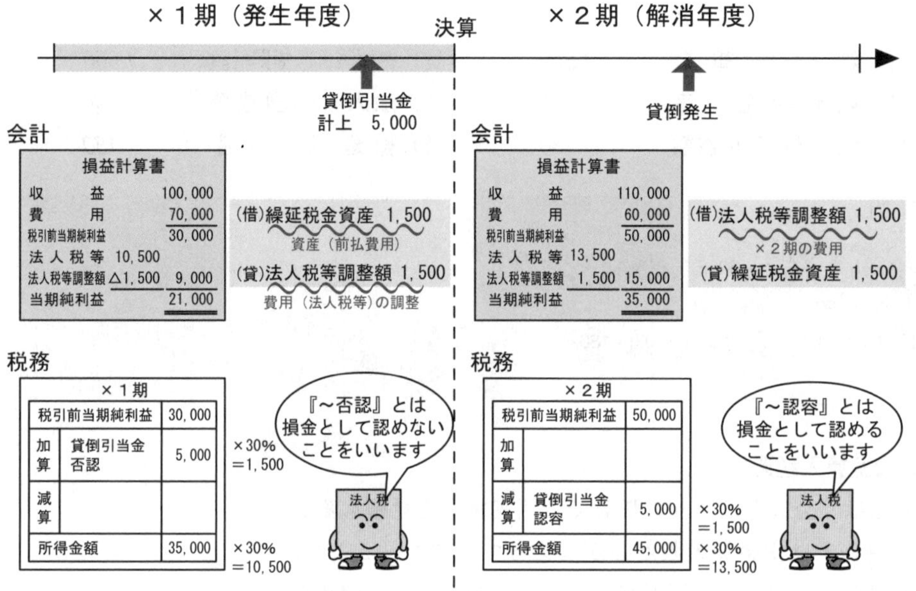

②貸倒引当金の残高がある場合

上記の例では、貸倒引当金の設定にさいし、貸倒引当金の残高がないケースでしたが、貸倒引当金の残高がある場合には若干計算が異なります。

これまで、税効果会計についてイメージしやすいことから、会計上の収益・費用と税務上の益金・損金の差異に注目してきましたが、税効果会計は、厳密には**会計上の資産・負債の簿価と、税務上の資産・負債の簿価の差異**にもとづいて処理を行います。

貸倒引当金の設定について、会計上は差額補充法で処理した場合でも、税務上の繰入限度額は洗替法で考えます。具体的には、**会計上の貸倒引当金設定額と税務上の貸倒引当金設定額との差異**にもとづいて処理を行います。

設例 3-7　貸倒引当金損金算入超過額2

次の資料にもとづいて、貸倒引当金繰入および税効果会計に関する仕訳を示しなさい。法人税等の法定実効税率は30%である。

(1)　期末の売掛金残高10,000円に対して貸倒実績率法にもとづき2%の貸倒引当金を差額補充法により設定する。なお、決算整理前残高試算表における貸倒引当金の残高はゼロである。
　税務上の貸倒引当金の繰入限度額は100円である。

(2)　翌期末になり売掛金残高30,000円に対して貸倒実績率法にもとづき2.5%の貸倒引当金を差額補充法により設定する。なお、決算整理前残高試算表における貸倒引当金の残高は50円である。
　税務上の貸倒引当金の繰入限度額は200円である。

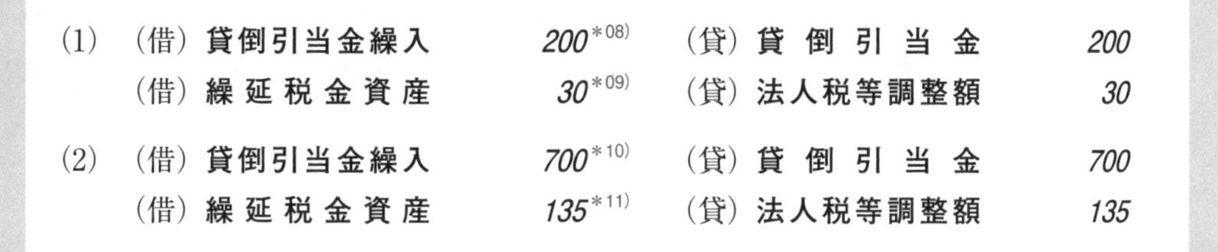

(1)	(借) 貸倒引当金繰入	200 *08)	(貸) 貸倒引当金	200
	(借) 繰延税金資産	30 *09)	(貸) 法人税等調整額	30
(2)	(借) 貸倒引当金繰入	700 *10)	(貸) 貸倒引当金	700
	(借) 繰延税金資産	135 *11)	(貸) 法人税等調整額	135

*08) 10,000円×0.02－0円＝200円
*09) 会計上の貸倒引当金：200円
　税務上の貸倒引当金：100円
　当期末の差異：200円－100円＝100円
　繰延税金資産：100円×0.3＝30円

*10) 30,000円×0.025－50円＝700円
*11) 会計上の貸倒引当金：30,000円×0.025＝750円
　税務上の貸倒引当金：200円
　当期末の差異：750円－200円＝550円
　当期の差異の増加額：550円－100円＝450円
　繰延税金資産：450円×0.3＝135円

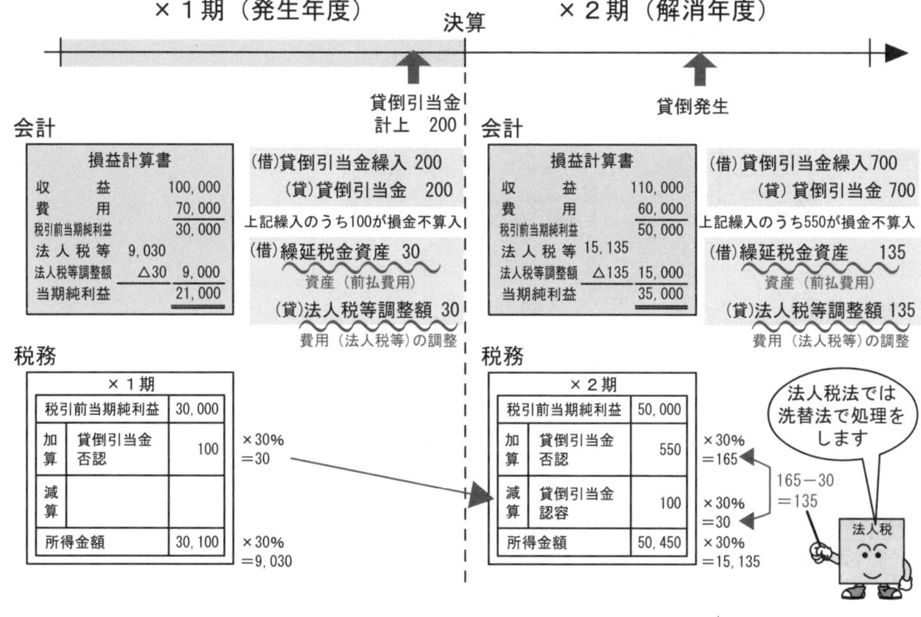

5. 未払事業税

事業税は、会計上は発生時に法人税等として費用計上しても、税務上は発生時に損金として認められない(損金不算入)ため、将来減算一時差異となります。

この損金に算入されなかった事業税は、翌期になって事業税を納付したときに税務上損金に算入され、将来減算一時差異が解消します。

設例 3-8　未払事業税

次の資料にもとづいて、事業税および税効果会計に関する仕訳を示しなさい。法人税等の法定実効税率は30%である。

(1)　当期の決算において、法人税等11,200円(うち事業税2,500円)を計上した。しかし、税務上はこの法人税等のうち、事業税について損金算入が認められなかった。

(2)　翌期になって、法人税等11,200円を小切手を振り出して納付(現金預金勘定で処理)した。また、税務上、前期に計上した法人税等のうちの事業税部分2,500円が損金に算入された。

解答

(1)	(借) 法人税等	11,200	(貸) 未払法人税等	11,200
	(借) 繰延税金資産	750*12)	(貸) 法人税等調整額	750
(2)	(借) 未払法人税等	11,200	(貸) 現金預金	11,200
	(借) 法人税等調整額	750	(貸) 繰延税金資産	750

*12) 2,500円×0.3=750円

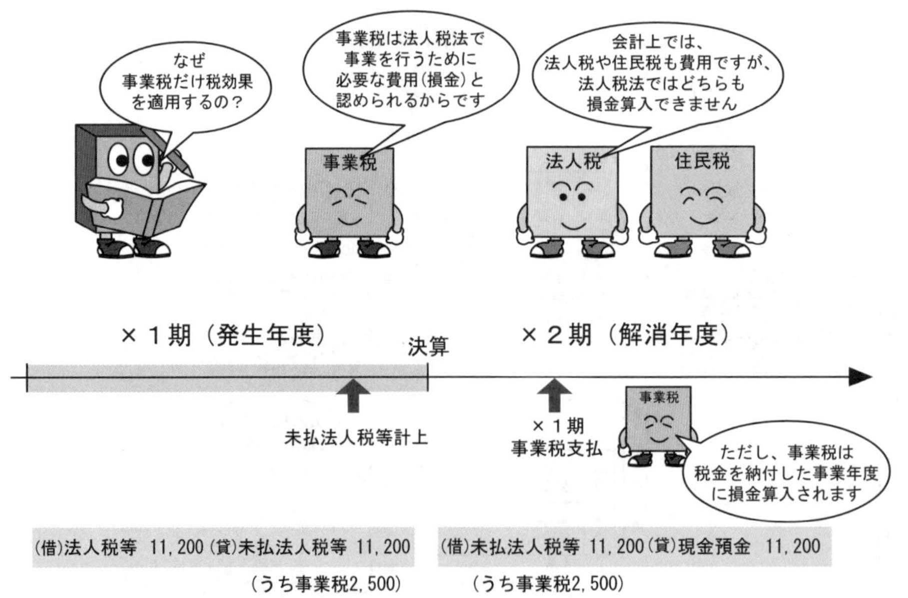

Section 4 将来加算一時差異

「今日少しサボったから、明日はがんばって働かなきゃ！」…税金に関して、将来加算一時差異はこんなイメージです。
このSectionでは、将来加算一時差異の処理方法について学習します。

1 将来加算一時差異とは

薄B 財計B

将来加算一時差異とは、将来、差異が解消するときに、課税所得を増額する効果がある一時差異をいいます。

将来加算一時差異は、差異の発生年度に少なめの法人税等を支払う代わりに、差異解消年度(将来)には課税所得の増額を通じて法人税等の支払いが増額されることから、会計上、**法人税等の後払い**と考えられています。

税務上の計算

税引前当期純利益		3,000
加算	益金算入	200
	損金不算入	350
減算	益金不算入	150
	損金算入	100
所得金額		3,300

税務上の計算の一時差異のうち、減算項目に該当するものが「将来加算一時差異」です*01)。

*01) 当期に減算される代わりに将来に加算されるので「将来加算一時差異」です。

2 将来加算一時差異の処理方法

ここでは、将来加算一時差異の発生時、解消時の会計処理および法人税等の調整を、具体的な数値を用いて見ていきます。

1．発生年度の会計処理

将来加算一時差異の発生年度においては、法人税等の後払いと考え、『**繰延税金負債**』という負債の勘定で処理します。なお、相手勘定は将来減算一時差異と同じ『**法人税等調整額**』(借方に計上)によって**法人税等の調整**(加算)を行います。

設例 4-1　　将来加算一時差異の発生

次の取引の税効果会計に関する仕訳を示しなさい。法定実効税率は30%とする。

会計上、当期の収益総額は10,000円、費用総額は7,000円であった。期末において、将来加算一時差異300円が発生した。

また、税務上、課税所得をもとに計算された法人税等は810円である。

解答

(借) 法人税等調整額	90	(貸) 繰延税金負債	90 *01)

*01) 300円×0.3=90円

2．解消年度の会計処理

将来加算一時差異の解消年度においては、差異の発生年度に行った仕訳の貸借逆仕訳を行います。

設例 4-2　　将来加算一時差異の解消

次の取引の税効果会計に関する仕訳を示しなさい。法定実効税率は30%とする。

設例4-1の翌期において将来加算一時差異300円が解消した。

なお、翌期の収益総額は11,000円、費用総額は6,000円であった。

また、税務上、課税所得をもとに計算された法人税等は1,590円である。

解答

(借) 繰延税金負債	90	(貸) 法人税等調整額	90

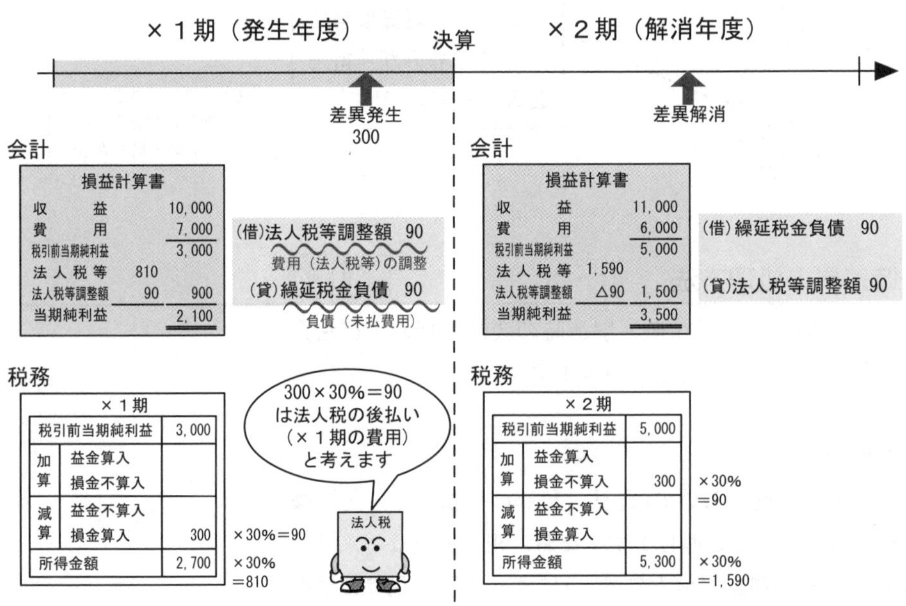

【各期のP/L】　(単位：円)

(一時差異の発生年度)

当期の損益計算書		
収　益		10,000
費　用		7,000
税引前当期純利益		3,000
法人税等	810	
法人税等調整額	90	900
当期純利益		2,100

(30%で対応)

(一時差異の解消年度)

翌期の損益計算書		
収　益		11,000
費　用		6,000
税引前当期純利益		5,000
法人税等	1,590	
法人税等調整額	△ 90	1,500
当期純利益		3,500

(30%で対応)

将来加算一時差異は、将来の課税所得を加算させるのであって、税効果による法人税等調整額によって法人税等を増やす調整と混同しないようにしてください。

3 具体的な会計処理

簿A　財計B

▶▶簿問題集：問題8
▶▶財問題集：問題18

1．積立金方式による圧縮記帳

(1)積立時の処理

国から補助金をもらい建物などの資産を購入した場合、補助金は会計上の利益とされ、この利益に対しても課税されます。せっかく国から補助金をもらったのに、その補助金に直ちに税金がかかったら補助金の目的を果たせません。そこで、**圧縮記帳**という処理が認められています。

圧縮記帳の処理方法には、**直接減額方式***01)と**積立金方式**の２つの方法がありますが、ここでは積立金方式について見ていきます。

*01)直接減額方式については、教科書Ｉ基礎導入編 Chapter 5 有形固定資産を参照してください。

「積立金方式」では、固定資産の取得原価を減額せず、決算において圧縮積立金を積み立てます(繰越利益剰余金を圧縮積立金に振り替えます)。一方、税務上は「積立金方式」で処理した場合でも国庫補助金の金額分だけ損金に算入されるため、将来加算一時差異が生じます。

なお、圧縮積立金は、税効果会計を適用したあとの繰越利益剰余金から積み立てられるので、税効果会計を適用した場合の圧縮積立金の金額は、国庫補助金の金額に(１－法定実効税率)を掛けた金額となります。

設例 4-3　圧縮積立金積立時の処理

次の資料にもとづいて、圧縮記帳(積立金方式)および税効果会計に関する仕訳を示しなさい。法人税等の法定実効税率は30%である。

(1)　期首に国庫補助金100,000円を受け取り、現金預金として処理した。

(2)　期中に受け取った国庫補助金100,000円に自己資金500,000円を加えて建物600,000円を購入し、代金は小切手を振り出して支払った(現金預金勘定で処理)。

(3)　期末において、国庫補助金相当額から税効果相当額を控除した残額70,000円について圧縮積立金を積み立てた。税務上は国庫補助金相当額100,000円が損金に算入された。

なお、この建物は期末において事業の用に供していないため、当期は減価償却を行わない。

(1)	(借) **現金預金**	*100,000*	(貸) **国庫補助金収入**	*100,000*	
(2)	(借) **建物**	*600,000*	(貸) **現金預金**	*600,000*	
(3)	(借) **法人税等調整額**	*30,000*	(貸) **繰延税金負債**	*30,000*	＊02)
	(借) **繰越利益剰余金**	*70,000*	(貸) **圧縮積立金**	*70,000*	

＊02) 100,000円×0.3＝30,000円

(2) 圧縮積立金取崩時の処理

会計上、計上した圧縮積立金は、固定資産の耐用年数にわたり取り崩します。これに対して、税務上取崩額は益金として認められる(益金算入)ため、将来加算一時差異が解消し、税金が高くなります。

設例 4-4　圧縮積立金取崩時の処理

次の資料にもとづいて、減価償却および圧縮記帳(積立金方式)ならびに税効果会計に関する仕訳を示しなさい。法人税等の法定実効税率は30%である。

(1)　建物600,000円を当期首より事業の用に供し、期末に減価償却(定額法、間接法、耐用年数20年、残存価額ゼロ)を行った。

(2)　期末に、会計上前期に計上した建物圧縮積立金70,000円のうち3,500円を取り崩した。税務上は国庫補助金相当額100,000円のうち当期配分額の5,000円が益金に算入された。

(1)	(借) **減価償却費**	*30,000* ＊03)	(貸) **建物減価償却累計額**	*30,000*
(2)	(借) **繰延税金負債**	*1,500* ＊04)	(貸) **法人税等調整額**	*1,500*
	(借) **圧縮積立金**	*3,500*	(貸) **繰越利益剰余金**	*3,500*

＊03) 600,000円÷20年＝30,000円

＊04) 5,000円×0.3＝1,500円

法定実効税率が30%である場合、計上した繰延税金負債と圧縮積立金の割合が3：7であったのと同様に、繰延税金負債と圧縮積立金の取崩額も3：7となります。

〈積立てと取崩しを同時に行う場合〉

設例4-4では、固定資産を期末に取得し減価償却を翌期から行うケースでしたが、固定資産を期中に取得しその期に減価償却を行う場合には処理が異なります。

期中に固定資産を取得しその期の減価償却を行った場合には、その期の期末に圧縮積立金を積み立てるとともに減価償却分に対応する圧縮積立金を取り崩します。

例　積立てと取崩しを同時に行う場合の処理

次の資料にもとづいて、圧縮記帳および税効果会計に関する仕訳を示しなさい。法人税等の法定実効税率は30%である。

(1)　期首に国庫補助金100,000円を受け取り、自己資金500,000円を加えて建物600,000円を購入し、代金は小切手を振り出して支払った(現金預金勘定で処理)。

(2)　期末において、建物の減価償却(定額法、耐用年数20年、間接法、残存価額ゼロ)を行う。

(3)　期末において、国庫補助金相当額から税効果相当額を控除した残額70,000円について圧縮積立金を積み立てるとともに、3,500円を取り崩した。

税務上は国庫補助金相当額100,000円が損金に算入されるとともに、当期配分額の5,000円が益金に算入された。

	借方科目	金額	貸方科目	金額
(1)	(借) 現金預金	100,000	(貸) 国庫補助金収入	100,000
	(借) 建物	600,000	(貸) 現金預金	600,000
(2)	(借) 減価償却費	30,000	(貸) 建物減価償却累計額	30,000
(3)	(借) 法人税等調整額	30,000	(貸) 繰延税金負債	30,000
	(借) 繰越利益剰余金	70,000	(貸) 圧縮積立金	70,000
	(借) 繰延税金負債	1,500 *05)	(貸) 法人税等調整額	1,500
	(借) 圧縮積立金	3,500	(貸) 繰越利益剰余金	3,500

＊05) 5,000円×0.3＝1,500円

〈積立金方式による圧縮記帳に税効果会計を適用する理由〉

積立金方式では、圧縮積立金の積立時に税務上損金算入され、課税所得が低くなり税金が安くなります。そして、固定資産の耐用年数にわたって圧縮積立金を取り崩したときに税務上益金に算入され、課税所得が高くなり、また税金も高くなります。そのため、課税の繰延べといわれています。

これらの処理はすべて税務上行われるもので、会計上は行われません。

このとき、やはり会計上の資産･負債と税務上の資産･負債に差異(将来加算一時差異)が生じてしまいます。

そこで、損益計算書の税引前当期純利益と会計上の税金費用を法定実効税率で対応させるために、税効果会計を行う必要があるのです。

借方科目	金額	貸方科目	金額
(借) 法人税等調整額	30,000	(貸) 繰延税金負債	30,000
(借) 繰越利益剰余金	70,000	(貸) 圧縮積立金	70,000

税効果相当額を控除した残額の70,000円を繰越利益剰余金から圧縮積立金に振り替えているのは、受贈した国庫補助金をいきなり配当という形で社外流出させてしまわないように、いったん積立金にしていると考えればよいでしょう。

(3) 圧縮積立金の表示

圧縮積立金の積立額・取崩額は任意積立金として、株主資本等変動計算書に記載され、当期末残高が貸借対照表に移記されます。

設例 4-5 圧縮積立金の表示

次の資料にもとづいて、株主資本等変動計算書および貸借対照表(一部)を完成させなさい。

(1) 当期首残高

圧縮積立金 70,000円、繰越利益剰余金 100,000円

(2) 当期変動額

圧縮積立金の取崩額 △3,500円

当期純利益 300,000円

解答

株主資本等変動計算書 (単位:円)

	利益剰余金	
	圧縮積立金	繰越利益剰余金
当期首残高	70,000	100,000
当期変動額		
圧縮積立金の取崩	△3,500	3,500
当期純利益		300,000
当期変動額合計	△3,500	303,500
当期末残高	66,500	403,500

貸借対照表 (単位:円)

	圧縮積立金	66,500
	繰越利益剰余金	403,500

Section 5 その他有価証券の税効果会計

有価証券については、すでに保有目的によって評価方法が変わることは学習されたと思います。

ここで売買目的有価証券や関係会社株式は、会計上と税務上で評価の仕方がほぼ同じであるため、差異は生じません。ところが、その他有価証券については会計上と税務上で評価の仕方が大きく異なります。

このSectionでは、その他有価証券の税効果について学習します。

1 その他有価証券の評価

▶▶財問題集：問題19

会計上はその他有価証券について期末に時価で評価を行いますが、税務上は取得原価で評価し時価への評価替えを認めていません。たとえば、会計上で投資有価証券評価損として費用を計上しても、税務上は損金不算入となります。そのため、将来減算一時差異が生じることになります。

その他有価証券の評価について税効果会計を適用する場合には、全部純資産直入法と部分純資産直入法のいずれを採用するかで処理が異なります。

ここではイメージをしやすい部分純資産直入法からさきに見ていきます。

1．部分純資産直入法

部分純資産直入法では、時価が取得原価を上回る銘柄に関する評価差額(評価差益)は純資産の部に計上し、時価が取得原価を下回る銘柄に関する評価差額(評価差損)は、当期の損失(投資有価証券評価損)として損益計算書に計上します。

(1) 評価差損の場合

会計上は『**投資有価証券評価損**』として費用に計上しても、税務上は損金として認められない(損金不算入)ため、将来減算一時差異が生じます。

(2) 評価差益の場合

その他有価証券の評価差益は損益項目ではない(純資産の項目)ため、損益に対する調整項目である法人税等調整額は用いません。そこで、評価差額のうち税効果相当額を『**繰延税金負債**』として計上し、残額を『**その他有価証券評価差額金**』として計上します。

設例 5-1　部分純資産直入法

次の資料にもとづいて、その他有価証券の評価替えに関する仕訳を示しなさい。その他有価証券の評価については部分純資産直入法を採用している。法人税等の法定実効税率は30%である。

(1)　当期に取得したその他有価証券(取得原価20,000円)について期末に評価替えを行う。期末における時価は22,000円である。

(2)　翌期首において、その他有価証券の振戻仕訳を行う。

(3)　翌期末において、その他有価証券の評価替えを行う。期末における時価は19,000円である。

解答

(1)	(借) 投資有価証券	2,000*01)	(貸) 繰延税金負債	600*02)
			その他有価証券評価差額金	1,400*03)
(2)	(借) 繰延税金負債	600	(貸) 投資有価証券	2,000
	その他有価証券評価差額金	1,400		
(3)	(借) 投資有価証券評価損	1,000*04)	(貸) 投資有価証券	1,000
	(借) 繰延税金資産	300*05)	(貸) 法人税等調整額	300

*01) 22,000円−20,000円=2,000円
*02) 2,000円×0.3=600円
*03) 2,000円×(1−0.3)=1,400円
*04) 19,000円−20,000円=△1,000円
*05) 1,000円×0.3=300円

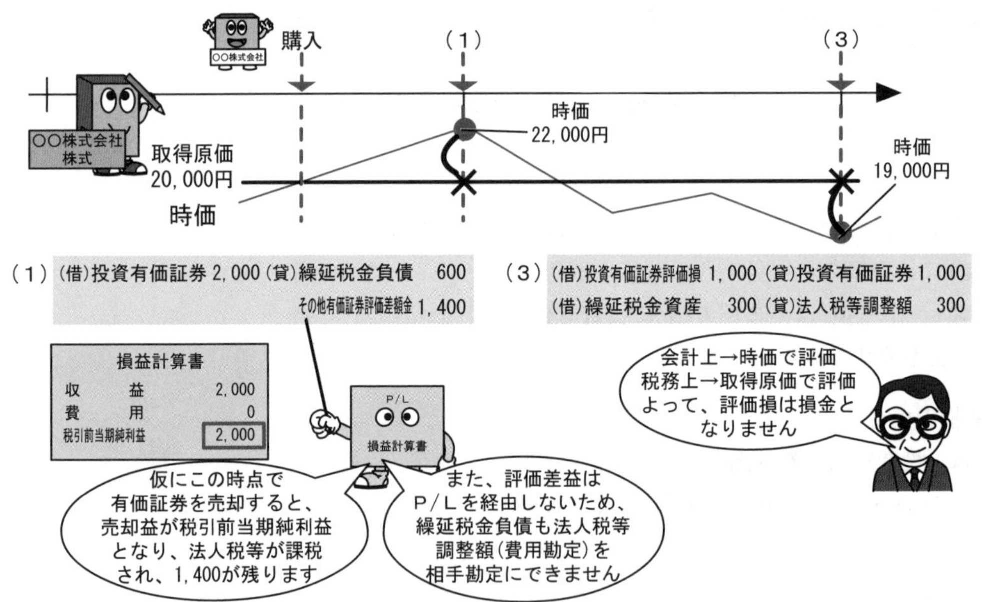

なお、法人税等は期末に確定するものなので、部分純資産直入法で評価差損が生じている場合は、法人税等調整額は翌期首において振り戻す処理を行いません。

翌期首

(借) 投資有価証券　1,000　(貸) 投資有価証券評価損　1,000

2．全部純資産直入法

全部純資産直入法では、その他有価証券の評価差額をすべて純資産の部に計上します。

全部純資産直入法では、評価差益、評価差損いずれの場合も、損益に計上されない（純資産に計上）ため、法人税等調整額を用いません。そこで、評価差額のうち税効果相当額を『**繰延税金資産**』または『**繰延税金負債**』として計上し、残額を『**その他有価証券評価差額金**』として計上します。

設例 5-2 全部純資産直入法

次の資料にもとづいて、その他有価証券の評価替えに関する仕訳を示しなさい。その他有価証券の評価については全部純資産直入法を採用している。法人税等の法定実効税率は30%である。

(1)　当期に取得したその他有価証券（取得原価20,000円）について期末に評価替えを行う。期末における時価は22,000円である。

(2)　翌期首において、その他有価証券の振戻仕訳を行う。

(3)　翌期末において、その他有価証券の評価替えを行う。期末における時価は19,000円である。

解答

(1)	(借)	投資有価証券	2,000 *06)	(貸)	繰延税金負債	600 *07)
					その他有価証券評価差額金	1,400 *08)
(2)	(借)	繰延税金負債	600	(貸)	投資有価証券	2,000
		その他有価証券評価差額金	1,400			
(3)	(借)	繰延税金資産	300 *10)	(貸)	投資有価証券	1,000 *09)
		その他有価証券評価差額金	700 *11)			

＊06) 22,000円－20,000円＝2,000円
＊07) 2,000円×0.3＝600円
＊08) 2,000円×（1－0.3）＝1,400円
＊09) 19,000円－20,000円＝△1,000円
＊10) 1,000円×0.3＝300円
＊11) 1,000円×（1－0.3）＝700円

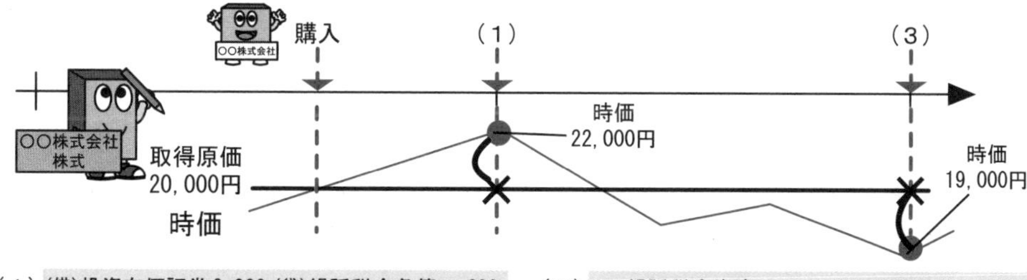

(1) (借)投資有価証券 2,000 (貸)繰延税金負債 600
その他有価証券評価差額金 1,400

(3) (借)繰延税金資産 300 (貸)投資有価証券 1,000
その他有価証券評価差額金 700

その他有価証券について税効果会計を適用した場合の処理をまとめると、次のようになります。

全部純資産直入法	評価差益	(借) 投資有価証券 ××× (貸) 繰延税金負債 × その他有価証券評価差額金 ××
	評価差損	(借) 繰延税金資産 × (貸) 投資有価証券 ××× その他有価証券評価差額金 ××
部分純資産直入法	評価差益	(借) 投資有価証券 ××× (貸) 繰延税金負債 × その他有価証券評価差額金 ××
	評価差損	(借) 投資有価証券評価損 ××× (貸) 投資有価証券 ××× (借) 繰延税金資産 × (貸) 法人税等調整額 ×

2 その他有価証券（債券）の処理

簿B 財計B ▶▶簿問題集：問題9

その他有価証券(債券)で債券金額と取得価額との差額の性格が金利の調整と認められるものについては、まず償却原価法を適用したあと、時価に評価替えを行います。

ここで、時価と償却原価との差額について、税効果会計を適用します。

なお、翌期首には、時価と償却原価との差額のみを振り戻す仕訳を行います。

設例 5-3　その他有価証券（債券）

次の資料にもとづいて、その他有価証券の評価替えに関する仕訳を示しなさい。その他有価証券の評価については、全部純資産直入法を採用している。法人税等の法定実効税率は30%である。

(1)　当期首に取得した次のその他有価証券について期末に評価替えを行う。
額面金額6,000円、発行と同時に取得、期間5年、取得価額5,500円、額面金額と取得価額との差額は金利の調整と認められるため、償却原価法(定額法)を適用する。
当該債券の当期末における時価は5,650円である。

(2)　翌期首において、その他有価証券の振戻仕訳を行う。

解答

(1)	(借) 投資有価証券	100	(貸) 有価証券利息	100 *01)
	(借) 投資有価証券	50 *02)	(貸) 繰延税金負債	15 *03)
			その他有価証券評価差額金	35 *04)
(2)	(借) 繰延税金負債	15	(貸) 投資有価証券	50
	その他有価証券評価差額金	35		

＊01) (6,000円－5,500円) × $\frac{12カ月}{60カ月}$ ＝100円

＊02) 5,650円－(5,500円＋100円)＝50円

＊03) 50円×0.3＝15円

＊04) 50円×(1－0.3)＝35円

Section 6

税効果会計の出題

税効果会計の出題形式はおおむね2パターンです。1つは、いままで見てきたように各決算整理事項の仕訳を行いながら、税効果の仕訳を1つずつ行うタイプの問題と、もう1つは、期末における差異の一覧表から税効果の処理をまとめて行うタイプの問題です。

1 表形式での計算方法

▶▶簿問題集：問題10,11
▶▶財問題集：問題20

繰延税金資産と繰延税金負債の差額を期首と期末で比較した増減額は、法人税等調整額として計上しなければなりません。

ただし、資産の評価替えにより生じた評価差額が純資産の部に直接計上される場合*01)には、当該評価差額にかかる繰延税金資産または繰延税金負債を当該評価差額から控除して計上します。

*01) その他有価証券評価差額金などです。

設例 6-1　表形式での計算方法

次の資料にもとづいて、当期末の貸借対照表および損益計算書(一部)を作成しなさい。法人税等の法定実効税率は30%とする。その他有価証券の処理は全部純資産直入法による。

一時差異計算表　(単位：円)

区　分	前期末	当期末
将来減算一時差異		
(1)未払事業税の損金不算入額	4,000	2,000
(2)貸倒引当金繰入超過額	5,000	3,000
(3)商品評価損の損金不算入額	10,000	12,000
(4)固定資産の減価償却超過額	6,000	8,000
(5)退職給付費用の損金不算入額	64,000	69,000
合　計	89,000	94,000
将来加算一時差異		
(1)圧縮積立金の損金算入額	20,000	19,000
(2)その他有価証券の評価差額	6,000	8,000
合　計	26,000	27,000

解答

損益計算書　(単位：円)

：		
税引前当期純利益		×××
法人税、住民税及び事業税	×××	
法人税等調整額	△ *1,800*	×××
当期純利益		×××

貸借対照表　(単位：円)

Ⅱ　固定資産			
繰延税金資産	*20,100*	純資産の部	
		：	
		Ⅱ　評価・換算差額等	
		その他有価証券評価差額金	*5,600*

解説

1　その他有価証券の評価替え

まず、法人税等調整額に影響しない(全部純資産直入法のため)その他有価証券の評価替えの仕訳を先に行います。

(借) 投資有価証券	8,000	(貸) 繰延税金負債	2,400
		その他有価証券評価差額金	5,600

2　繰延税金資産の計算

94,000円×0.3＝28,200円

3　繰延税金負債の計算(その他有価証券を除く)

19,000円×0.3＝5,700円

4　繰延税金資産と繰延税金負債の相殺

繰延税金資産28,200円－繰延税金負債(2,400円＋5,700円)＝20,100円

5　法人税等調整額の算定

当期の法人税等調整額は、繰延税金資産と繰延税金負債の差額を期首(前期末)と期末で比較した増減額で計算します。ただし､その他有価証券を除くことを忘れないようにしましょう。

前期末：(89,000円－20,000円)×0.3＝20,700円

当期末：(94,000円－19,000円)×0.3＝22,500円

法人税等調整額：22,500円－20,700円＝1,800円

※　仕訳によって求める場合

前期末と当期末の一時差異の増減に法定実効税率を掛けて、仕訳上の貸借差額によって法人税等調整額を求めます。

繰延税金資産：(94,000円－89,000円)×0.3＝ 1,500円

繰延税金負債：(19,000円－20,000円)×0.3＝△300円

(借) 繰延税金資産	1,500	(貸) 法人税等調整額	1,800
繰延税金負債	300		

参考〈前期末繰越試算表〉

繰越試算表　(単位：円)

繰延税金資産	26,700	繰延税金負債	7,800
		その他有価証券評価差額金	4,200

〈税効果の仕訳の方法〉

税効果の仕訳は、決算整理仕訳として決算時に行います。

税効果の仕訳の方法については、大きく3つの方法が考えられます。たとえば、決算整理前残高試算表と将来減算一時差異の解消・発生の状況が以下のような場合に、どのような仕訳となるのかを確認してみましょう。

決算整理前残高試算表　　(単位：円)

繰延税金資産	1,500＊02)	

＊02) 将来減算一時差異前期末残高 5,000円×30%＝1,500円

当期における将来減算一時差異の解消・発生(法定実効税率は30%)

	前期末残高	当期解消額	当期発生額	当期末残高
将来減算一時差異	5,000円	3,000円	13,000円	15,000円

1．発生と解消の仕訳を個別に行う方法

一時差異の発生に関する仕訳と解消に関する仕訳を、それぞれ個別に行います。

①差異の解消

(借)法人税等調整額　900　(貸)繰延税金資産　900＊03)

＊03) 当期解消額3,000円×30%＝900円

②差異の発生

(借)繰延税金資産　3,900＊04)　(貸)法人税等調整額　3,900

＊04) 当期発生額13,000円×30%＝3,900円

2．いったん洗替える方法

いったん、前期末の一時差異がすべて解消したと考えた仕訳を行い、その後、改めて当期末の一時差異にかかる税効果の仕訳を行います。

①前期末の差異の解消

(借)法人税等調整額　1,500　(貸)繰延税金資産　1,500＊05)

＊05) すでに計上されている繰延税金資産をすべて消去します。

②当期末の差異の認識

(借)繰延税金資産　4,500＊06)　(貸)法人税等調整額　4,500

＊06) 将来減算一時差異当期末残高15,000円×30%＝4,500円

3．差額部分のみを処理する方法

前期末の一時差異の金額と当期末の一時差異の金額との差額部分、つまり増減額に対してのみ仕訳を行います。

(借)繰延税金資産　3,000＊07)　(貸)法人税等調整額　3,000

＊07) (15,000円−5,000円)×30%＝3,000円

なお、いずれの方法で仕訳を行っても、最終的な結果はすべて一致します。

	繰延税金資産			法人税等調整額＊08)
	前T/B	仕訳による増減	後T/B	
1．の方法	1,500円	−900円＋3,900円	＝4,500円	900円−3,900円＝△3,000円
2．の方法	1,500円	−1,500円＋4,500円	＝4,500円	1,500円−4,500円＝△3,000円
3．の方法	1,500円	＋3,000円	＝4,500円	△3,000円

＊08) 便宜的に貸方に計上される法人税等調整額をマイナス(△)で表しています。

Section 7

表示と注記事項

繰延税金資産・負債は貸借対照表上、相殺して表示します。

そのため、財務諸表を見ただけで繰延税金資産・負債がどのような原因で発生したかわかりません。そこで、繰延税金資産・負債の内訳を注記する必要があります。

また、法人税等の適切な期間配分を税効果会計の目的としながらも永久差異等がある場合は、税引前利益と法人税等は完全に対応するわけではありません。これについても注記する必要があります。

1 繰延税金資産と繰延税金負債の相殺表示 

繰延税金資産と繰延税金負債の両方が生じている場合は、相殺した金額を固定資産または固定負債として表示します[*01]。たとえば、繰延税金資産7,500千円、繰延税金負債6,000千円の場合、繰延税金資産1,500千円として固定資産に表示します。

*01) 簿記論の本試験においては、「繰延税金資産と繰延税金負債を相殺しない旨」の指示がなされることも考えられます。問題文をよく読んでから解くように心がけましょう！

ただし、例外も存在します。異なる納税主体の繰延税金資産と繰延税金負債は、原則として相殺できません。この場合の納税主体とは、通常は法人のことを指します。

たとえば、連結財務諸表を作成するさいに親会社と子会社の財務諸表を合算しますが、親会社に繰延税金資産があり、子会社に繰延税金負債がある場合には、親会社の繰延税金資産と子会社の繰延税金負債は相殺できません。

資産の部	負債の部
Ⅱ 固定資産	Ⅱ 固定負債
3 投資その他の資産	⋮
繰延税金資産 ××× ←相殺→	繰延税金負債 ×××

設例 7-1　税効果会計の表示

次の資料にもとづいて、当期末における貸借対照表(一部)を完成させなさい。法定実効税率は30%である。

【資　料】 当期末における会計上と税務上の差異は次のとおりである。

(1)将来減算一時差異

売掛金に対する貸倒引当金繰入超過額：5,000円

賞与引当金の損金不算入額：2,500円

建物減価償却超過額：12,500円

(2)将来加算一時差異

圧縮積立金の損金算入額：22,500円

解答

貸借対照表　(単位：円)

Ⅱ 固定資産		Ⅱ 固定負債	
		繰延税金負債	*750*

解説

将来減算一時差異

売掛金に対する貸倒引当金繰入超過額：5,000円

（借）	繰延税金資産 固定資産	1,500	（貸）法人税等調整額	1,500

5,000円 × 0.3 = 1,500円

賞与引当金の損金不算入額：2,500円

（借）	繰延税金資産 固定資産	750	（貸）法人税等調整額	750

2,500円 × 0.3 = 750円

建物減価償却超過額：12,500円

（借）	繰延税金資産 固定資産	3,750	（貸）法人税等調整額	3,750

12,500円 × 0.3 = 3,750円

将来加算一時差異

圧縮積立金の損金算入額：22,500円

（借）	法人税等調整額	6,750	（貸）繰延税金負債 固定負債	6,750

22,500円 × 0.3 = 6,750円

貸借対照表上の表示

繰延税金資産：6,000円
繰延税金負債：6,750円
} 相殺 → 繰延税金負債 750円

2 注記事項

▶▶財問題集：問題21

財務諸表および連結財務諸表については、発生原因別の主な内訳、税率の変更があった場合の修正額などについて注記しなければなりません。

【注記例】

前期末（×1年3月31日）および当期末（×2年3月31日）における一時差異は以下のとおりである。法人税等の法定実効税率は30％とする。当期の損益計算書における法人税等は63,900円、税引前当期純利益は200,000円である。

（単位：円）

区　　　分	前期末	当期末
将来減算一時差異		
(1) 未払事業税の損金不算入額	4,000	2,000
(2) 貸倒引当金繰入超過額	5,000	3,000
(3) 退職給付費用の損金不算入額	63,000	69,000
合　　計	72,000	74,000
将来加算一時差異		
(1) 圧縮積立金の損金算入額	20,000	19,000
合　　計	20,000	19,000
永久差異		
交際費の損金不算入額	−	10,000

上記の資料にもとづいて貸借対照表と損益計算書を作成すると、次のとおりです。

貸借対照表

貸　借　対　照　表　　（単位：円）

固定資産		固定負債
繰延税金資産	16,500	

繰延税金資産：74,000円×0.3＝22,200円
繰延税金負債：19,000円×0.3＝5,700円
}相殺→繰延税金資産16,500円

損益計算書

損　益　計　算　書　（単位：円）

税引前当期純利益		200,000
法人税、住民税及び事業税	63,900	
法人税等調整額	△900	63,000
当期純利益		137,000

法人税等調整額：{(74,000円－19,000円)－(72,000円－20,000円)}×0.3
＝900円

また、税効果に関する注記は次のようになります。

【注記】

1．繰延税金資産および繰延税金負債の発生の主な原因別の内訳*01)

	×1年3月31日 現在	×2年3月31日 現在
繰延税金資産		
未払事業税	1,200	600
貸倒引当金	1,500	900
退職給付引当金	18,900	20,700
繰延税金資産合計	21,600	22,200
繰延税金負債		
固定資産圧縮積立金	△6,000	△5,700
繰延税金資産(負債)の純額	15,600	16,500

未払事業税にかかる繰延税金資産：4,000円×0.3＝1,200円

2．法定実効税率と税効果会計適用後の法人税等の負担率との差異の原因となった主要な項目別の内訳

	×1年3月31日	×2年3月31日
法定実効税率	30%	30%
（調　整）		
交際費等永久に損金に算入されない項目	—	1.5%*02)
税効果会計適用後の法人税等の負担率	30%	31.5%*03)

*01) 財務諸表論では、注記事項として発生原因別内訳の各金額を問う問題が出題されています。

*02) 3,000円（交際費）÷200,000円（税引前利益）＝1.5%
交際費10,000円のうち税金に対する影響額は30%の3,000円です。

*03) 63,000円（調整後法人税等）÷200,000円（税引前利益）＝31.5%

Section 8

法定実効税率

このSectionでは法定実効税率について学習します。法定実効税率は「法人税率＋住民税率＋事業税率」という単純な足し算で求められない曲者です。でも、心配はいりません。通常、本試験では計算された数値が与えられます。どうかご安心を……。

1 法定実効税率とは

法定実効税率とは、法人税率、住民税率および事業税率をもとに、**税引前当期純利益に占める法人税等の比率を表すもの**です。法定実効税率は、次に示す算式によって計算されます[*01)]。

*01) 過去の本試験では、法定実効税率の計算が問われたことがあります。余力があれば覚えておきましょう。

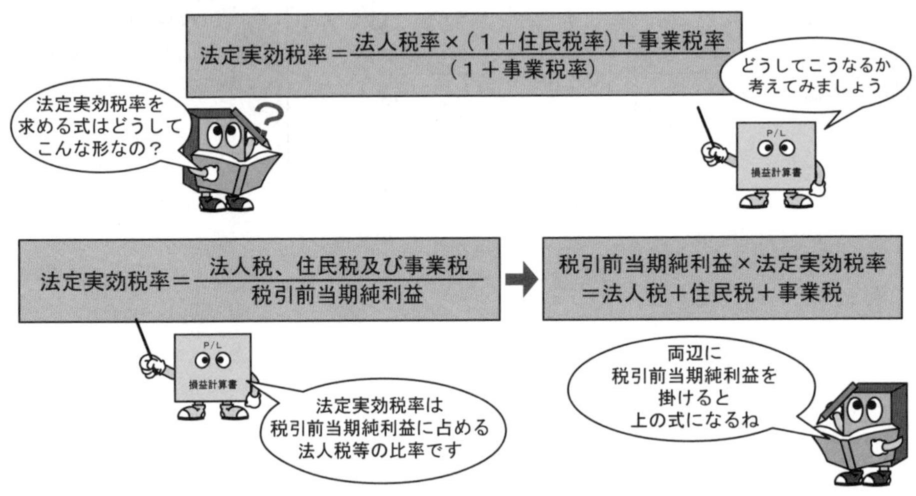

前　提

法人税申告書（別表４）	
税引前当期純利益	10,000
加算	
減算　事業税	378
所得金額	9,622

●上記の前提をあてはめ、計算式を展開していきましょう

税引前当期純利益×法定実効税率 ＝ 法人税＋住民税＋事業税

（課税所得＋課税所得×事業税率）×法定実効税率 ＝ 課税所得×法人税率　・・・法人税
　　　　　　　　　　　　　　　　　　　　　　　　＋課税所得×法人税率×住民税率　・・・住民税
　　　　　　　　　　　　　　　　　　　　　　　　＋課税所得×事業税率　・・・事業税

（事業税）

課税所得×（１＋事業税率）×法定実効税率 ＝ 課税所得×（法人税率＋法人税率×住民税率＋事業税率）

課税所得　　＋課税所得×事業税率
＝課税所得×１＋課税所得×事業税率
＝課税所得×（１＋事業税率）

法人税率　　＋法人税率×住民税率
＝法人税率×１＋法人税率×住民税率
＝法人税率×（１＋住民税率）

~~課税所得~~×（１＋事業税率）×法定実効税率 ＝ ~~課税所得~~×（法人税率×（１＋住民税率）＋事業税率）

（１＋事業税率）×法定実効税率 ＝ 法人税率×（１＋住民税率）＋事業税率

$$\therefore \quad 法定実効税率 = \frac{法人税率 \times (1 + 住民税率) + 事業税率}{(1 + 事業税率)}$$

設例 8-1　法定実効税率の算定

次の資料にもとづいて、法定実効税率を計算しなさい。計算結果に１％未満の端数が生じた場合は、％未満を四捨五入すること。

法人税率：23.2%　住民税率：20.7%　事業税率：3.78%

解答　31 %

解説

$$\frac{0.232 \times (1 + 0.207) + 0.0378}{(1 + 0.0378)} = 0.3062\cdots \rightarrow 31\%$$

このChapterでの表示と注記

貸借対照表

(資産の部)		(負債の部)	
Ⅰ　流動資産		Ⅰ　流動負債	
⋮		⋮	
Ⅱ　固定資産		Ⅱ　固定負債	
⋮		繰延税金負債*01)	×××
3　投資その他の資産		⋮	
繰延税金資産*01)	×××	(純資産の部)	
⋮		⋮	

＊01)繰延税金資産と繰延税金負債は相殺して表示する。

損益計算書

⋮		
税引前当期純利益		×××
法人税、住民税及び事業税	×××	
法人税等調整額	×××	×××
当期純利益		×××

【注記例】(一部)

〈税効果会計にかかる注記〉

1．繰延税金資産および繰延税金負債の発生の主な原因別の内訳

	×1年3月31日現在	×2年3月31日現在
繰延税金資産		
未払事業税	××	××
退職給付引当金	××	××
繰延税金資産合計	×××	×××
繰延税金負債		
固定資産圧縮積立金	△××	△××
繰延税金資産(負債)の純額	×××	×××

2．法定実効税率と税効果会計適用後の法人税等の負担率との差異の原因となった主要な項目別の内訳

	×1年3月31日現在	×2年3月31日現在
法定実効税率	××%	××%
(調整)		
交際費等永久に損金に算入されない項目	—	×%
税効果会計適用後の法人税等の負担率	××%	××%

Chapter 3

消費税

私たちはお店でモノを買うとき、あたり前ですが代金を支払いますね。その代金にはしっかりと税金が含まれています。そうです、消費税です。

このChapterでは、日々の取引と切り離せない消費税の会計処理について学習します。

Section 1

消費税とは

普段の生活の中で、いちばん身近な税金といっても過言ではない消費税。あまり意識はしていませんが、電話代や電車賃などにもちゃんと消費税が課されています。意識しないものなだけに少し驚きましたか？

このSectionでは消費税の概要について学習します。

1 消費税の概要

日本の消費税は2019年10月１日より標準税率10％とされていますが、その内訳は消費税(国税) 7.8％と地方消費税(地方税) 2.2％です。この２つを合わせて「消費税等」[*01]といいます。

＊01）簿記論・財務諸表論では、この消費税等を厳密に分ける必要はなく、税率は10％で計算します。問題を解く上では与えられた税率を使用して計算してください。

＊02）基本的には消費税額の計算をしてから、差額で税抜価格を求めます。

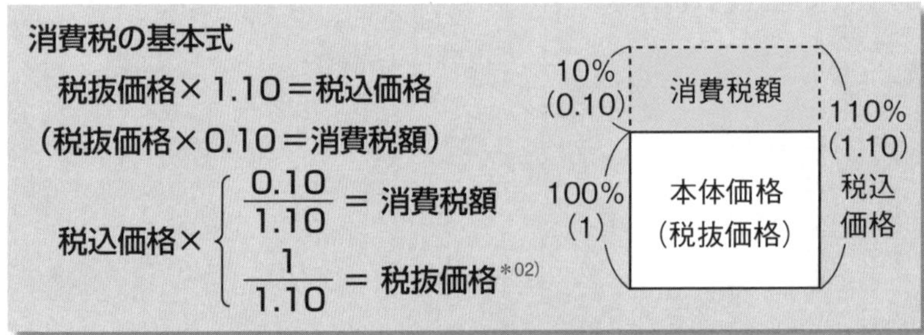

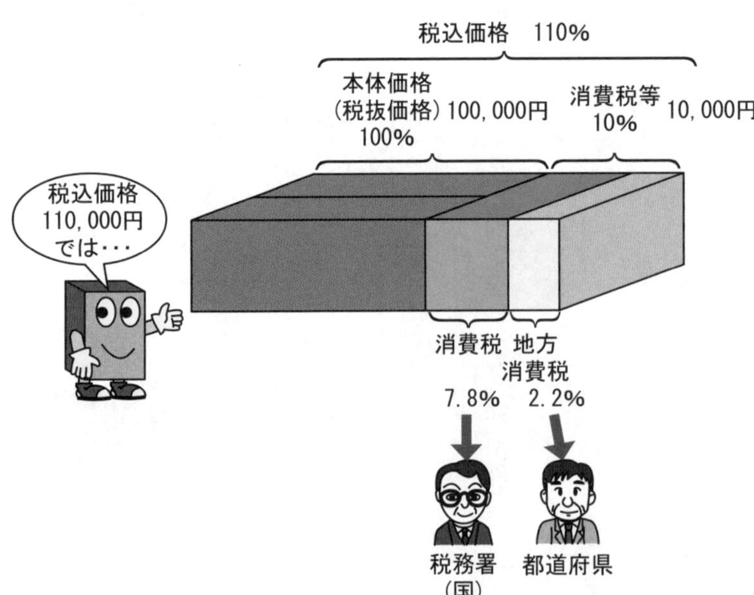

2 課税の対象

消費税法では、「企業が行った資産の譲渡等*01)には消費税を課す」と規定されています。つまり、基本的には企業が行った売買取引や賃貸借取引にはすべて消費税がかかります。しかし、次にあげる項目には消費という性格になじまないものや社会政策上の配慮等から、消費税が課されません*02)。

・土地の売買*03)　・有価証券の売買*03)　・前払金や前受金等
・保険診療の医療費　・住宅の賃貸借　・各種行政手数料
・助産、埋葬、火葬料　・商品を海外に輸出する取引*04)　など

*01)商品や資産の売却や貸付け、有償で行うサービスの提供をいいます。

*02)本試験では、どの取引について消費税を考慮すべきかは、問題文に「(税込み)」や「(税抜き)」などと明記されているので、消費税の対象となる取引について暗記する必要はありません。

*03)消費するものではありません。

*04)輸出免税といいます。

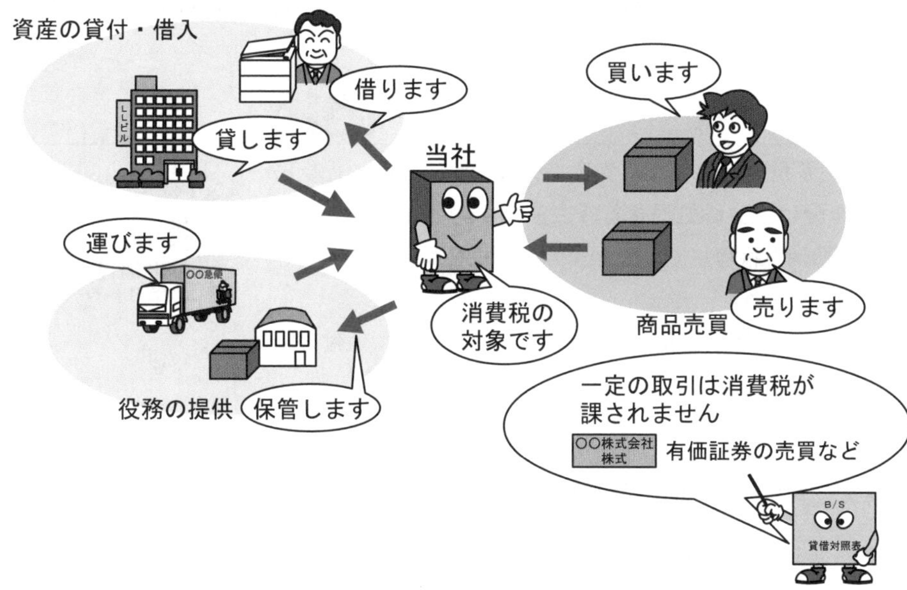

Section 2

消費税の会計処理

消費税の会計処理には「税抜方式」と「税込方式」がありますが、簿記論・財務諸表論の試験では圧倒的に「税抜方式」が出題されています。

このSectionでは、「税抜方式」による消費税の会計処理を中心に学習します。

1 税抜方式とは

税抜方式[*01]とは、消費税の対象となる資産の売買やサービスの提供について、消費税の額を分けて会計処理を行う方法です。仕入等で消費税を支払ったときは**『仮払消費税等』**で、売上等で消費税を受け取ったときは**『仮受消費税等』**で処理します。

また、この方法によった場合、期末において**『未払消費税等』**(還付の場合には**『未収消費税等』**)が計上されます。

＊01)「収益認識に関する会計基準」では「税抜方式」で処理することとされています。詳細は教科書Ⅲ応用編で改めて取り上げます。

試験問題での基本式

$$仮受消費税等 = 税込受取額 \times \frac{0.10}{1.10}$$

$$仮払消費税等 = 税込支払額 \times \frac{0.10}{1.10}$$

2 売買取引と消費税

▶▶簿問題集：問題3

税抜方式では、仕入(購入)時には**『仮払消費税等』**で、売上(売却)時には**『仮受消費税等』**で、消費税を処理します。なお、債権・債務は税込金額で計上します[*01]。

＊01)取引相手との決済は「税込金額」で行うからです。

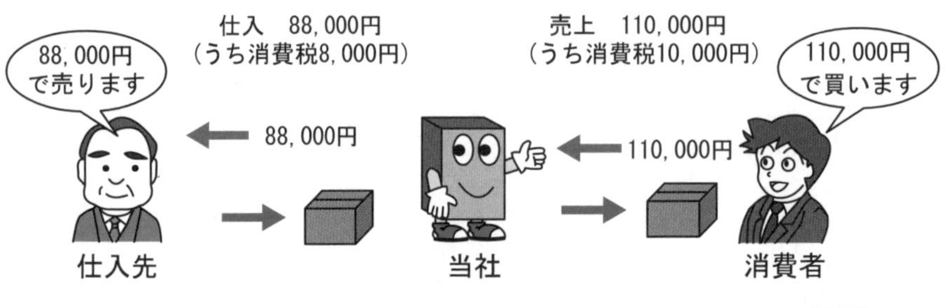

1．仕入取引

消費税込みの商品を仕入れた場合、『**仕入**』には税抜金額を計上します。

設例 2-1 仕入と消費税

次の取引の仕訳を示しなさい。

商品11,000円(税込み)を掛けで仕入れた。

解答

(借)	仕入	10,000	(貸)	買掛金	11,000
	仮払消費税等	1,000 *02)			

*02) 11,000円 × $\frac{0.10}{1.10}$ = 1,000円

2．売上取引

消費税込みの商品を売り上げた場合、『**売上**』には税抜金額を計上します。

設例 2-2 売上と消費税

次の取引の仕訳を示しなさい。

設例 2-1 において11,000円(税込み)で仕入れた商品を16,500円(税込み)で掛けで売り上げた。

解答

(借)	売掛金	16,500	(貸)	売上	15,000
				仮受消費税等	1,500 *03)

*03) 16,500円 × $\frac{0.10}{1.10}$ = 1,500円

3．売却取引

資産を売却した場合は、簿価でなく、実際の売却価額をもとに消費税を計算します。

設例 2-3 売却と消費税

次の取引の仕訳を示しなさい。

所有する備品(簿価25,000円)を22,000円(税込み)で売却し、代金は現金で受け取った。

解答

(借)	現金預金	22,000	(貸)	備品	25,000
	固定資産売却損	5,000 *04)		仮受消費税等	2,000 *05)

*04) 簿価と税抜対価との差額が売却損益となります。

*05) 22,000円 × $\frac{0.10}{1.10}$ = 2,000円

3 値引き・返品等および割引と消費税

値引き・返品等および割引があった場合は、その金額分につき、消費税の処理も含めて仕訳を行います。

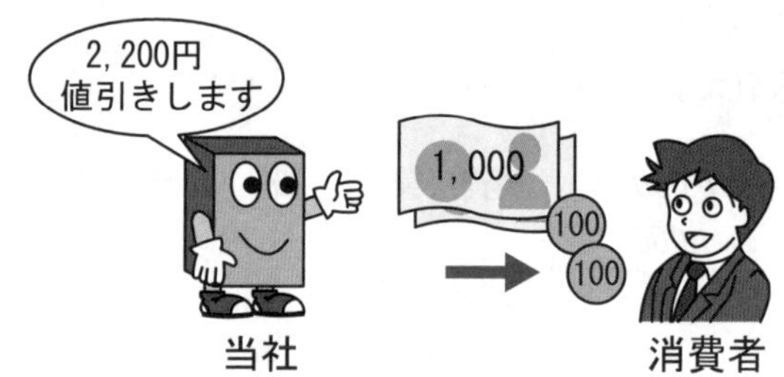

設例 2-4　返品と消費税

次の取引の仕訳を示しなさい。

設例2-1において掛仕入した商品11,000円(税込み)のうち、2,200円(税込み)分を返品した。なお、当該掛代金の決済はいまだ行われていない。

解答

(借)			(貸)		
	買掛金	2,200		仕入	2,000
				仮払消費税等	200 *01)

*01) 2,200円 × $\frac{0.10}{1.10}$ = 200円

設例 2-5　値引きと消費税

次の取引の仕訳を示しなさい。

売り上げた商品に傷があったため、880円(税込み)の値引きを行い、売掛金から控除した。

解答

(借)			(貸)		
	売上	800		売掛金	880
	仮受消費税等	80 *02)			

*02) 880円 × $\frac{0.10}{1.10}$ = 80円

設例 2-6　割引きと消費税

次の取引の仕訳を示しなさい。

買掛金8,800円を早期に支払ったので、220円(税込み)の割引を受けた。

解答

(借)			(貸)		
	買掛金	8,800		現金預金	8,580 *03)
				仮払消費税等	20 *04)
				仕入割引	200

*03) 8,800円 − 220円 = 8,580円

*04) 220円 × $\frac{0.10}{1.10}$ = 20円

4 貸倒れと消費税

簿A 財計B

売掛金等が貸し倒れた場合、その売掛金等が発生した時期にかかわらず、消費税については貸し倒れた期(当期)の仮受消費税等の減額処理を行います[*01]。

なお、貸倒引当金は通常、**税込の期末債権**に対して設定します。

*01) 消費税の納付額は、前期以前の課税取引も考慮して計算するからです。

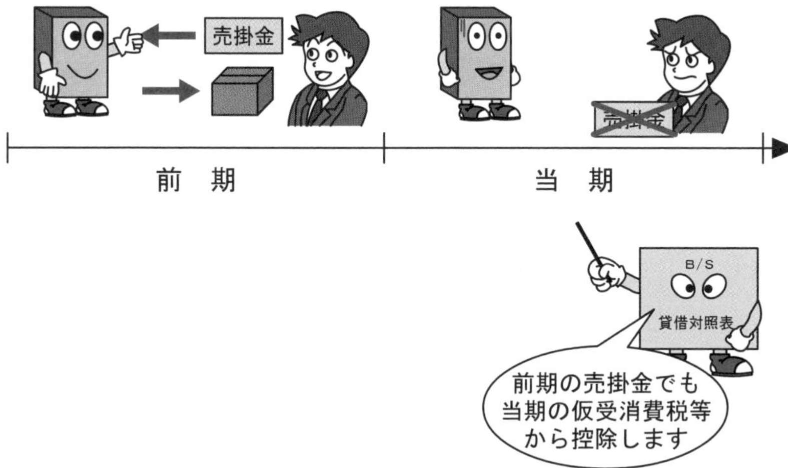

設例 2-7 貸倒れと消費税

次の取引の仕訳を示しなさい。

前期に掛けで売り上げた商品のうち5,500円(税込み)が貸し倒れた。なお、貸倒引当金の残高は6,000円である。

解答

(借)	貸倒引当金	5,000[*02]	(貸) 売掛金	5,500
	仮受消費税等	500[*03]		

*02) 税抜きの債権金額に対して、貸倒引当金を充当します。

*03) 5,500円×$\frac{0.10}{1.10}$=500円

5 消費税の中間納付

中間納付とは、前年度の消費税の納税実績に応じて、期中に消費税の納税額の一部を納付することです[＊01)]。納付時には、仮払消費税等などを増額させる処理を行います[＊02)]。

＊01）中間納付額や中間納付義務者は、消費税法で規定されています。

＊02）国などに対する仮払いです。

設例 2-8 消費税の中間納付

次の取引の仕訳を示しなさい。
消費税の中間納付額500円を現金で納付した。

解答

(借)	仮払消費税等	500	(貸) 現金預金	500

6 消費税の期末処理

簿A 財計A

▶▶簿問題集：問題1,2,4,5,9
▶▶財問題集：問題6,7,8

1．仮受消費税等と仮払消費税等の相殺

期中取引の処理がすべて終わったら、仮払消費税等と仮受消費税等を相殺して納付額(『**未払消費税等**』)または還付額(『**未収消費税等**』)の計算をします。

> **消費税の期末の関係式**
> **「仮受消費税等」－「仮払消費税等」＝「未払消費税等」**
> **（マイナスの場合は「未収消費税等」）**

設例 2-9 消費税の納付

次の取引の仕訳を示しなさい。
期中取引をすべて処理した結果、仮払消費税等は1,600円、仮受消費税等は2,400円であった。

解答

(借)	仮受消費税等	2,400	(貸) 仮払消費税等	1,600
			未払消費税等	800

設例 2-10 消費税の還付

次の取引の仕訳を示しなさい。
期中取引をすべて処理した結果、仮払消費税等は1,600円、仮受消費税等は1,400円であった。

解答

(借)	仮受消費税等	1,400	(貸) 仮払消費税等	1,600
	未収消費税等	200		

2．会計上と税務上の消費税

会計上で計上される仮受消費税等と仮払消費税等との差額と、税務上で計算される消費税の納付額(または還付額)が異なることがあります。この場合、税務上の金額で消費税の納付額(または還付額)を費用(『**租税公課**』[*01])または収益(『**雑収入**』)として処理します。

*01)『雑損失』として処理する場合もあります。

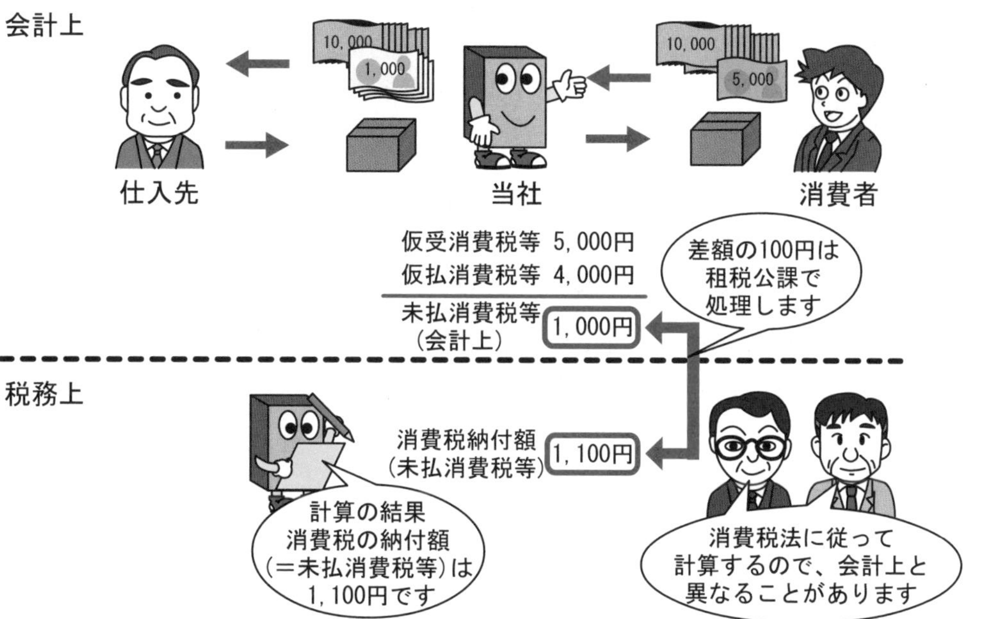

設例 2-11　会計上と税務上の消費税

次の取引の仕訳を示しなさい。

残高試算表に仮払消費税等1,600円と仮受消費税等2,400円が計上されているが、消費税法に従って計算した結果、当期分の納税額は850円であった。

解答

(借)	仮受消費税等	2,400	(貸)	仮払消費税等	1,600
	租税公課	50[*02]		未払消費税等	850

*02) 貸借差額

7 税込方式

税込方式とは、消費税が含まれた取引であっても消費税の額を分けないで会計処理をする方法です。つまり、期末における売上高、売上原価や固定資産の取得原価などの項目は、税込金額で表示されます。

設例 2-12 税込方式による処理

次の取引の仕訳を示しなさい。

商品11,000円(税込み)を掛けで仕入れ、16,500円(税込み)で掛けで売り上げた。当期の取引はこれだけであり、未払消費税等の計上もあわせて行う。

解答

(借)	仕入	11,000	(貸)	買掛金	11,000
(借)	売掛金	16,500	(貸)	売上	16,500
(借)	租税公課*01)	500	(貸)	未払消費税等	500*02)

*01) 税込方式の場合、未払消費税等の相手勘定は『租税公課』、未収消費税等の相手勘定は『雑収入』になります。

*02) 11,000円×$\frac{0.10}{1.10}$=1,000円と16,500円×$\frac{0.10}{1.10}$=1,500円の差額です。

― 比較 ―

〔税抜方式〕

後T/B

仕入	10,000	売上	15,000
		未払消費税等	500

〔税込方式〕

後T/B

仕入	11,000	売上	16,500
租税公課	500	未払消費税等	500

8 表示科目と注記事項

簿C 財計B

1. 表示科目

消費税(税抜方式)に関する貸借対照表の表示科目は**『未払消費税等』**か**『未収消費税等』**のどちらかになります。消費税法の規定等により、基本的に決算日の翌日から2カ月以内に納付する(または還付を受ける)ため、どちらも流動項目となります*01)。

*01)『仮払消費税等』および『仮受消費税等』については、どちらもB/Sには計上されません。

貸借対照表

I 流動資産		I 流動負債	
未収消費税等	×××	未払消費税等	×××

2. 注記事項

税抜方式と税込方式のいずれを採用している場合でも、消費税の経理方式を重要な会計方針として注記します。

【注記例】

<重要な会計方針に係る事項に関する注記>
消費税等の会計処理は、税抜方式によっている。

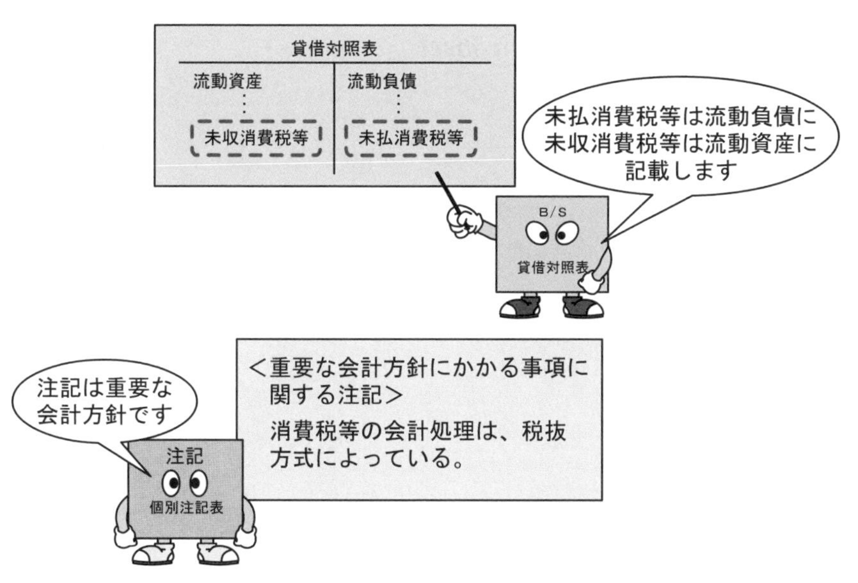

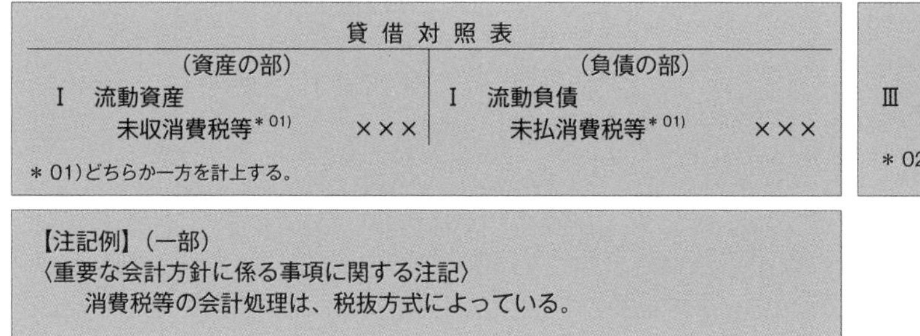

注記は重要な
会計方針です
注記
個別注記表
<重要な会計方針にかかる事項に
関する注記>
消費税等の会計処理は、税抜
方式によっている。

この Chapter での表示と注記

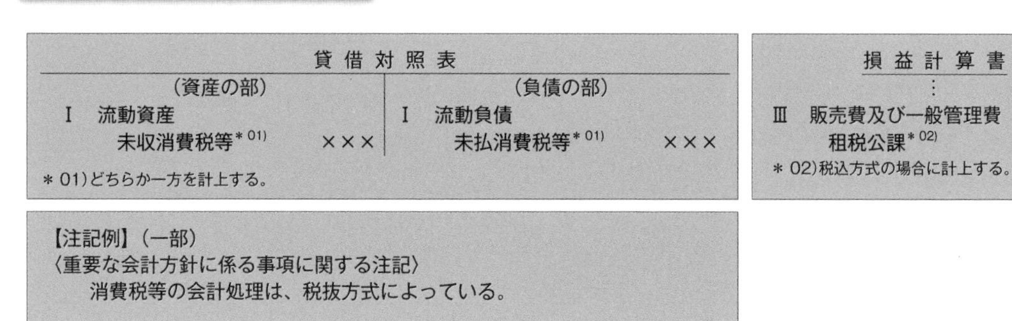

貸借対照表			
（資産の部）		（負債の部）	
Ⅰ　流動資産		Ⅰ　流動負債	
未収消費税等＊01)	×××	未払消費税等＊01)	×××

＊01)どちらか一方を計上する。

損益計算書	
⋮	
Ⅲ　販売費及び一般管理費	
租税公課＊02)	×××

＊02)税込方式の場合に計上する。

【注記例】（一部）
〈重要な会計方針に係る事項に関する注記〉
　消費税等の会計処理は、税抜方式によっている。

Chapter 4
リース会計Ⅰ

突然ですが、皆さんは航空会社が使用する旅客機、建設業者が使用する大型クレーンやブルドーザーなどは、リースであることをご存知ですか？　これらは自社所有よりも、リースのほうが経済的であることが多いのです。

このChapterでは、リース会計について借り手側の会計処理を中心に学習します。

Section 1

リース取引の概要

以前、知り合いの会社でコピー機を導入するさいに、リース会社を通じて購入したという話を聞いたことがあります。

このとき、どのコピー機をいくらで買うかも決まっているものの、手持ちの資金が足りなかったので、いったんリース会社に購入してもらい、それをリース料を支払ってリース会社から借り受けるという形をとったのです。

このSectionではリース取引の処理について学習します。

1 リース取引の意義

リース取引とは、固定資産[*01]の所有者である貸手(リース会社)[*02]が、この物件の借手(ユーザー)[*02]に対し、一定期間(リース期間)にわたりこれを使用する権利を与え、借手は一定の使用料(リース料)を貸手に支払う取引をいいます[*03]。

＊01)本試験で出題されるのは有形固定資産が中心です。本書では、有形固定資産によるリース取引を前提に説明します。

＊02)貸手のことを「レッサー」、借手のことを「レッシー」といいます。

＊03)自分が持っているものを貸し付けて使用料を受け取ることをレンタルといい、借手のために購入するリースとは区別します。

貸手(リース会社)
②有形固定資産(リース物件) →
借手(ユーザー)
③リース料の支払い ←
①固定資産の購入
メーカーなど

リース取引の貸手と借手の権利義務の関係は次のとおりです。

貸手(リース会社)	立　場	借手(ユーザー)
有形固定資産を貸すことで、その使用料を受け取ることができる。	権　利	貸手の有形固定資産を使用できる。
有形固定資産を借手に引き渡さなければならない。	義　務	貸手に有形固定資産の使用料を支払わなければならない。

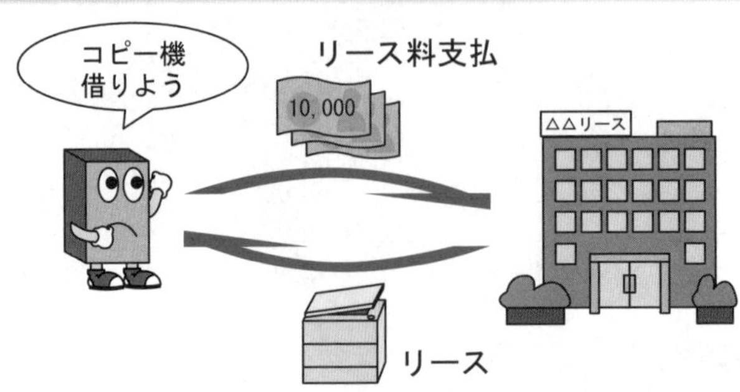

2 リース取引の分類

簿A 財計A

リース取引には、**ファイナンス・リース取引**[*01]と**オペレーティング・リース取引**[*02]の２種類があり、さらにファイナンス・リース取引は**所有権移転ファイナンス・リース取引**と**所有権移転外ファイナンス・リース取引**の２つに分けられます[*03]。

＊01）ファイナンス・リース（finance lease）
ファイナンス（finance）＝財源、収入、つまり財源を得るためのリース。

＊02）オペレーティング・リース（operating lease）
オペレーティング（operating）＝経営上の、つまり経営上のリース。

＊03）本試験では、問題文に判断基準が示されますので、それに従ってください。

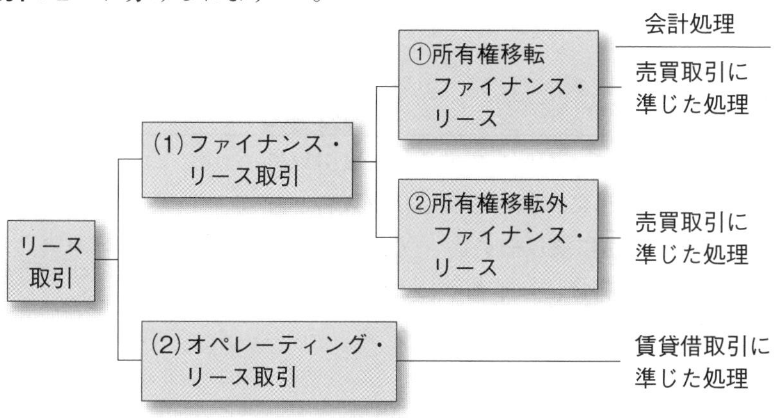

3 ファイナンス・リース取引

簿B 財計B

1．ファイナンス・リース取引の要件

「ノンキャンセラブル」と「フルペイアウト」の２つの要件を満たす取引をファイナンス・リース取引といいます。

(1)「ノンキャンセラブル」(＝解約不能のリース)

リース期間中はリース契約を**解約できない**こととなっている契約です[*01]。

(2)「フルペイアウト」

借手がリース資産の使用にともなう**ほとんどすべてのコスト(修繕費など)を負担する**こととなっている契約です[*02]。

＊01）法的形式上は解約可能でも解約時に多額の違約金を支払わなければならない場合など、事実上解約不能と認められるものも、ノンキャンセラブルとして扱われます。

＊02）逆に、リース資産によるほとんどすべての経済的利益（サービス）を借手が受けることにもなります。

解約できず(ノンキャンセラブル)、購入した場合とほぼ同じ費用の負担(経済的利益の享受)がある(フルペイアウト)ことから、ファイナンス・リース取引の経済的実態は「売買取引」であると考えます。

2．所有権移転の有無

ファイナンス・リース取引は、リース期間満了時にリース資産の所有権が借手へ移る[*03]か否かにより、次の２つに分けられます。

＊03）権利が移ることを「移転」といいます。

(1)所有権移転ファイナンス・リース取引

リース資産の所有権が、リース期間満了後に借手に移る(リース資産は最終的に借手のものとなる)契約のリース取引を所有権移転ファイナンス・リース取引といい、減価償却にさいしても**自己資産と同様**に行います。リース物件の取得と考えられるためです。

(2)所有権移転外ファイナンス・リース取引

リース資産の所有権が、リース期間満了後に借手に移らない(リース資産は最終的にリース会社に返却する)契約のリース取引を所有権移転外ファイナンス・リース取引といい、減価償却にさいしては、**リース期間を耐用年数、残存価額ゼロ**として計算します。リース物件の使用期間がリース期間に限定されるためです。

4 オペレーティング・リース取引 簿C 財計C

オペレーティング・リース取引とは、ファイナンス・リース取引以外のリース取引をいい、その会計処理は、単に支払額を支払リース料として計上する**通常の賃貸借取引にかかる方法に準じます**[*01)]。ただし、解約不能なリース取引における未経過リース料は、一年基準により次に分類して注記する必要があります。

*01)借りているだけなので、資産も負債も計上しません。

(1)貸借対照表日後1年以内のリース期間に係る未経過リース料
(2)貸借対照表日後1年を超えるリース期間に係る未経過リース料

なお、「リース取引に関する会計基準の適用指針」の第9項では、リース取引がファイナンス・リース取引に該当するか否かを判定する具体的な基準として、以下の2つの判断基準を用いています。

①現在価値基準

解約不能のリース期間中のリース料総額の割引現在価値が、リース物件の見積現金購入価額の**おおむね90%以上**であること

②経済的耐用年数基準

解約不能のリース期間が、リース物件の経済的耐用年数の**おおむね75%以上**であること(現在価値基準の判定結果が90%を大きく下回ることが明らかな場合を除きます)

上記①、②のいずれかに該当する場合は、ファイナンス・リース取引と判定されます。

Section 2

ファイナンス・リース取引

ファイナンス・リース取引は、「固定資産の購入」と「資金の借入れ」に分解して考えることができます。固定資産を購入しているわけですから、もちろん固定資産を計上し、減価償却も行います。また、資金を借り入れているわけですから、負債を計上し、支払利息が計上されます。売買取引に準じて処理を行うので、固定資産を「借りている」という感覚は捨ててしまわなければなりません。

1 ファイナンス・リース取引の全体像（借手側）

ファイナンス・リース取引における会計処理の流れは次のとおりです。

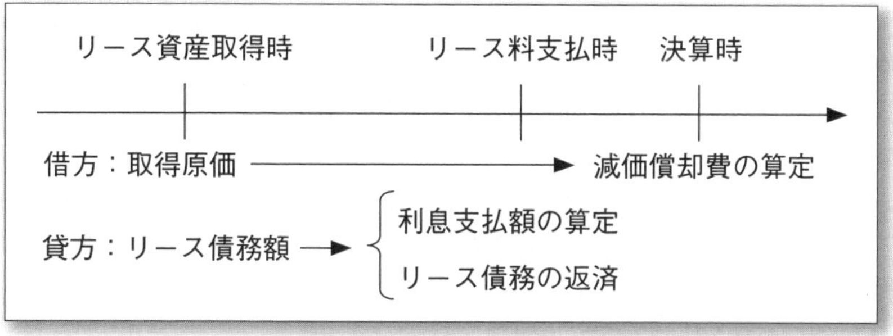

ファイナンス・リース取引における、支払リース料の総額は「リース資産の取得原価」と「対価の支払いを分割払いにした分の利息*01)」とに分けられます。このうち、利息は時の経過とともに発生する財務費用で、会計上はリース資産と区別して計上すべきものです。

*01)代金の支払いを遅らせると、その分利息に相当する金額が代金に上乗せされます。

したがって、リース資産取得時には、原則として**リース料総額から利息相当額を控除した額を取得原価とし**、この取得原価にもとづき減価償却を行います。また、リース料支払時には、支払リース料総額を『リース債務』の返済と『支払利息』の計上とに分けて仕訳を行います。

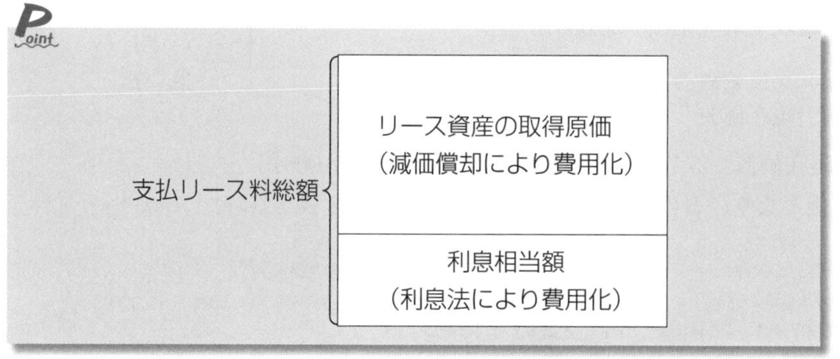

2 リース資産取得時の処理

リース資産取得時には、取得原価を算定して『**リース資産**』を計上するとともに、同額の『**リース債務**』を計上します。

1．取得原価の算定

ファイナンス・リース取引では、リース資産の取得原価について次の方法で決定します。

	借手側でリース物件の貸手の購入価額等が明らかな場合	借手側でリース物件の貸手の購入価額等が明らかでない場合
所有権移転ファイナンス・リース取引	貸手の購入価額等	・見積現金購入価額 ・リース料総額の割引現在価値[*01] いずれか**低い額**
所有権移転外ファイナンス・リース取引	・貸手の購入価額等 ・リース料総額の割引現在価値[*01] いずれか**低い額**	（同上）

＊01）借手が支払うリース料の総額を、取得時の現在価値に割り引いて（＝今支払うとしたらいくらに相当するのか）、購入価額の代用とします。

2．割引率について

リース料総額を現在価値に割り引くさいの割引率として、「**貸手の用いた計算利子率**」がわかる場合はそれを用い、不明な場合には「**当社が追加借入れをした場合の利子率**」を用います。

設例 2-1 リース資産取得時

A社は、備品を次の条件で使用する予定である。取得時の仕訳を示しなさい。
・このリース取引はファイナンス・リース取引に該当する。
・リース期間は３年であり、年間の支払リース料は10,000円である（毎期末後払い）。
・当該備品の見積現金購入価額[*02]は28,000円である。
・割引率としては当社の追加借入利子率４％を用い、このときの年金現価係数は2.7751（３年）、1.8861（２年）、0.9615（１年）とする。

解答

（借）リース資産 *27,751*　（貸）リース債務 *27,751* [*03]

解説

貸手の購入価額が不明な場合の取得原価

取得原価 ─┬─ 見積現金購入価額　28,000円 ─┬─ いずれか低い額
　　　　　└─ リース料総額の割引現在価値　10,000円×2.7751＝27,751円 ─┘

リース料総額の割引現在価値：27,751円 ＜ 見積現金購入価額：28,000円
∴ 27,751円が取得原価となり、この金額を『リース資産』と『リース債務』に計上します。

＊02）この資料から、貸手の購入価額は明らかでないと判断します。この時点で所有権移転の有無は関係なくなります。
＊03）10,000円×2.7751＝27,751円　なお、年金現価係数が与えられていない場合は、10,000円÷（１＋0.04）＋10,000円÷$(1+0.04)^2$＋10,000円÷$(1+0.04)^3$≒27,751円　と計算します。

なお、たとえばリース料の支払いが半年ごと(年２回)の場合は、割引率[*04]を２分の１に、年数を２倍にして計算します。

仮に、**設例２-１**でリース料の支払いが半年ごとであれば、リース資産の取得原価を算定するときに用いる年金現価係数は、利率が２％[*05]、期間が６年[*06]の数値を使います。

*04) 問題には「計算利子率」や「当社の追加借入利子率」として与えられることもあります。

*05) 4％×1/2＝2％

*06) 3年×2＝6年

3 リース料支払時の処理

1．リース料を後払いする場合

期首元本残高に対する利息を支払い、残額でリース債務(元本)を返済します。このとき、支払利息とリース債務の元本返済額を利息法によって計算する必要があります。ただし、利息法は、計算条件として年金現価係数が与えられているか否かで、計算の方法が異なります。

(1) 年金現価係数が与えられていない場合の計算

計算条件として年金現価係数が与えられていない場合は、タイムテーブルを用いて計算します。

タイムテーブルに表すと次のようになります。

支払日	期首元本	リース料	利息	返済元本	期末元本
×1年度期末	①(取得原価)	②	③	④	①'
×2年度期末	①'	②'	③'	④'	…

③(利息)＝①(期首元本)×割引率

④(返済元本)＝②(リース料)－③(利息)

①'(期末元本)＝①(期首元本)－④(返済元本)

最終の利払日はリース料から期首元本を差し引いて支払利息を求めます。

リース料の支払額＝利息＋返済元本
利息分＝期首元本×割引率
返済元本＝リース料支払額－利息

設例 2-2　　リース料支払時①

A社は、備品を次の条件で使用している。A社の×2年3月31日におけるリース料支払いに関する仕訳を示しなさい。なお、リース料の支払いは現金で行っており、計算上、円未満の端数が生じる場合には、そのつど円未満を四捨五入すること。

・A社は、備品をリースして使用している。このリース取引はファイナンス・リース取引に該当するため、売買処理に準じた処理を行う。

・リース開始日は×1年4月1日、リース期間は3年、支払リース料は毎年10,000円を3月31日に現金で後払いする。

・リース資産の取得原価は27,751円、計算利子率は4％である。

(借) リース債務	8,890 ＊01)	(貸) 現金預金	10,000
支払利息	1,110 ＊02)		

解説

タイムテーブルに表すと、次のようになります。

支払日	期首元本	リース料	利息	返済元本	期末元本
×2.3.31	27,751	10,000	1,110 ＊02)	8,890 ＊01)	18,861
⋮	⋮	⋮	⋮	⋮	⋮

＊01) 10,000円－1,110円＝8,890円
＊02) 27,751円×0.04≒1,110円

(2) 年金現価係数が与えられている場合の計算

計算条件として年金現価係数が与えられている場合は、年金現価係数を用いて容易に計算を行うことができます。

この場合は、先に返済後のリース債務の残高を年金現価係数により求め、返済前との差額でリース債務の返済額を計算します。そのリース債務の返済額とリース料の支払額との差額が、支払利息となります。

設例 2-3　リース料支払時②

A社は、備品を次の条件で使用している。A社の×2年3月31日におけるリース料支払いに関する仕訳を示しなさい。なお、リース料の支払いは現金で行っており、計算上、円未満の端数が生じる場合には、そのつど円未満を四捨五入すること。

・A社は、備品をリースして使用している。このリース取引はファイナンス・リース取引に該当するため、売買処理に準じた処理を行う。
・リース開始日は×1年4月1日、リース期間は3年、支払リース料は毎年10,000円を3月31日に現金で後払いする。
・リース資産の取得原価は27,751円である。
・割引率としては当社の追加借入利子率4％を用い、このときの年金現価係数は2.7751(3年)、1.8861(2年)、0.9615(1年)とする。

(借) リース債務	8,890 ＊03)	(貸) 現金預金	10,000
支払利息	1,110 ＊04)		

＊03) 27,751円－10,000円×1.8861＝8,890円
＊04) 10,000円－8,890円＝1,110円

2．リース料を前払いする場合

リース料を前払いする場合、初回に支払ったリース料は全額がリース債務の返済にあてられます[*05]。元本の返済のタイミングや支払利息の帰属年度に注意する必要があります。

＊05）いわゆる頭金に該当します。したがって、利息の支払いはありません。

リース料が前払いの場合、初回のリース料支払時に利息は発生しません。

設例2-4　リース料支払時③

A社は、備品を次の条件により使用している。(1)×１年４月１日(契約・リース料支払時)、(2)×２年３月31日(決算時)、(3)×２年４月１日(翌期首)、(4)×２年４月１日(リース料支払時)の仕訳を示しなさい。ただし、減価償却に関する仕訳は行わなくてよい。また、計算上、円未満の端数が生じる場合には、そのつど円未満を四捨五入すること。

・A社は、備品をリースして使用している。このリース取引はファイナンス・リース取引に該当するため、売買処理に準じた処理を行う。
・リース開始日は×１年４月１日、リース期間は５年、支払リース料は毎年20,000円を４月１日に現金で前払いする。
・リース資産の取得原価は96,154円、計算利子率は２％を用いる。

解答

(1)　契約・リース料支払時

(借)	リース資産	96,154	(貸)	リース債務	96,154
(借)	リース債務	20,000	(貸)	現金預金	20,000

(2)　決算日

(借)	支払利息	1,523 [*06]	(貸)	未払利息 [*07]	1,523

(3)　翌期首

(借)	未払利息	1,523	(貸)	支払利息	1,523

(4)　リース料支払時

(借)	リース債務	18,477 [*08]	(貸)	現金預金	20,000
	支払利息	1,523			

＊06）(96,154円－20,000円)×0.02≒1,523円

＊07）この利息を支払うのは次のリース料支払日、つまり翌期になりますが、この利息自体は×１年４月１日から×２年３月31日にかかるものなので、未払利息を計上します。

＊08）20,000円－1,523円＝18,477円

1 租税公課・法人税等　2 税効果会計　3 消費税　4 リース会計Ⅰ　5 減損会計　6 退職給付会計Ⅰ　7 引当金　8 社債　9 純資産会計Ⅰ　10 繰延資産

決算時には減価償却費の計算が必要になります。

ファイナンス・リース取引では、リース資産を資産計上しているのは借手なので、借手側が減価償却を行います[*01]。

所有権移転ファイナンス・リース取引の場合は最終的に自己資産となり、リース期間満了後も使用できるため、耐用年数はその資産の経済的耐用年数とし、残存価額も**自己資産と同様**に考えます。

一方の所有権移転外ファイナンス・リース取引の場合は、リース資産はリース期間満了時にリース会社に引き取られるので**残存価額はゼロ**、**耐用年数もリース期間**となります。

*01）所有権移転の有無で、耐用年数や残存価額が異なるので注意しましょう。

Point

	耐用年数	残存価額
所有権移転ファイナンス・リース	経済的耐用年数（自己資産と同様）	自己資産と同様
所有権移転外ファイナンス・リース	リース期間	ゼロ

設例 2-5　リース取引・減価償却

当期首よりファイナンス・リース取引により使用している次の備品について①所有権移転ファイナンス・リース取引の場合、②所有権移転外ファイナンス・リース取引の場合について、当期末の減価償却に関する仕訳を示しなさい。

・リース期間は5年であり、リース資産（備品）の計上額は100,000円である。
・リース資産（備品）の減価償却は定額法および記帳方法は間接法による。
・リース資産（備品）を購入した場合、耐用年数6年、残存価額は取得原価の10％として減価償却が行われる。

解答

①所有権移転ファイナンス・リース取引の場合

（借）**減価償却費**　15,000[*02]　（貸）リース資産減価償却累計額　15,000

②所有権移転外ファイナンス・リース取引の場合

（借）**減価償却費**　20,000[*03]　（貸）リース資産減価償却累計額　20,000

*02）$\frac{(100,000円－10,000円)}{6年}$＝15,000円

*03）$\frac{100,000円}{5年}$＝20,000円

5 ファイナンス・リース取引の表示と注記

▶▶財問題集：問題 7,8

1．リース資産とリース債務の表示

リース資産は、原則として一括して「リース資産」として表示します。ただし、有形固定資産、無形固定資産に属する各科目に含めて表示することもできます。

リース債務は一年基準により、決算日から1年以内に返済するものをリース債務(流動負債)、それ以外を長期リース債務(固定負債)と分けて表示します。

貸借対照表

⋮		Ⅰ 流動負債	
Ⅱ 固定資産		リース債務	×××
1 有形固定資産		⋮	
建物 ×××		Ⅱ 固定負債	
減価償却累計額 ×××	×××	長期リース債務	×××
リース資産 ×××		⋮	
減価償却累計額 ×××	×××		

2．ファイナンス・リース取引の注記

リース資産について、重要性が乏しい場合を除き、その内容(主な資産の種類等および減価償却の方法)を注記します。

【注記例】

〈重要な会計方針に係る事項に関する注記〉

所有権移転外ファイナンス・リース取引に係るリース資産の減価償却方法は、リース期間を耐用年数とし、残存価額をゼロとした定額法によっている。

所有権移転ファイナンス・リース取引に係るリース資産の減価償却方法は、自己所有の固定資産に適用する減価償却方法と同一の方法を適用する。

Section 3

オペレーティング・リース取引

Section 2で学習したファイナンス・リース取引は、法的性質（賃貸借取引）と経済的な実態（売買取引）が異なるので、特殊な会計処理をしなければなりませんでした。これに対して、オペレーティング・リース取引は、法的性質も経済的な実態も賃貸借取引と考えるので、当然、賃貸借取引に準じて会計処理を行えばOKです。あまり難しく考えず、気楽な気分で大丈夫です。

このSectionでは、オペレーティング・リース取引について学習します。

1 オペレーティング・リース取引の会計処理（借手側） 簿C 財計C

▶▶簿問題集：問題6
▶▶財問題集：問題9

オペレーティング・リース取引は、**通常の賃貸借取引に準じた会計処理**を行います。

なお、オペレーティング・リース取引では、リース資産を資産計上しているのは貸手なので、貸手側が減価償却を行います。借手は、リース料を支払って「資産を借りている」にすぎません*01)。したがって、リース料の支払いの処理のみ行います。

オペレーティング・リース取引の当期の費用は、『支払リース料』として販売費及び一般管理費または製造原価報告書の経費に計上します。

また、期末に費用の見越し・繰延べがある場合は、『未払リース料』、『前払リース料』として貸借対照表の流動項目に表示します。

*01) レンタルと同じ感覚です。

設例 3-1 オペレーティング・リース取引

次の取引の仕訳を示しなさい。

A社は、備品をリースして使用している。このリース取引はオペレーティング・リース取引に該当するため、賃貸借取引に準じた処理を行う。本日、リース料支払日につき、当年度分のリース料100,000円を現金預金で支払った。

解答

(借) 支払リース料	100,000	(貸) 現金預金	100,000

2 オペレーティング・リース取引の注記 

オペレーティング・リース取引は、注記に関する規定があります。

解約不能なリース取引に関しては、今後支払うリース料について**1年以内のリース期間に係るものと1年を超えるリース期間に係るもの**とを区分して注記しなければなりません[*01]。

*01）ただし、重要性が乏しい場合には注記をする必要はありません。

【注記例】

〈リースにより使用する固定資産に関する注記〉

（オペレーティング・リース取引）

	1年以内	1年超	合　計
未経過リース料	100,000円	300,000円	400,000円

このChapterでの表示と注記

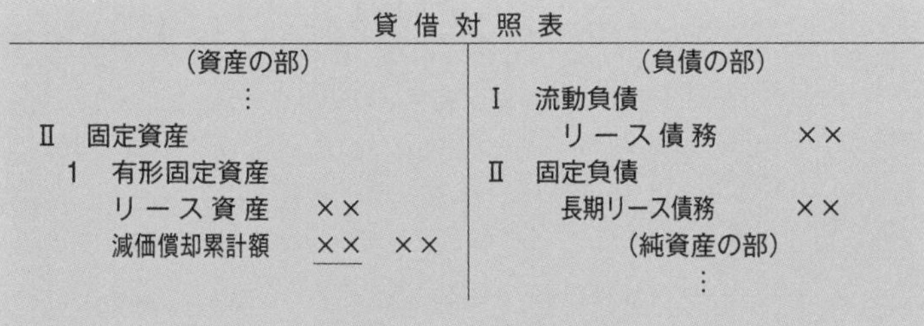

貸借対照表

（資産の部）			（負債の部）	
⋮			Ⅰ　流動負債	
Ⅱ　固定資産			リース債務	××
1　有形固定資産			Ⅱ　固定負債	
リース資産	××		長期リース債務	××
減価償却累計額	××	××	（純資産の部）	
			⋮	

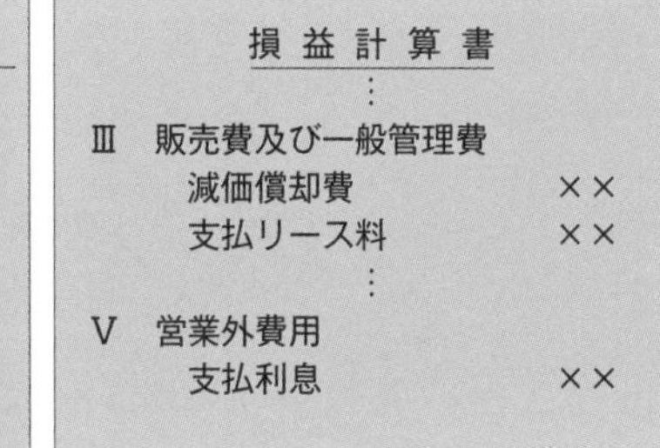

損益計算書

⋮	
Ⅲ　販売費及び一般管理費	
減価償却費	××
支払リース料	××
⋮	
Ⅴ　営業外費用	
支払利息	××

【注記例】（一部）

〈リースにより使用する固定資産に関する注記〉

	1年以内	1年超	合計
未経過リース料	××	××	××

〈重要な会計方針に係る事項に関する注記〉

リース資産の減価償却方法は、リース期間を耐用年数とし、残存価額をゼロとした定額法によっている（所有権移転外の場合）。

自己所有の固定資産に適用する減価償却方法と同一の方法を適用する（所有権移転の場合）。

Memorandum Sheet

Chapter 5

減損会計

会計では 10 年前、20 年前に購入した土地や建物を、そのときの金額で資産計上します。でも、それが 10 年後、20 年後も同じ価値のままなんてありえません。ならば、現時点の価値で資産計上しなければ、株主や債権者の人たちに適切な情報を提供できません。

この Chapter では、減損会計について学習します。日商 3 ～ 2 級では学習しなかったテーマです。がんばってクリアしましょう。

Section 1

減損会計の必要性と基本的考え方

概念フレームワークからいくと、資産は要するに「将来の収入に貢献するもの」と定義され、もちろん固定資産も例外ではありません。

ということは逆に、収益性の低下などにより、将来の収入に貢献しない部分は「資産として計上してはならない」ということを意味し、これに関する処理が規定されているのが、減損会計です。

このSectionでは、減損会計の必要性や基本的な考え方について学習します。

1 減損会計とは

減損会計とは、**収益性の低下**により投資額を回収する見込み[*01)]が立たなくなった固定資産[*02)]の帳簿価額を、一定の条件のもとで**回収可能性を反映させるように減額する会計処理**のことをいいます。

なお、ここでいう帳簿価額とは、通常当期分の減価償却を行ったあとの金額(取得原価－減価償却累計額)をいいます。

＊01)投資した原価(取得原価)を収益等で回収する見込み。

＊02)ただし、その他有価証券など、他の基準に減損に関する規定がある固定資産は対象となりません。主に有形固定資産が対象となると考えましょう。

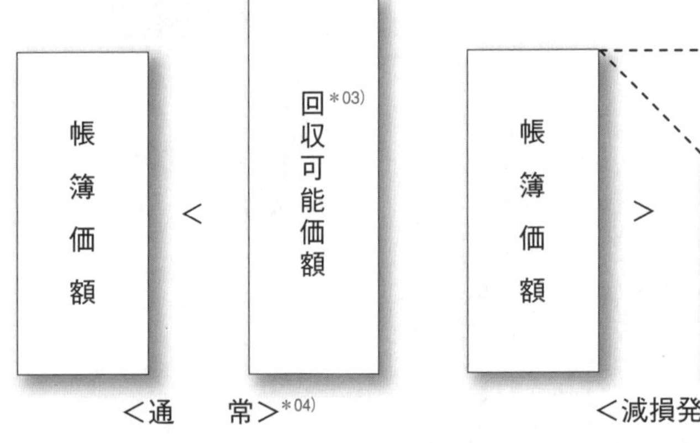

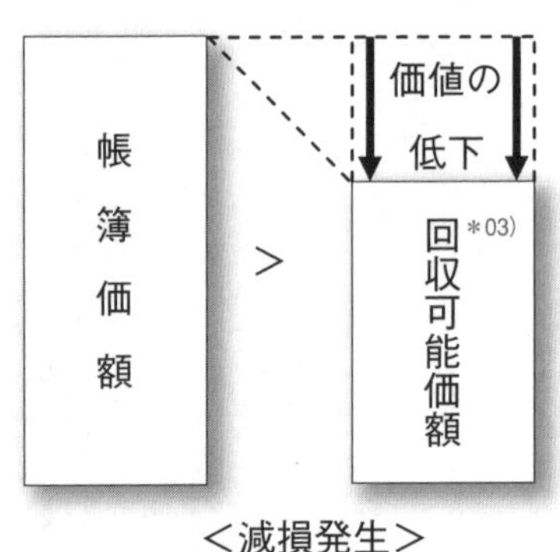

＊03)回収可能価額とは、固定資産を使用して得られる収入(使用価値)と、売却して得られる収入(正味売却価額)のいずれか高いほうをいいます。詳しくは後述。

＊04)有形固定資産は原価よりも使用価値が大きいと判断したときに購入します。
したがって、取得時には<通常>の形になっています。

2 基本的考え方

1．固定資産の減損・減損処理の定義

　固定資産の減損とは、資産の収益性の低下により投資額の回収が見込めなくなった状態のことです。

固定資産の減損処理とは、資産の収益性の低下により投資額の回収が見込めなくなった状態の時、一定の条件のもとで回収可能性を反映させるように帳簿価額を減額する会計処理のことです。

2．減損処理の対象資産

減損処理を行う対象資産は、基本的には有形固定資産、無形固定資産、投資その他の資産です。有形固定資産に属する建設仮勘定、無形固定資産に属するのれん等も対象になります。

そのうち、ほかの基準に減損処理に関する定めがある資産、たとえば、「金融商品に関する会計基準」における金融資産等は、対象資産から除かれました。なぜなら、上記の基準では「減損処理」という言葉は用いられていませんが、類似した会計処理がすでに規定されているからです。

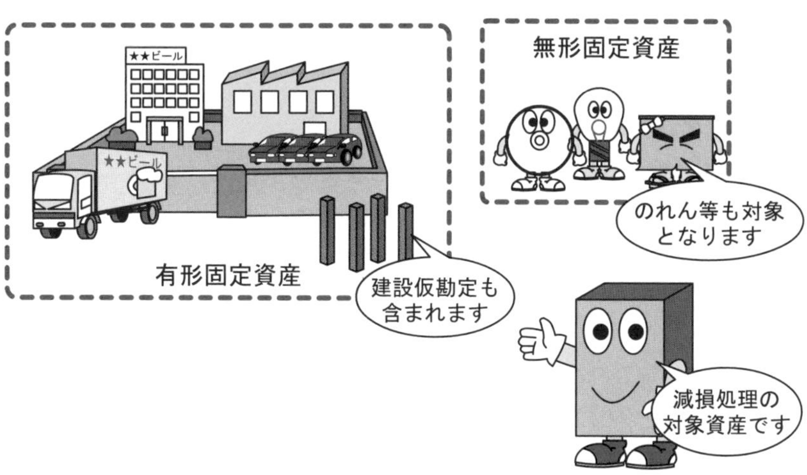

Section 2

減損会計の流れと会計処理方法

ひと口に「収益性の低下」といっても「なにをもって低下したと認識するのか」また「いくら低下したと考えるべきなのか」といった問題があり、基準はこれらの問題に対して明確に解答を示す必要がありました。

このSectionでは具体的な処理方法を通じ、それぞれの判断基準や金額の計算方法を学習します。

1 減損会計のフローチャート

固定資産の減損処理は次の３つの手順により構成されています。

STEP 1 減損の兆候

STEP 2 減損損失の認識の判定

STEP 3 減損損失の測定

この順番で減損処理の判定・測定を行います。

なお、減損会計の適用の有無から、財務諸表への表示にいたるまでの一連の流れをフローチャートに示すと次のようになります。

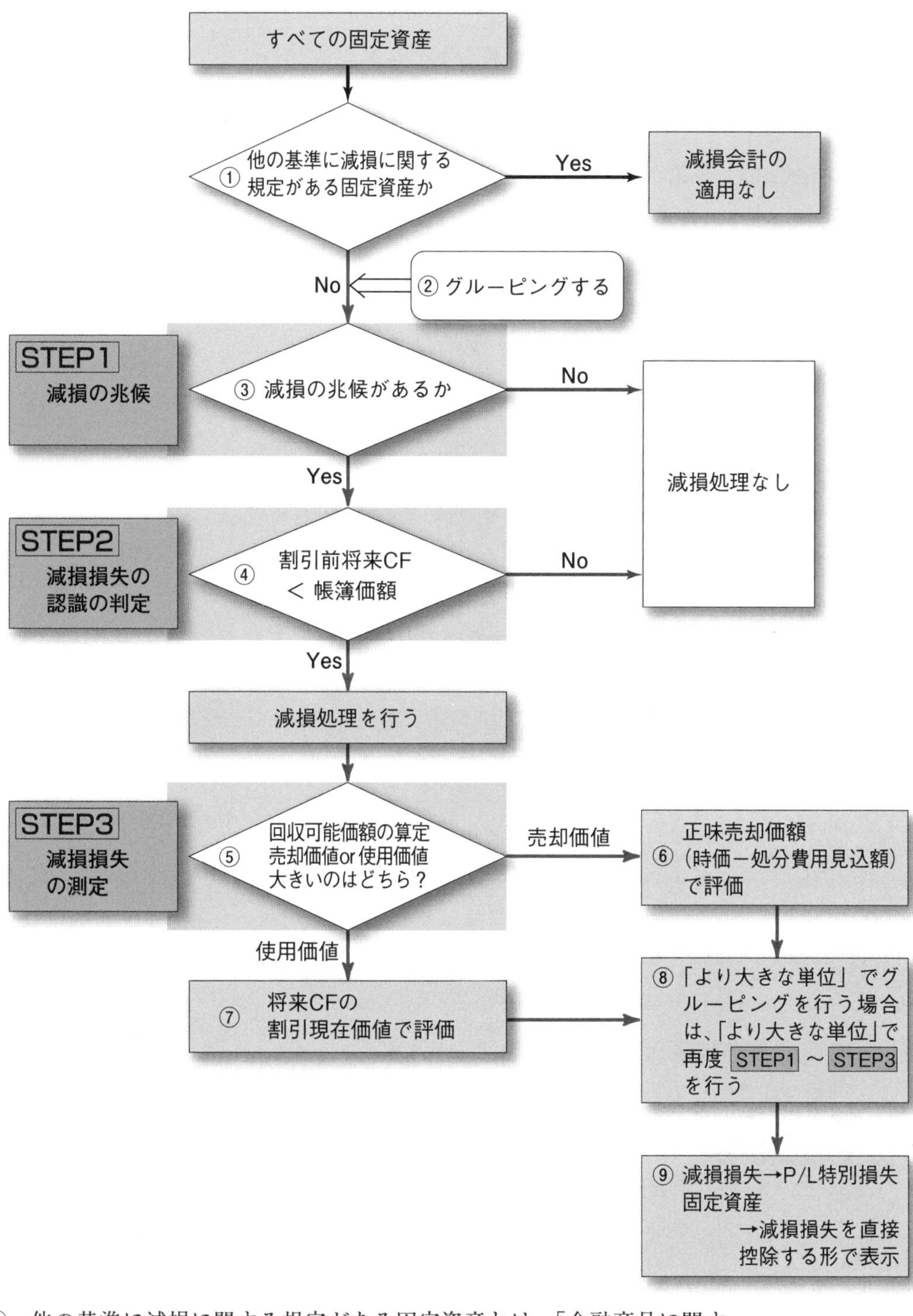

① 他の基準に減損に関する規定がある固定資産とは、「金融商品に関する会計基準」における金融資産や「税効果会計に係る会計基準」における繰延税金資産、「研究開発費等に係る会計基準」における市場販売目的のソフトウェアなどがあります。

② **キャッシュ・フローを生み出す最小の単位で減損会計は適用されます。**

たとえば、３つの固定資産で１つの製品が作られていたとすると、３つの固定資産を１つのグループと捉えて減損会計を適用することになります。

③ STEP1 減損の兆候

すべての資産または資産グループについて、将来キャッシュ・フローを計算するのは手間がかかるので、**減損の兆候**がないものは、この段階で除外します。

なお、減損の兆候とは、減損が生じている可能性のことをいい、その有無については問題文に指示があります。

④ STEP2 減損損失の認識の判定

固定資産が生むと考えられる割引前の将来キャッシュ・フローの合計額と帳簿価額を比較し、将来キャッシュ・フローの合計額の方が大きければ減損処理を行わず、小さければ減損処理を行います。

減損損失の認識の判定では、割引前の将来キャッシュ・フローを用います。

⑤ STEP3 減損損失の測定

回収可能価額を算定し、帳簿価額を回収可能価額まで減額します。**回収可能価額**は「**使用価値**」と「**売却価値**」を**比べて大きい方の額**＊01)とします。計算方法は次の表のとおりです。

＊01)もし、この時点で使用か売却かを選択するとした場合、企業は価値の大きい方を選択すると考えられるからです。

価　　値	計算方法
使用価値	将来ＣＦの割引現在価値
売却価値 （正味売却価額）	時価－処分費用見込額

「使用価値」と「売却価値」のうち、大きい方が回収可能価額となります。

⑥⑦ 回収可能価額と帳簿価額の差額が減損損失となります。

⑧ 「共用資産」や「のれん」を含む「より大きな単位」でグルーピングする場合、STEP1 ～ STEP3 を「より大きな単位」で再度行い、その結果増加した減損損失＊02)は「**共用資産**」または「**のれん**」に**優先的に配分**します。

＊02)「共用資産」や「のれん」は、単独ではキャッシュ・フローを生まないので、これらを含んだ「より大きな単位」で見た場合、減損損失は増加することになります。

⑨ 減損損失の金額が確定したら、次の仕訳を行います。

（借）減　損　損　失　×××　（貸）固　定　資　産　×××

なお、減損損失計上後、翌年などに新たに計算した結果、回収可能価額が帳簿価額を上回った場合でも、減損損失の戻入れは行いません。

次の取引について、各問いに答えなさい。

機械(取得原価130,000円、減価償却累計額30,000円)に減損の兆候がみられるので、当期末に将来キャッシュ・フローを見積もったところ、残存耐用年数3年の各年につき20,000円ずつキャッシュ・フローが生じ、使用後の残存価額は10,000円と見込まれた。

なお、当該機械の当期末における時価は55,000円、処分費用は4,000円と見込まれた。また、将来キャッシュ・フローの現在価値を算定するにあたっては、割引率10%を用い、最終数値の小数点第1位を四捨五入すること。

問1　減損損失を認識するかどうかの判定を行いなさい。
問2　使用価値を算定しなさい。
問3　正味売却価額を算定しなさい。
問4　必要な仕訳を示しなさい*03)。

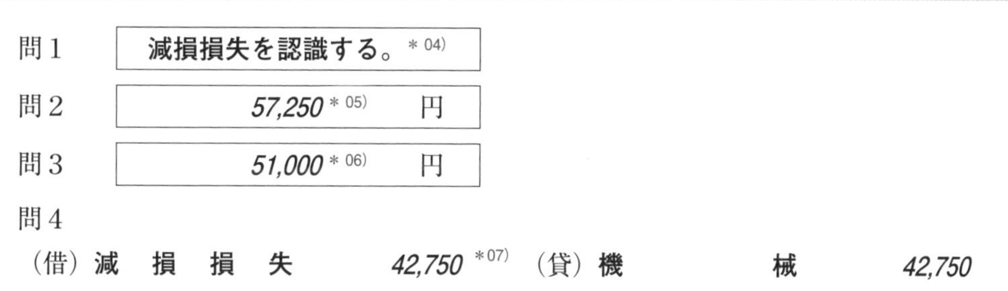

問1　**減損損失を認識する。** *04)

問2　*57,250* *05)　円

問3　*51,000* *06)　円

問4

(借)	減損損失	*42,750* *07)	(貸)	機械	*42,750*

*03)税効果の仕訳(決算時、税率30%)
(借) 繰延税金資産　12,825　(貸) 法人税等調整額　12,825

*04)減損損失を認識するかどうかの判定は、帳簿価額と割引前将来CFの合計額を比較して行います。
帳簿価額：130,000円－30,000円＝100,000円
割引前将来CF：20,000円×3年＋10,000円＝70,000円
帳簿価額100,000円＞割引前将来CF合計70,000円
したがって減損損失を認識します。

*05)使用価値：将来CFの割引現在価値は次のように計算します。

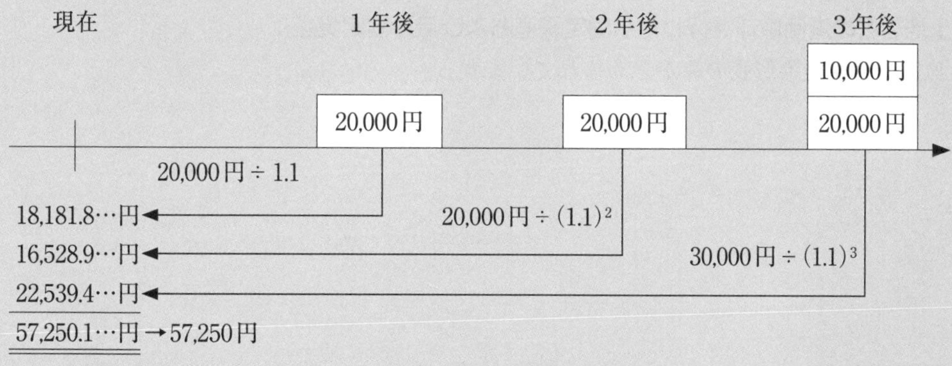

*06)正味売却価額：55,000円－4,000円＝51,000円

*07)使用価値57,250円＞正味売却価額51,000円により、回収可能価額は57,250円となります。
したがって、帳簿価額100,000円と回収可能価額57,250円との差額42,750円を減損処理します。

2 損益計算書・貸借対照表の表示

簿C 財計B

▶▶簿問題集：問題1,2
▶▶財問題集：問題7,8

減損損失の損益計算書への記載、減損処理された固定資産の貸借対照表の記載方法は次のとおりです。

(1)減損損失：特別損失の区分に記載します＊01)。

(2)有形固定資産：減損損失の控除方法の違いにより、次の３種類、４通りの形式が認められます＊02)。

(原則)直接控除形式

機　械	87,250＊03)	
減価償却累計額	30,000	57,250

(容認)①独立間接控除形式

機　械	130,000	
減損損失累計額	42,750	
減価償却累計額	30,000	57,250

(容認)②合算間接控除形式

機　械	130,000	
減価償却累計額および減損損失累計額	72,750	57,250

機　械	130,000	
減価償却累計額	72,750	57,250
〈貸借対照表等に関する注記〉		
減価償却累計額に減損損失累計額 42,750 円が含まれている。		

(3)土地などの減価償却を行わない固定資産および無形固定資産：
原則の**直接控除形式**のみが認められています。

＊01)次のように表示します。

Ⅶ特別損失	
1. 減損損失	42,750

＊02)原則の直接控除形式を中心にマスターしておきましょう。控除後の金額をその後の取得原価とします。

＊03)130,000円－42,750円＝87,250円

3 減損会計の税効果

簿B 財計B

会計上は、固定資産の回収可能価額が帳簿価額を下回っている場合には、帳簿価額と回収可能価額との差額を減損損失として処理します。一方、税務上、減損損失は損金として認められない(損金不算入)ため、将来減算一時差異が発生します。

この減損損失は固定資産を売却したときなどに税務上損金に算入され、将来減算一時差異が解消します。

設例 2-2　減損損失

次の資料にもとづいて、固定資産および税効果会計に関する仕訳を示しなさい。法人税等の法定実効税率は30%である。

(1)　当期首に機械12,000円を取得し、期末に会計上は10年(残存価額ゼロ、税務上の法定耐用年数も10年)で定額法(間接法)により減価償却を行った。

さらに当該機械に減損の兆候が見られ、減損損失800円を計上する。ただし、税務上は減損損失は損金の額に算入されないものとする。

(2)　翌期首に上記機械を10,000円で売却し、代金は小切手で受け取った(現金預金勘定で処理)。税務上、減損損失が損金に算入された。

解答

(1)	(借)	減価償却費	1,200*01)	(貸)	機械減価償却累計額	1,200
	(借)	減損損失	800	(貸)	機械	800
	(借)	繰延税金資産	240*02)	(貸)	法人税等調整額	240
(2)	(借)	機械減価償却累計額	1,200	(貸)	機械	11,200
		現金預金	10,000			
	(借)	法人税等調整額	240	(貸)	繰延税金資産	240

*01) $\frac{12,000円}{10年}$=1,200円

*02) 800円×0.3=240円

Section 3

資産のグルーピング

減損を認識するのにさいして、割引前将来キャッシュ・フローを用いることはSection 2で学んだとおりです。

しかし、1つの工場で1つの製品を製作しているとすると、工場の土地や建物、機械や備品を用いて、やっと1つのキャッシュ・フローを得ていることになり、土地や機械といった、それぞれの固定資産単独では、キャッシュ・フローの計算自体が難しいことに気付きます。

そこで「資産をグルーピングして・・・」という話になります。

このSectionでは、グルーピングした場合の減損処理について学習します。

1 資産のグルーピング

簿B 財計B

▶▶簿問題集：問題3
▶▶財問題集：問題9

1．資産のグルーピング方法

減損会計では資産の生み出す将来キャッシュ・フローを予測しますが、複数の資産が一体となってキャッシュ・フローを生み出す場合には、個々の資産ごとにキャッシュ・フローを把握することは困難です。

このような場合、減損損失を認識するかどうかの判定・測定を行うさい、合理的な範囲で資産をグルーピングする必要があります。

ここで、経済的に関連をもつ資産のグループは、経営者の判断により大きなグループから小さなグループまで様々に捉えることができます。しかし、グルーピングを行うと範囲の大小により減損損失の計上に差異が生じることもあります。

そこで、資産のグルーピングにさいしては、他の資産または資産グループのキャッシュ・フローからおおむね独立したキャッシュ・フローを生み出す最小の単位で行うこととしました＊01)。

資産のグルーピングは、他の資産または資産グループのキャッシュ・フローからおおむね独立したキャッシュ・フローを生み出す最小の単位で行います。

＊01) たとえば、1つの飲料会社に、ビール事業部とジュース事業部の2つの事業部がある場合、ビール事業部は、ビール事業部が有する土地や建物や備品などを総合的に使ってビール事業部のキャッシュ・フローを生み出しています。このように多くの場合は様々な資産(土地や建物や備品など)が一体となってキャッシュ・フローを生み出しており、この単位が最小の単位となります。

2．資産グループについて減損を行う場合

資産グループについて減損会計を適用するときは、①**資産グループ全体について減損損失を認識・測定**します。そして、資産グループを構成する②**各資産に減損損失を配分**します。

その方法としては、帳簿価額にもとづいて各構成資産に比例配分する方法が考えられますが、各構成資産の時価を考慮した配分等他の方法が合理的であると認められる場合には、当該方法によることができることとしました。

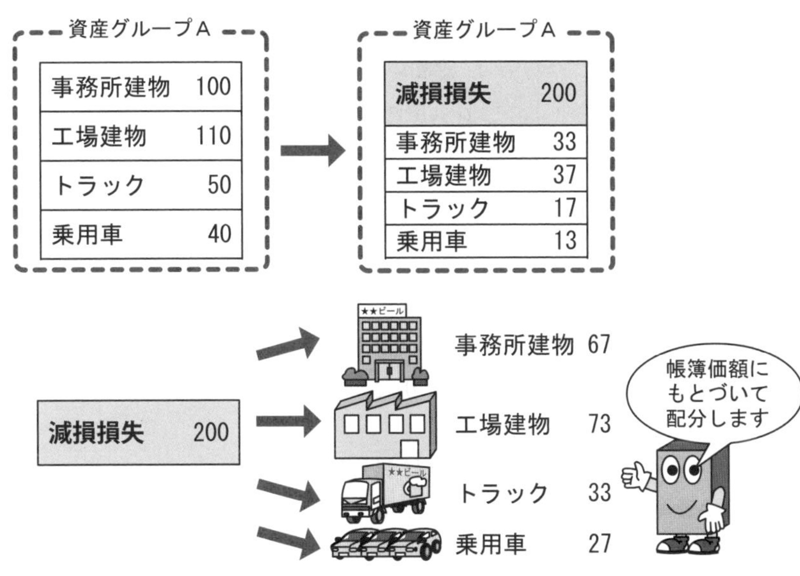

設例3-1　減損会計・複数資産への配分

次の資料にもとづき、必要な仕訳を示しなさい。

当社の減損の兆候のある資産グループ(土地と建物より構成)について減損損失を計上する。

建物の帳簿価額は1,500円、土地の帳簿価額は500円であり、資産グループについて見積もられた割引前将来キャッシュ・フローは1,950円、回収可能価額は1,900円である。なお、減損損失は、帳簿価額にもとづいて資産の種類別に配分する。

解答

(借) 減損損失	100 *02)	(貸) 建	物	75 *03)
		土	地	25 *03)

＊02)資産グループ全体について減損損失の認識・測定
帳簿価額1,500円＋500円＝2,000円＞割引前将来ＣＦ1,950円→減損損失を認識する
減損損失：帳簿価額2,000円－回収可能価額1,900円＝100円

＊03)減損損失の配分　建物：$100円 \times \frac{1,500円}{1,500円+500円} = 75円$

土地：$100円 \times \frac{500円}{1,500円+500円} = 25円$

2 共用資産がある場合の処理

簿B　財計B　▶▶簿問題集：問題 4,5,6

1．共用資産とは

共用資産とは、複数の資産または資産グループの将来キャッシュ・フローの生成に寄与する資産のうち、のれん以外のもののことです＊01)。

＊01)たとえば本社建物を階数で事業部ごとに分けている場合などです。

2．共用資産にかかる資産のグルーピング

(1)共用資産にかかる資産のグルーピング方法

共用資産のグルーピングの方法としては、２つの方法があります。

> ①　共用資産とその共用資産が将来キャッシュ・フローを生み出すのに役立つ資産または資産グループを含む、より大きな単位でグルーピングを行う方法(原則)
> ②　共用資産の帳簿価額を各資産または資産グループに配分して、配分後の各資産または資産グループについて減損損失の認識と測定を行う方法(例外)

① より大きな単位でグルーピングを行う

② 共用資産の帳簿価額を配分

(2) 基準での考え方

①の「より大きな単位でグルーピングを行う方法」が基準上原則とされます。なぜなら、一般に共用資産の帳簿価額を合理的な基準で各資産または資産グループに配分することは、困難であると考えられるためです。

なお、共用資産の帳簿価額を合理的な基準で配分することができる場合、容認処理として②の方法が認められています。この場合には、共用資産に減損の兆候があるかどうかにかかわらず、その帳簿価額を各資産または資産グループに配分し、減損損失の認識・測定を行います。

3. 会計処理

共用資産の取扱いは、原則として、共用資産と複数の資産または資産グループを含む「より大きな単位」でグルーピングを行う方法によります[*02]。この方法による場合は、まず共用資産を含まない場合について STEP 1 減損の兆候の把握、STEP 2 減損損失の認識の判定、STEP 3 減損損失の測定を行い、次に共用資産を含む「より大きな単位」で STEP 1 ～ STEP 3 を行います。そして、共用資産を含むことによって増加した減損損失は、共用資産に優先的に配分します[*03]。その後、共用資産に配分しきれなかった減損損失の超過分は、各資産または資産グループに配分します。

*02) 容認処理として、共用資産の帳簿価額を各資産または資産グループに配分する方法も認められています(後述)。

*03) 共用資産の帳簿価額は、正味売却価額を下限として切り下げることができます。

共用資産を含む「より大きな単位」の減損の会計処理

①共用資産を含まずに、STEP 1 ～ STEP 3 を行う

②共用資産を含む「より大きな単位」で STEP 1 ～ STEP 3 を行う

③増加した減損損失を共用資産に優先的に配分する

④共用資産に配分しきれなかった減損損失は各資産または資産グループに配分する

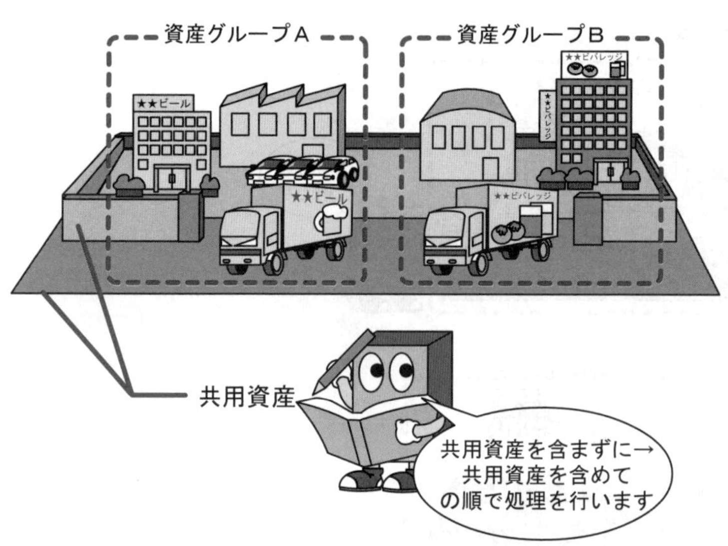

		①共用資産を含まずに、STEP 1～3を行う			②「より大きな単位」でSTEP 1～3を行う
		資産グループA	資産グループB	共用資産	「より大きな単位」での合計
	帳簿価額	100円	150円	120円	370円
STEP 1	減損の兆候	あり	なし	あり	あり
	割引前将来キャッシュ・フロー	90円	不明	不明	300円
STEP 2	減損損失の認識の判定	する	—	—	する
	回収可能価額	70円	不明	65円	270円
STEP 3	減損損失の測定	30円			100円
	増加した減損損失				70円*04)
	増加した減損損失配分額		15円*05)	55円	

①共用資産を含まずに、資産グループごとにSTEP 1～3を行います。

②「より大きな単位」全体で減損損失が100円発生しています。

③増加した減損損失を優先的に共用資産に配分します。

④共用資産に配分しきれなかった15円を配分します。

*04) 100円－30円＝70円

*05) 回収可能価額を下回らないように配分することを前提としています。

設例3-2　減損会計・共用資産①

次の資料にもとづき、必要な仕訳を示しなさい。

当社では次の資産について減損の兆候が存在する。共用資産(建物)の減損処理は、「共用資産を含むより大きな単位」で行うこととする。また、減損損失の各資産への配分にあたり、回収可能価額が判明する資産については、減損損失配分後の各資産の帳簿価額が回収可能価額を下回らないように配分すること。

	土　　地	建　　物	共用資産	合　　計
帳簿価額	1,500円	500円	800円	2,800円
減損の兆候	あり	なし	あり	あり
割引前将来キャッシュ・フロー	1,470円	不明	不明	2,700円
回収可能価額	1,450円	不明	400円	2,300円

解答

(借)	**減　損　損　失**	*500*	(貸) **共　用　資　産**	*400*
			土　　　　地	*50*
			建　　　　物	*50*

解説

		土　　地	建　　物	共用資産	「より大きな単位」での合計
	帳簿価額	1,500円	500円	800円	2,800円
STEP 1	減損の兆候	あり	なし	あり	あり
	割引前将来キャッシュ・フロー	1,470円	不明	不明	2,700円
STEP 2	減損損失の認識の判定	する	―	―	する
	回収可能価額	1,450円	不明	400円	2,300円
STEP 3	減損損失の測定	50円			500円
	増加した減損損失				450円
	増加した減損損失配分額		50円	400円	

①共用資産を含まずに、土地のみの減損損失が50円発生。

②「より大きな単位」全体で減損損失が500円発生。

③増加した減損損失を優先的に共用資産に配分。

④共用資産に配分しきれなかった50円を配分。

〈共用資産の帳簿価額を配分する方法*06)〉

共用資産の帳簿価額を関連する資産(または資産グループ)に合理的な基準で配分することができる場合には、①共用資産の帳簿価額を資産(または資産グループ)に配分したうえで、②配分後の金額にもとづいて減損損失を測定し、さらに、③減損損失を配分額と帳簿価額等を基準にして共用資産と資産(または資産グループ)に分けることができます*07)。

*06)「共用資産を含むより大きな単位」で行う方法の例外的処理です。

*07)減損損失には共用資産にかかるものと各資産にかかるものが混じっているからです。

次の資料にもとづき、必要な仕訳を示しなさい。

当社では次の資産について減損の兆候が存在する。共用資産(建物)の減損処理は、「共用資産の帳簿価額を各資産に配分する方法」で行うこととする。

共用資産の帳簿価額を土地に75%、機械に25%の割合で配分する。

	土　地	機　械	共用資産
帳簿価額	1,500円	500円	800円
減損の兆候	あり	なし	あり
割引前将来キャッシュ・フロー(共用資産配分後)	2,000円	不明	不明
回収可能価額(共用資産配分後)	1,890円	不明	不明

解答

(借)	**減損損失**	*210*	(貸) **土地**	*150*
			共用資産(建物)	*60*

解説

① **共用資産の帳簿価額の配分**

土地：800円×75%＝600円　　機械：800円×25%＝200円

② **減損損失の測定**

		土　地	機　械	共用資産
	帳簿価額	1,500円	500円	800円
	配分額	600円 ←	200円 ←	
	合計	2,100円	700円	
STEP 1	減損の兆候	あり	なし	
	割引前将来キャッシュ・フロー	2,000円	―	
STEP 2	減損損失の認識の判定	認識する	―	
	回収可能価額	1,890円	―	
STEP 3	減損損失の測定	210円	―	

③ **減損損失の配分**

土　　　地：$210円 \times \dfrac{1,500円}{1,500円 + 600円} = 150円$

共用資産(建物)：$210円 \times \dfrac{600円}{1,500円 + 600円} = 60円$

このChapterでの表示と注記

貸借対照表	
（資産の部）	（負債の部）
：	：
Ⅱ　固定資産	
1　有形固定資産	（純資産の部）
建　　物　××[*01]	
減価償却累計額　××　××	：

＊01）減損損失を直接控除

損益計算書	
：	
Ⅶ　特別損失	
減損損失	××

Chapter 6

退職給付会計Ⅰ

「勤続 40 年、いよいよ定年退職だ。退職金もしっかりもらって、これで老後の生活は安泰だ」という話、耳にしますよね。退職金をもらう従業員は気楽ですが、支払う企業はしっかりと準備をしなければなりませんから大きな負担です。

このChapterでは、退職金関係の費用についての会計処理を学習します。

Section 1

退職給付会計の概要と基礎知識

従業員は、企業を退職したあとに退職金を貰えます。そして、この給付は退職後の生活に必要不可欠といっても過言ではない大切なものです。逆に、企業にとってもいままで会社の発展に貢献してくれた従業員の生活を保障する立派な制度…ですが、その負担も軽くはないため、会計上も適切な処理をする必要があります。

このSectionでは、この退職給付の仕組みについて学習します。

1 退職給付とは

退職給付とは、一定の期間にわたり労働を提供したこと等の事由にもとづいて、**退職以後に従業員に支給される**給付をいい、(1)退職一時金と(2)退職年金がその典型です。

(1)退職一時金

退職一時金*01)とは、退職時に一括して企業が直接に従業員に支給するものをいいます。

*01)一般的にイメージする「退職金」です。

(2)退職年金

退職年金とは、退職後の一定期間または生涯にわたって定額で支給するもの*02)をいいます。

*02)退職金を年金制度で支給します。

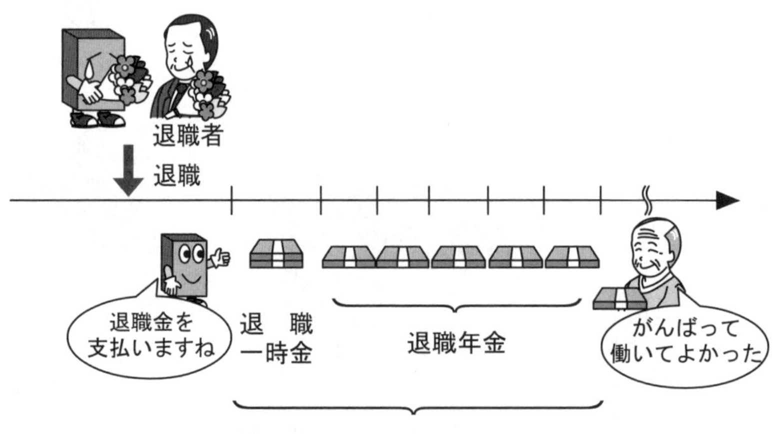

2 退職給付にあてる資金の積立方法

退職給付にあてる資金の積立方法には、(1)内部留保と(2)外部積立の2つがあります。

(1)内部留保

内部留保とは、企業が毎期「引当金(退職給付引当金)を設定」して企業内に資産を留保することで、資金を積み立てる方法です。この方法によると、退職給付は企業から従業員に直接支払われます。退職一時金にあてる資金の積立てによく用いられます。

(2)外部積立

外部積立とは、企業が外部の運用機関(年金基金)*01)に資産を拠出することで資金を積み立てる(外部運用機関が資金を運用・管理する)方法です。この方法によると、退職給付は外部の運用機関から従業員に支払われます。退職年金にあてる資金の積立てによく用いられます。

*01)信託銀行や保険会社等が該当し、それらは年金基金の運用・管理を行います。なお、年金基金制度を設けていない企業もあります。

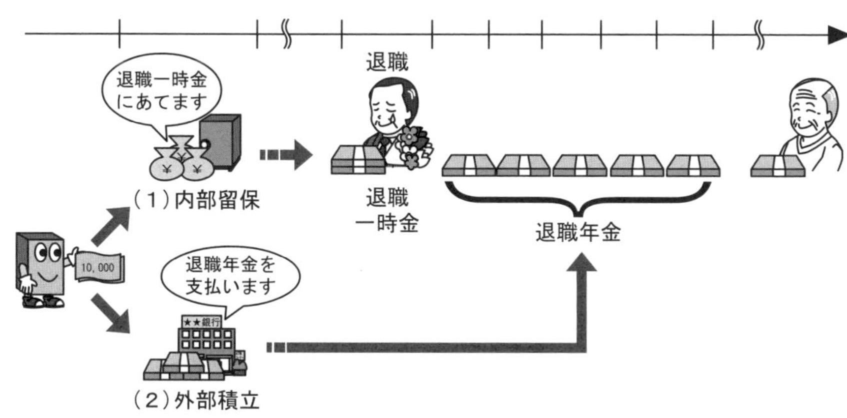

3 基礎知識

ここでは、退職給付会計を理解する上で、最低限おさえておくべき項目について取り上げます*01)。

*01) 各項目の詳細は本ChapterのSection２以降で学習します。

1．退職給付引当金

『退職給付引当金』は、退職給付債務から年金資産を控除することで計算します。退職給付債務および年金資産の意味は、次のとおりです。

①退職給付債務（たいしょくきゅうふさいむ）：	企業が支払うべき退職給付の現時点での金額。
②年金資産（ねんきんしさん）：	外部の運用機関(年金基金)が保有している年金支払の財源となる資産。

退職給付引当金の計算

退職給付債務 － 年金資産 ＝ 退職給付引当金

年金資産｜退職給付債務｝退職給付引当金

年金資産：外部の運用機関に拠出したことにより、すでに退職給付の一部を支払ったと考えます。

退職給付引当金：これから企業が支払わなければならない退職給付と考えます。

なお、このうち貸借対照表(財務諸表)に計上されるのは**『退職給付引当金』**のみです。

「退職給付債務」と「年金資産」は帳簿外で管理するものであり、勘定科目でも表示科目でもありません。

2．退職給付会計における負債の計上方法の考え方

退職給付会計における負債の計上方法の考え方には、①退職給付債務(負債)と年金資産(資産)を両建てで計上する方法と、②退職給付債務(負

債)と年金資産(資産)を相殺して純額で計上する方法があります。このうち、**現行制度では②退職給付債務(負債)と年金資産(資産)を相殺して純額で計上する方法が採用**されています。

その理由は、企業年金制度を採用している企業において外部に積み立てられている年金資産は退職給付の支払いのためのみに使用されることが制度的に担保されていることから、これを収益獲得のために保有する一般の資産と同様に企業の貸借対照表に計上すると、かえって財務諸表の利用者に誤解を与えるおそれがあると考えられるためです。

また、諸外国の会計基準においても、相殺して純額で表示する会計処理が採用されていることも理由としてあげられます。

3. 退職給付費用

『退職給付費用』 は、退職給付債務の増加にともなって計上される費用項目です[*02)]。

*02) 他の引当金と違って『退職給付引当金繰入』とはしないので注意！

「退職給付債務－年金資産＝退職給付引当金」から、次の増減関係がなりたちます(退職給付債務や年金資産が増減した結果、引当金も増減すると考えます)。

	退職給付債務	年金資産	引当金	(事例)
①	⇧増加	−	⇧増加	債務の認識
②	⇩減少	−	⇩減少	退職一時金の支払い
③	−	⇧増加	⇩減少	掛金の拠出
④	⇩減少	⇩減少	(変化ナシ)	年金の支給

※帳簿外の項目

退職給付債務および年金資産は帳簿外で管理するため、**『退職給付引当金』** のみが仕訳に登場することになります(退職給付債務や年金資産の増減は、退職給付引当金の増減と考えてみてください)。ただし、退職給付債務と年金資産についても、管理上その増減は把握する必要があります。

本書の設例で示す仕訳に **『退職給付引当金』** が登場した場合、必要に応じてその下に、「退職給付債務」または「年金資産」と示している[*03)]ので、どちらの金額が変化しているのかも確認しましょう。

*03) 問題を解答する場合には記入しません。単に『退職給付引当金』と書いてください。

設例 1-1　退職給付の基本仕訳

次の各取引の仕訳を示しなさい。

(1)　退職給付債務7,000円の増加を認識した。

(2)　退職した従業員に対し、退職一時金2,000円を現金で支払った。

(3)　年金基金に3,000円の掛金を現金で拠出した。

(4)　年金基金から退職した従業員に退職年金1,000円が支給された。

解答

(1)	(借)	**退職給付費用**	*7,000*	(貸)	**退職給付引当金** 退職給付債務	*7,000*
(2)	(借)	**退職給付引当金** 退職給付債務	*2,000*	(貸)	**現金預金**	*2,000*
(3)	(借)	**退職給付引当金** 年金資産	*3,000*	(貸)	**現金預金**	*3,000*
(4)	(借)	**仕訳なし**		(貸)		

解説

(1)　退職給付債務が増加したので、『**退職給付費用**』を計上するとともに、『**退職給付引当金**』を増加させます。

(2)　退職一時金を支払うことにより退職給付債務が減少するので、『**退職給付引当金**』を減少させます。なお、退職一時金を現金で支払っているので、相手勘定は『**現金預金**』などが該当します。

(3)　年金基金に掛金を拠出することで年金資産が増加するので、『**退職給付引当金**』を減少させます。なお、掛金を現金で支払っているので、相手勘定は『**現金預金**』などが該当します。

(4)　退職年金の支給は帳簿外で取引が完了している(外部の運用機関が外部の退職者に支払った)ため、当社では何も仕訳を行いません。

〈確定給付型と確定拠出型〉

企業の退職給付の制度には確定給付型と確定拠出型があります。

確定給付型は従業員に対して企業が給与や勤続年数等にもとづいて確定した金額の退職給付を支給することが決められており、支給時に外部の基金の資産が不足しているような場合には、企業がその不足分を負担します。反対に確定拠出型では、企業が一定の掛金を外部の年金基金に支払えばよく、退職給付の支給時に外部の基金の資産が不足していても、企業は法的債務を負いません。

Section 2

退職給付会計の各項目

退職給付会計、様々な用語や複雑な計算のため理解するのもひと苦労ですが…残念ながら(?)試験的には重要な論点です。難しい論点でも1つずつステップを踏んで学習すれば、きっとマスターできます。

まずは、退職給付会計に登場する各項目についての学習から1歩ずつスタートです!

1 退職給付債務

退職給付債務とは、**退職給付のうち、認識時点(期末)までに発生していると認められる**部分を割り引いた[*01)]ものです。具体的には、次の手順で計算します。

*01)割引計算については、教科書I基礎導入編のChapter 3を参照してください。

STEP 1 退職給付見込額の算定

従業員の退職以後に支払う金額(退職給付見込額)[*02)]を見積りにより算定します。

*02)この計算は非常に複雑かつ専門知識を要するため、通常は資料として与えられます。

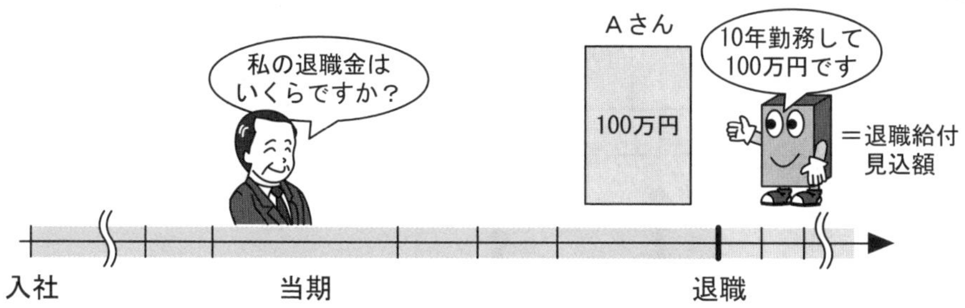

STEP 2 退職給付見込額のうち、当期末までの発生額の算定

退職給付債務は従業員の毎期の働きに応じて発生すると考えます。しかし、退職給付見込額は「退職時」における退職給付の金額であるため、当期末までの労働に対応しない金額も含まれています。そのため、退職給付見込額のうち当期末までの労働に対応すると考えられる金額を計算する必要があります。

なお、退職給付見込額のうち期末までに発生したと認められる額は、退職給付見込額を全勤務期間で割った額を各期の発生額とする方法(これを「**期間定額基準**」といいます)、退職給付制度の給付算定式に従って各期間に帰属させた給付に基づき見積った額を、退職給付見込額の各期の発生額とする方法（これを「**給付算定式基準**」といいます）のいずれかの方法を選択適用して計算します。

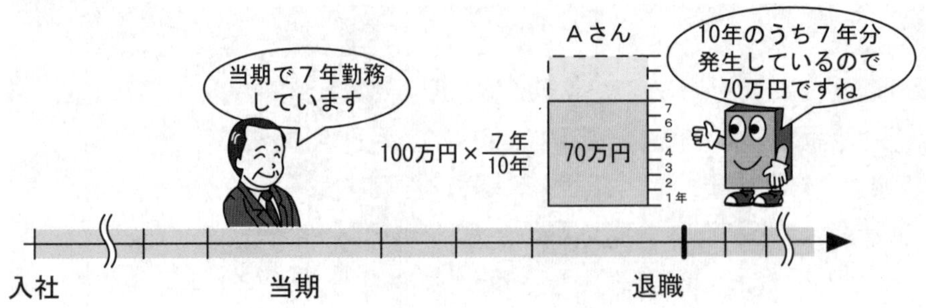

STEP３ 期末退職給付債務の算定

退職給付債務は支出まで非常に長い期間があるため、貨幣の時間価値を考慮する必要があると考えられています。そのため、STEP２ で算定した金額を当期末まで割り引くことで、期末における退職給付債務の金額を算定します。

この割引計算は、信用リスクや運用利回りなどは関係なく、単純に貨幣の時間価値のみを反映させるために行うため、割引率は安全性の高い長期の債券の利回りを基礎として決定します。

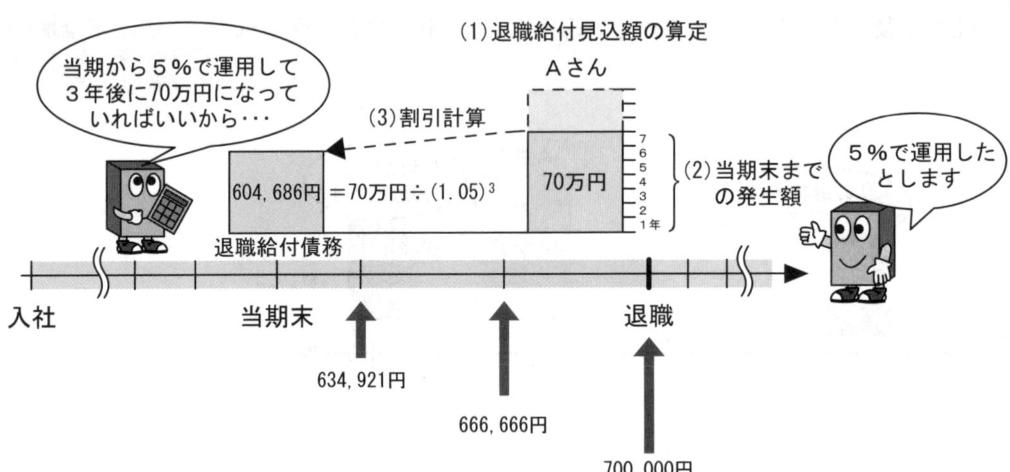

設例 2-1　退職給付債務の算定

当期末のA氏にかかる退職給付債務はいくらになるかを示しなさい。

なお、割引率は5％とし、円未満の端数は計算の最後で四捨五入すること。

A氏の入社から退職までの全勤務期間は25年と見積もられており、A氏の入社から当期末までの勤務期間は20年である。A氏の退職時に見込まれる退職給付見込額は320,000円であった。

退職給付見込額の当期末までの発生額の算定は期間定額基準によること。

解答　*200,583* 円

解説

(1)　退職給付見込額の算定　320,000円(問題文より)

(2)　退職給付見込額のうち、当期末までの発生額の算定(期間定額基準)

$$320{,}000\text{円} \times \frac{20\text{年}}{25\text{年}} = 256{,}000\text{円}$$

(3)　当期末までの発生額の割引現在価値(期末退職給付債務)の算定

当期末(20年)から退職時(25年)までの5年間で割り引きます。

$256{,}000\text{円} \div (1.05)^5 = 200{,}582.69\cdots\text{円} \rightarrow 200{,}583\text{円}$

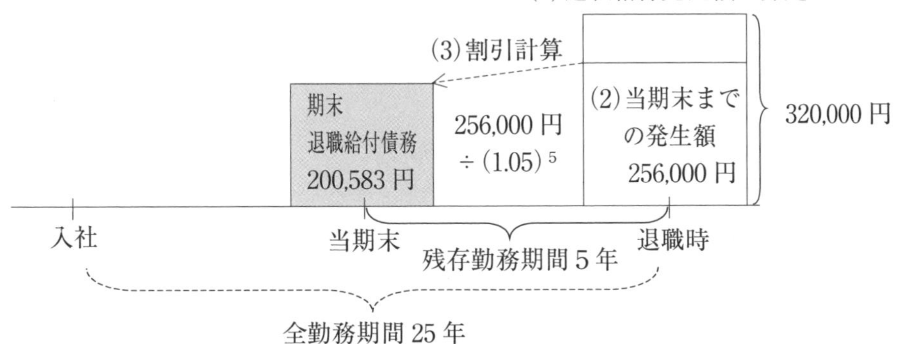

※本問では「A氏の～」と個別の従業員に対して債務の計算を行いましたが、通常の本試験では個別に行うのではなく、従業員全体に対して一括して計算します。しかし、その場合でも、計算方法は本問と同様なので、安心してください。

2　勤務費用と利息費用

▶▶簿問題集：問題1

期首において、見積りにより当期末時点の退職給付債務の額をあらかじめ算定します。このさい、退職給付債務の増加要因として、「勤務費用」と「利息費用」があります。

1．勤務費用

勤務費用とは、一期間の労働の対価として発生したと認められる退職給付をいい、退職給付見込額のうち当期に発生したと認められる額を割り引いて計算します。

退職給付は賃金の後払いと考えられているので、従業員の毎期の労働に応じて発生していきます。**当期の労働によって生じる退職給付債務が「勤務費用」**です。

さらに、当期に発生したと認められる額を、現在価値に割り引いて勤務費用を算定します[*01]。

*01) 本試験では勤務費用は問題文で与えられることが多いです。

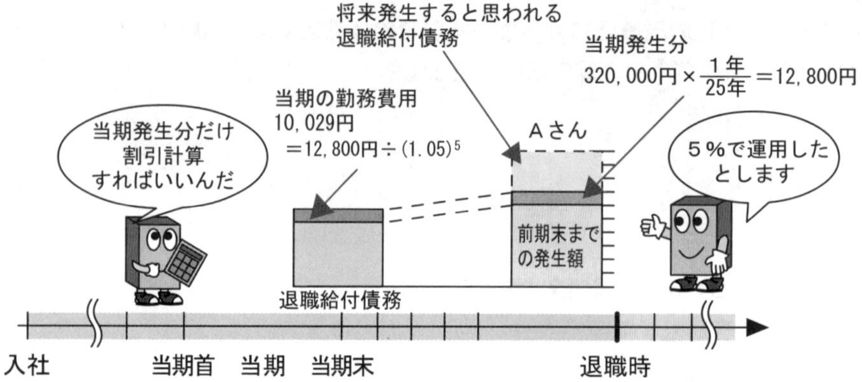

2．利息費用

割引計算により算定された期首時点における退職給付債務について、期末までの**時の経過により発生する計算上の利息を「利息費用」**といいます。利息費用は、期首時点の退職給付債務に割引率を掛けて算定します。

利息費用の計算
利息費用 ＝ 期首退職給付債務 × 割引率

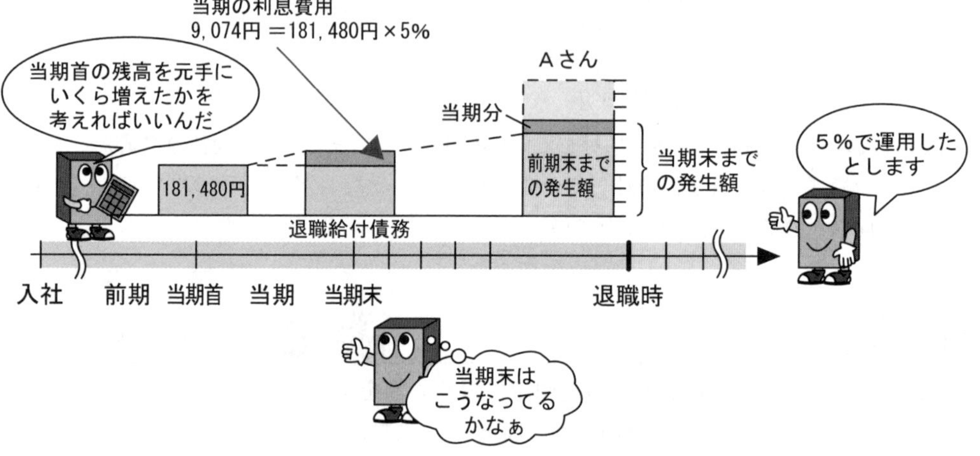

設例 2-2　勤務費用と利息費用

次の資料にもとづいて、当期末の退職給付債務の額を求めるとともに、勤務費用および利息費用の計上に関する仕訳を示しなさい。なお、割引率は５％として計算すること。

【資　料】

期首退職給付債務：181,480円　　当期の勤務費用：10,029円

解答　*200,583* 円

（借）退職給付費用	*19,103*	（貸）退職給付引当金 退職給付債務	*19,103*

解説

勤務費用：10,029円（問題文より）
利息費用：181,480円 × 0.05 = 9,074円
　　　　　　　　　　　　　　　　　　} 19,103円（退職給付費用）

期末退職給付債務：181,480円 + 19,103円 = 200,583円

この設例の各金額の関係をまとめると、以下のようになります。

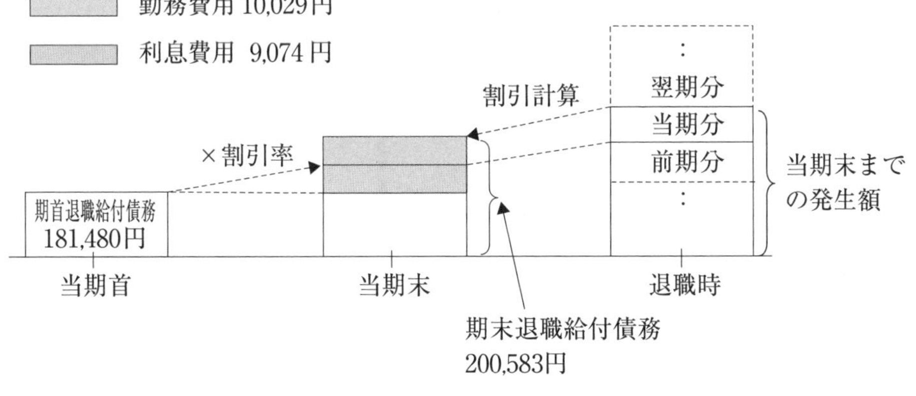

3 年金資産

年金資産とは、特定の退職給付制度のために、その制度について企業と従業員との契約(退職金規程等)等に基づき積み立てられた、次のすべてを満たす特定の資産をいいます。

なお、年金資産の額は期末における時価(公正な評価額)*01)により計算します。

*01)通常は問題文で与えられます。

① 退職給付以外に使用できないこと

② 事業主及び事業主の債権者から法的に分離されていること

③ 積立超過分を除き、事業主への返還、事業主からの解約・目的外の払出し等が禁止されていること

④ 資産を事業主の資産と交換できないこと

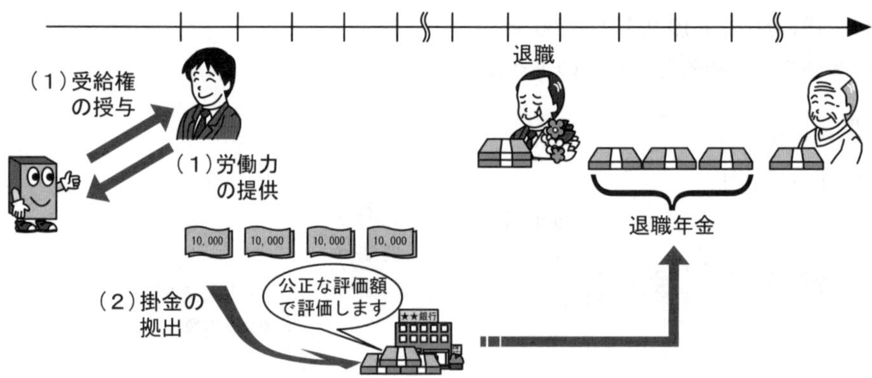

4 期待運用収益

▶▶簿問題集：問題3
▶▶財問題集：問題12

期待運用収益とは、年金資産の運用により生じると合理的に期待される計算上の収益をいいます。

期待運用収益の計算

期待運用収益 ＝ 期首年金資産 × 長期期待運用収益率

なお、この期待運用収益が生じた場合は、結果として年金資産が増加するので、退職給付引当金を減額する処理を行うとともに、当期の退職給付費用を減額します[*01]。

＊01）当期に計上する退職給付費用の一部が運用収益で軽減されると考えます。

また、将来の退職給付のうち、当期の負担に属する額として引当金に繰り入れる金額を退職給付費用といい、差異が生じていない場合は次のように計算します。

退職給付費用の計算

退職給付費用 ＝ 勤務費用 ＋ 利息費用 － 期待運用収益

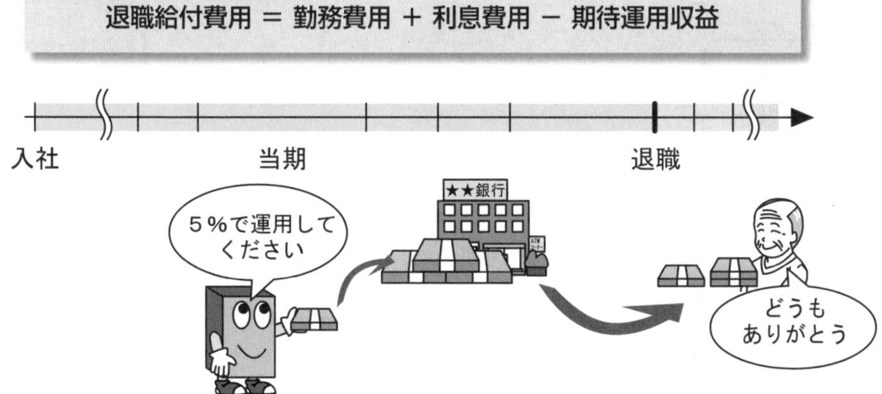

設例 2-3 期待運用収益の計算

次の資料にもとづいて、年金資産にかかる当期の期待運用収益の金額を求めるとともに、期待運用収益の計上に関する仕訳を示しなさい。

【資　料】

期首年金資産　61,500円　　長期期待運用収益率　4.2％

解答

2,583 円

（借）退職給付引当金 年金資産	*2,583*[*02]	（貸）退職給付費用	*2,583*

＊02）61,500円×0.042＝2,583円

Section 3 退職給付にかかる会計処理

退職給付会計では、期首において当期に発生すると予想される費用を、見積りによって計算します。あらかじめ見積りの費用を計上しておく点がとても特徴的です。

このSectionでは、退職給付にかかる会計処理を学習します。非常に重要な内容ですのでしっかり学習しましょう。

1 退職給付にかかる会計処理の流れ

退職給付会計では、次のような流れで会計処理を行います。

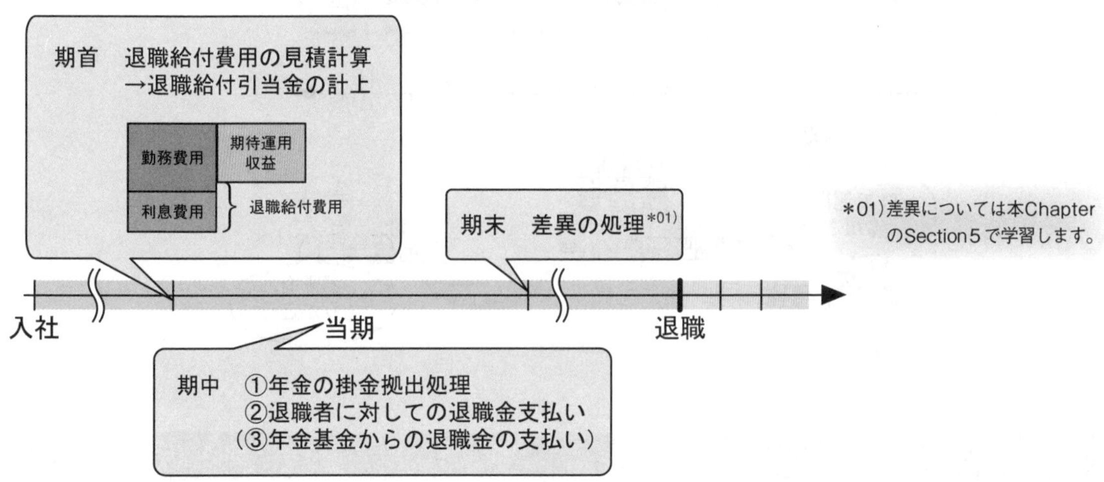

*01) 差異については本ChapterのSection5で学習します。

2 具体的な会計処理

簿A 財計A ▶▶財問題集：問題13

1．期首の会計処理

期首において「勤務費用」、「利息費用」、「期待運用収益」を見積りにより計算し、当期の退職給付費用を計算します。

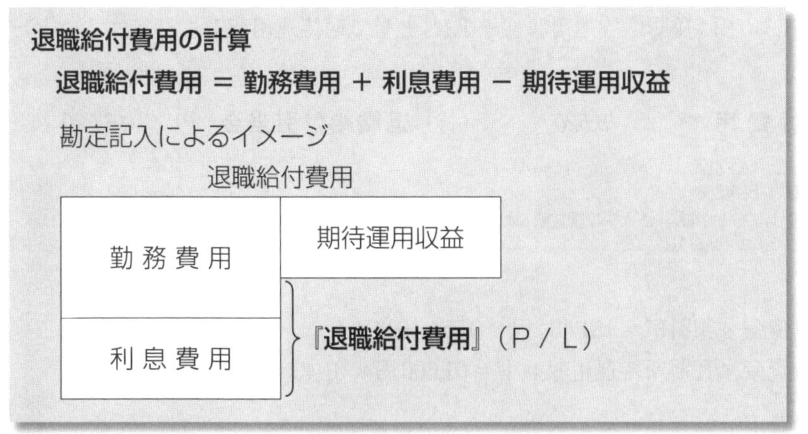

Point
上記のほか、退職給付費用の計算には差異についても考慮する場合があります。詳しくは本ChapterのSection 5で学習します。

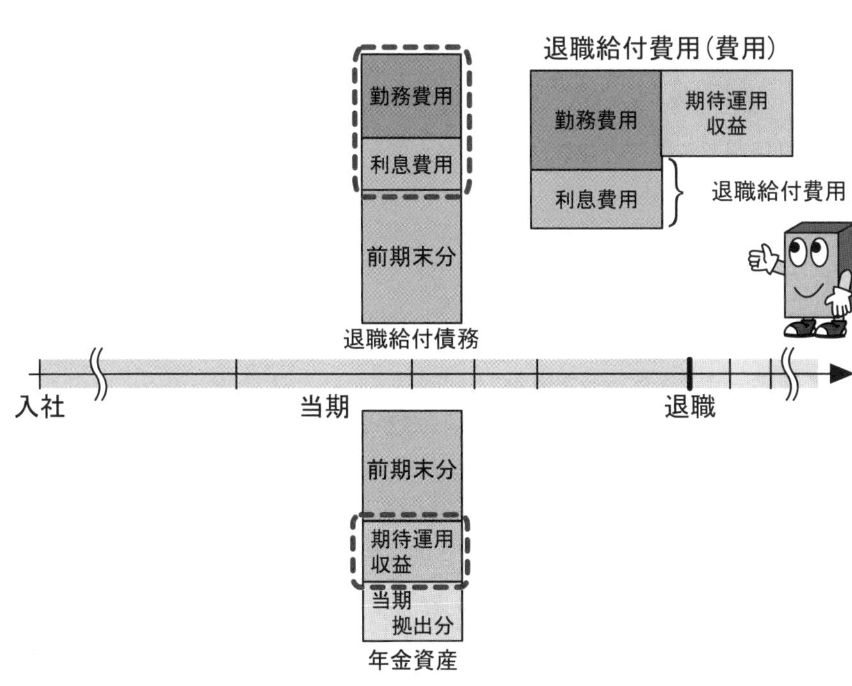

設例 3-1　　**退職給付費用の計算**

次の資料にもとづいて、期首に行うべき仕訳を示しなさい[*01]。

【資　料】

勤　務　費　用　　10,029円

期首退職給付債務　181,480円（割引率5.0%として利息費用を計算すること）

期首年金資産　　61,500円（長期期待運用収益率4.2%として期待運用収益を計算すること）

解答

（借）退職給付費用	16,520	（貸）退職給付引当金	16,520

＊01）税効果の仕訳（決算時　税率30%）
（借）繰延税金資産　4,956　（貸）法人税等調整額　4,956

解説

利息費用：期首退職給付債務×割引率＝181,480円×0.05＝9,074円

期待運用収益：期首年金資産×長期期待運用収益率＝61,500円×0.042＝2,583円

退職給付費用

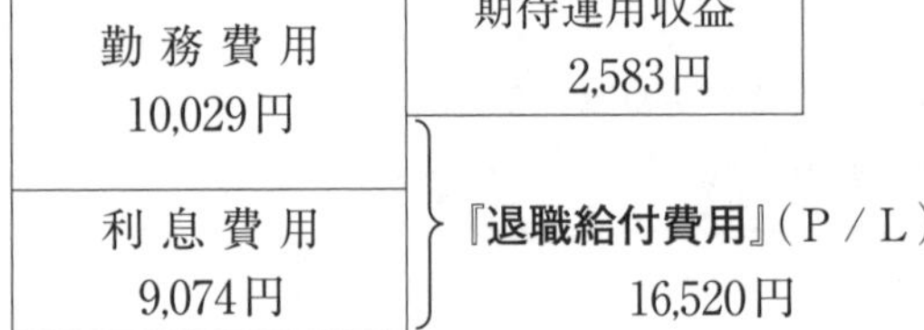

退職給付費用（期首見積）：
勤務費用＋利息費用－期待運用収益
＝10,029円＋9,074円－2,583円
＝16,520円

2．期中の会計処理

期中において退職給付の項目が増減するのは、次の(1)から(3)の場合となります。

(1)企業が従業員に対して退職一時金を支払った場合
(2)企業が年金基金に対して掛金を拠出した場合
(3)年金基金が従業員に対して退職年金を支払った場合

(1)企業が従業員に対して退職一時金を支払った場合

企業が従業員に対して退職一時金を支払った場合は、退職給付債務の減少を認識するので、『**退職給付引当金**』を減額します。

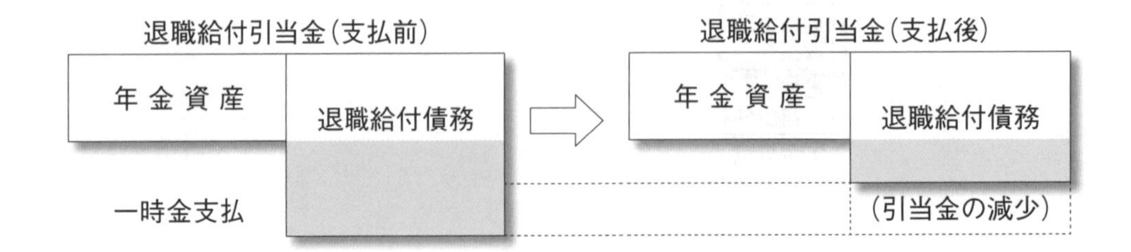

退職給付引当金（支払前）　年金資産　退職給付債務　一時金支払

退職給付引当金（支払後）　年金資産　退職給付債務　（引当金の減少）

設例 3-2	退職一時金の支払い

次の取引の仕訳を示しなさい[*02]。

期中において退職する従業員に対して、退職一時金2,500円を現金で支払った。

解答

(借)	退職給付引当金 退職給付債務	2,500	(貸) 現　金　預　金	2,500

＊02) 税効果の仕訳(決算時　税率30%)
(借)　法人税等調整額　750　(貸)　繰延税金資産　750

(2) 企業が年金基金に対して掛金を拠出した場合

企業が年金基金に対して掛金を拠出した場合は、年金資産の増加を認識するので、『**退職給付引当金**』を減額します。

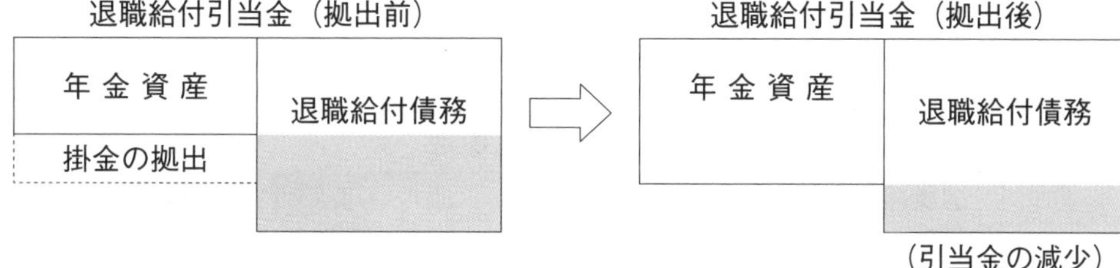

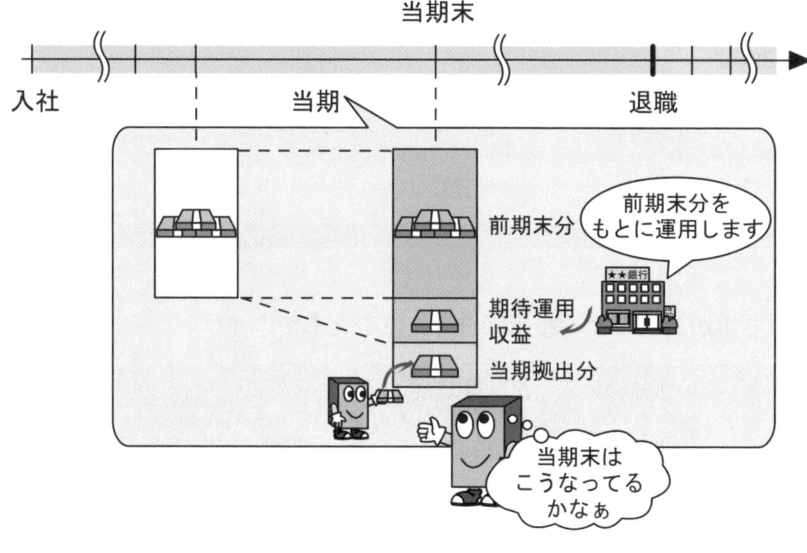

設例 3-3 年金基金への掛金の拠出

次の取引の仕訳を示しなさい[*03)]。
期中において、年金基金に対して掛金4,000円を現金で拠出した。

解答

(借) 退職給付引当金 年金資産	4,000	(貸) 現金預金	4,000

*03) 税効果の仕訳(決算時　税率30%)
(借)　法人税等調整額　1,200　(貸)　繰延税金資産　1,200

(3) 年金基金が従業員に対して退職年金を支払った場合

年金基金が退職者に対して退職年金を支払った場合は、企業外部で取引が完結(外部の運用機関が外部の退職者に支払い)するため、当社では仕訳は行いません。ただし、退職給付債務と年金資産の減少額については管理上、把握をする必要があります。

退職給付引当金(給付前)

年金資産	退職給付債務

⇒

退職給付引当金(給付後)

年金資産	退職給付債務

(引当金変化ナシ)

設例 3-4 年金基金による退職年金の支給

次の取引の仕訳を示しなさい。
期中において、年金基金から退職した従業員に退職年金1,800円が支給された。

解答

(借) 仕訳なし		(貸)	

解説

会計処理上は「仕訳なし」ですが、次のような仕訳を考えることもできます。

(借) 退職給付引当金 退職給付債務	1,800	(貸) 退職給付引当金 年金資産	1,800

3. 期末の会計処理

期末において、期首に見積りにより計算した期末時点の見積額と、実際額を比べます。

両者が一致した場合は特に処理をしませんが、両者が一致しなかった場合はその差異を把握して適切な処理をする必要があります[*04)]。

*04) 詳しくは本ChapterのSection 5で学習します。

Section 4

勘定連絡図とワークシート

退職給付の仕訳による基礎的な処理を学習したところで、このSectionでは実践的な金額の求め方を学習します。もちろん、個々の事項について仕訳を行って解いてもよいのですが、このSectionで学習する勘定連絡図やワークシートといった下書きを使用したほうが効率的に問題を解くことができます。

最初は戸惑うかもしれませんが…がんばってマスターしましょう！

1 勘定連絡図

簿A 財計A ▶▶簿問題集：問題4

本試験で問題を解くさいに、退職給付にかかる仕訳をすべて行っていると時間のロスが生じます。そこで、仕訳は頭の中で行い必要な金額を勘定に記入するとともに、各勘定の関係から求めるべき金額を計算します。

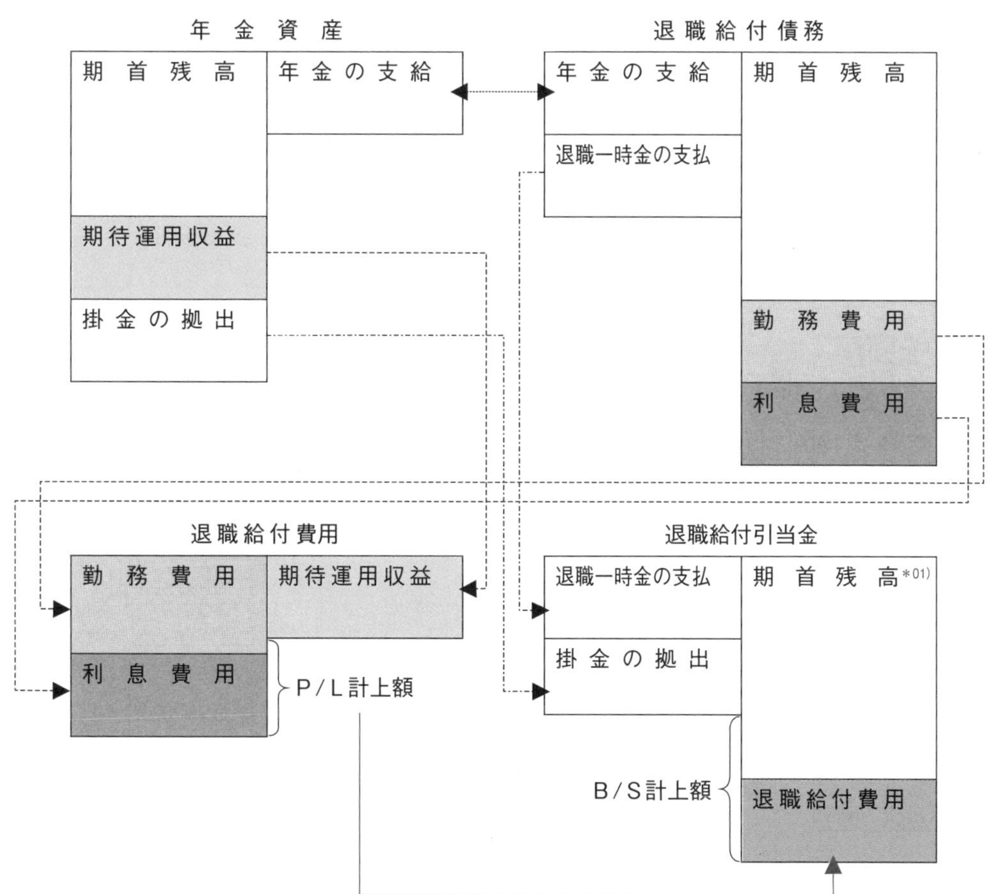

※差異(Section 5で学習します)を把握する必要がない場合は、退職給付費用と退職給付引当金の勘定だけ把握すれば、問題は解くことができます。

*01)「期首退職給付債務－期首年金資産」により求めます。

設例 4-1 退職給付の勘定連絡図

次の資料にもとづいて、(1)～(3)の各仕訳を示すとともに、(4)期末における退職給付引当金の額を答えなさい。なお、退職一時金の支払いおよび掛金の拠出は現金で行っている。

【資　料】

期首退職給付債務：181,480円　　期首年金資産：61,500円
勤務費用：10,029円　　期待運用収益：2,583円
利息費用：9,074円　　年金基金への掛金の拠出：4,000円
退職一時金の支払：2,500円　　年金基金による退職年金の給付：1,800円

(1)　退職給付費用の計上にかかる仕訳
(2)　年金基金への掛金拠出にかかる仕訳
(3)　退職一時金の支払いにかかる仕訳

解答

(1)	(借) **退職給付費用**	*16,520*	(貸) **退職給付引当金**	*16,520*
(2)	(借) **退職給付引当金**	*4,000*	(貸) **現金預金**	*4,000*
(3)	(借) **退職給付引当金**	*2,500*	(貸) **現金預金**	*2,500*

(4) *130,000* 円

解説

本問の数値を勘定連絡図に記入すると、次のようになります。

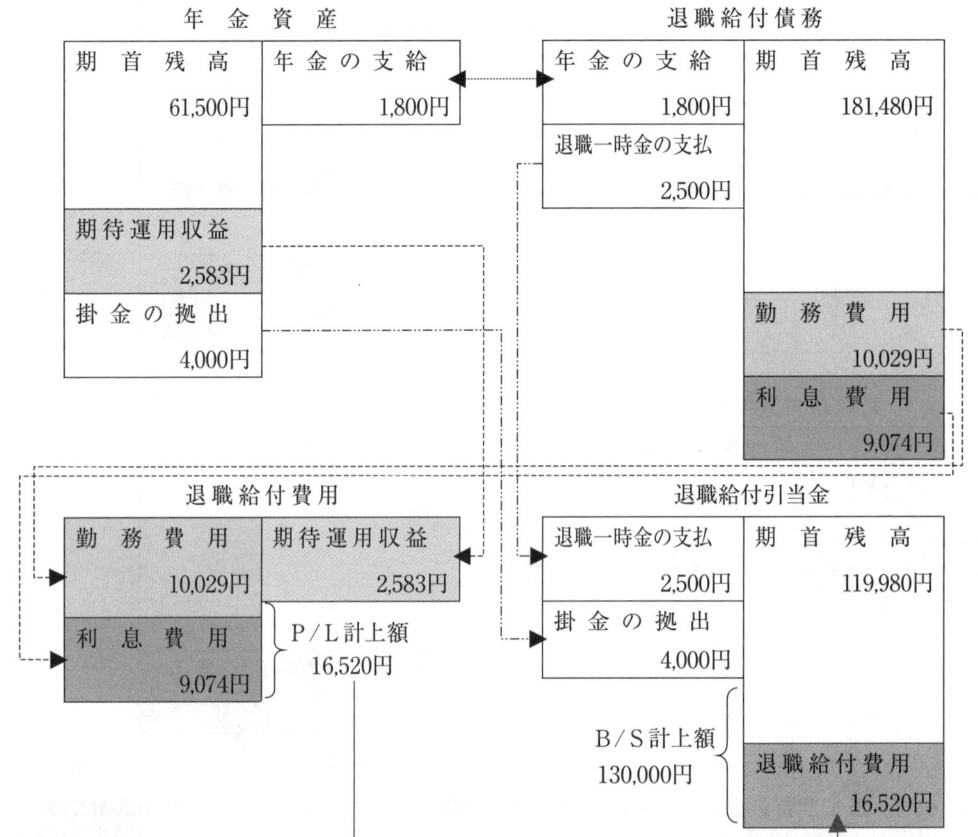

2 ワークシート

簿C 財計C

1．ワークシートとは

ワークシートとは、退職給付計算にかかる状況を表に示したものです[*01)]。この表の中で加減算することで、退職給付引当金やその増減額を算定することができます。

*01)慣れてしまえば、退職給付を計算ミスなく解くことができる便利な表です。

2．金額の記入

(1) 金額の記入方法

この表の中で、借方項目にはカッコを付けず、**貸方項目にはカッコを付けて**記入します。

なお、実際残高と予測残高に分けて記載されるのは、退職給付の計算では実際に算定される数値と予測上の数値に差異[*02)]が発生する場合があるためです。

*02)詳しくは本ChapterのSection 5で学習します。

(2) 各マスの記入金額

①～⑥について、各項目を縦方向に計算して退職給付引当金やその増減額を求めます。なお、**『退職給付引当金』**は貸方項目なので、計算にあたっては**借方項目**(カッコが付いていない金額)**は減算として計算します。**

	① 期首実際残高 ⊕	② 退職給付費用 ⊕	③ 年金／掛金支払額等 ⊜	④ 期末予測残高	⑤ 数理計算上の差異	⑥ 期末実際残高
Ⓐ退職給付債務 ⊕	(前期末実際残高)	(勤務費用) (利息費用)	退職一時金 年金の支給	(期末予測残高)	—	(期末実際残高)
Ⓑ年金資産 ‖	前期末実際残高	期待運用収益	(年金の支給) 掛金の拠出	期末予測残高	—	期末実際残高
Ⓒ退職給付引当金	(前期B/S計上額)	(退職給付費用)	—	(期末予測残高)	—	(当期B/S計上額)

※ [網掛け] の部分については、Section 5を学習したあとにもう一度見てみてください。

① **期首実際残高**

Ⓐ 退職給付債務(貸方項目)の期首実際残高をカッコ付きで記入します。

Ⓑ 年金資産(借方項目)の期首実際残高を記入します。

Ⓒ 退職給付引当金の期首残高を「Ⓐ＋Ⓑ」で算定します。

なお、計算結果がマイナス(年金資産＞退職給付債務)となった場合は、**『前払年金費用**[*03)]』となる点に注意します。

*03)前払年金費用については教科書Ⅲ応用編で取り上げます。

② **退職給付費用**

Ⓐ 勤務費用・利息費用(退職給付債務の増加項目)をカッコ付きで記入します。

Ⓑ 期待運用収益(年金資産の増加項目)を記入します。

Ⓒ 「Ⓐ+Ⓑ」で算定された**退職給付費用**を記入します。

なお、これは期首の「**(借)退職給付費用　(貸)退職給付引当金**」という仕訳に相当します。

③ **年金／掛金支払額等**

Ⓐ 退職一時金の支払額(退職給付債務の減少項目)を記入します。また、年金基金からの支払額(退職給付債務の減少項目)を記入します。

Ⓑ 年金の掛金拠出額(年金資産の増加項目)を記入します。また、年金基金からの支給額(年金資産の減少項目)をカッコ付きで記入します。

※「年金基金からの支給額」はⒶⒷ双方に関連してきます。注意しましょう。

Ⓒ 「Ⓐ+Ⓑ」で算定された**退職給付引当金の増減額**を記入します。

なお、これは期中の「**(借)退職給付引当金　(貸)現 金 預 金**」という仕訳に相当します。

④ **期末予測残高**

計算上予測される期末残高であり、それぞれの行について①〜③と横に集計して金額を記入します。

⑤ **数理計算上の差異**

差異が発生した場合に、その発生額を記入します(なお、差異については本ChapterのSection 5で学習します)。

⑥ **期末実際残高**

期末の実際の退職給付債務や年金資産の額を記入します。

設例4-2　退職給付のワークシート

次の資料にもとづいて、退職給付にかかるワークシートを完成させなさい。なお、期末予測残高と期末実際残高に差異はない(期末予測残高＝期末実際残高)ものとする。

【資　料】

期首退職給付債務：181,480円　　期首年金資産：61,500円
勤務費用：10,029円　　期待運用収益：2,583円
利息費用：9,074円　　年金基金への掛金の拠出：4,000円
退職一時金の支払：2,500円　　年金基金による退職年金の給付：1,800円

解答

	期首実際残高	退職給付費用	年金／掛金支払額等	期末予測残高	数理計算上の差異	期末実際残高
退職給付債務	(181,480)	(10,029) (9,074)	2,500 1,800	(196,283)	—	(196,283)
年金資産	61,500	2,583	(1,800) 4,000	66,283	—	66,283
退職給付引当金	(119,980)	(16,520)	6,500	(130,000)	—	(130,000)

解説

本問は**設例4-1**でワークシートを利用した場合の問題です。

(1)問題文で与えられた各金額を、所定の場所に記入します。

	期首実際残高 ⊕	退職給付費用 ⊕	年金／掛金支払額等 ⊜	期末予測残高	数理計算上の差異	期末実際残高
退職給付債務	(前期末実際残高)	(勤務費用) (利息費用)	退職一時金 年金の支給	(期末予測残高)	—	(期末実際残高)
⊕ 年金資産	前期末実際残高	期待運用収益	(年金の支給) 掛金の拠出	期末予測残高	—	期末実際残高
‖ 退職給付引当金	(前期B/S計上額)	(退職給付費用)		(期末予測残高)	—	(当期B/S計上額)

(2)縦方向に計算して、退職給付引当金またはその増減額を求めます。

(3)次に横方向に計算して、期末予測残高を求めます。

本Sectionで勘定連絡図とワークシートの両方を学習しましたが、問題文で「ワークシートを作成しなさい」など特別の指示がない限り、自分の得意な方法で解いてください。どちらの方法で解いても、結果は同じになります。なお、本書では勘定連絡図を中心に解説します。

Section 5 差異の会計処理

景気変動などの結果、期首に予想した年金資産や退職給付債務と期末の実際額が違う！　そんな状況になった場合、どんな処理をしたらよいのでしょうか？

このSectionでは、退職給付にかかる差異の処理について学習します。ここまで理解できれば、退職給付マスターまであと少し！　がんばりましょう。

1 差異の種類

簿B 財計B

退職給付会計は、長期にわたって見積りにより計算するため、見積(予測)額と期末実際額との間に差異が生じることがあります。

また、見積りが完璧であったとしても、退職金規定の改訂などにより、退職給付債務の額が変わり、差異が発生することもあります。

前者を「**数理計算上の差異**」、後者を「**過去勤務費用**」といいます。

2 数理計算上の差異

簿A 財計A　▶▶簿問題集：問題2,5

1．数理計算上の差異とは

数理計算上の差異とは、**年金資産の期待運用収益と実際の運用成果との差異、退職給付債務の数理計算に用いた見積数値と実績との差異および見積数値の変更等により発生した差異**をいいます。なお、このうち**費用処理されていないものを、未認識数理計算上の差異**といいます。

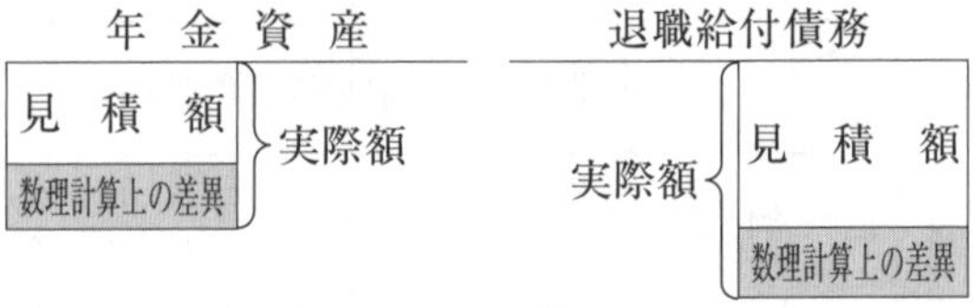

2．処理方法

(1)　期末における見積額と実際額が異なった場合、年金資産および退職給付債務については実際額で認識します。

(2)　生じた差異は、「**未認識数理計算上の差異**」(**帳簿外で管理**)とします。

(3)　「未認識数理計算上の差異」は一定の期間にわたって定額法(原則)または定率法(容認)により償却を行い、**償却額をその期の退職給付費用に加算または控除**します。

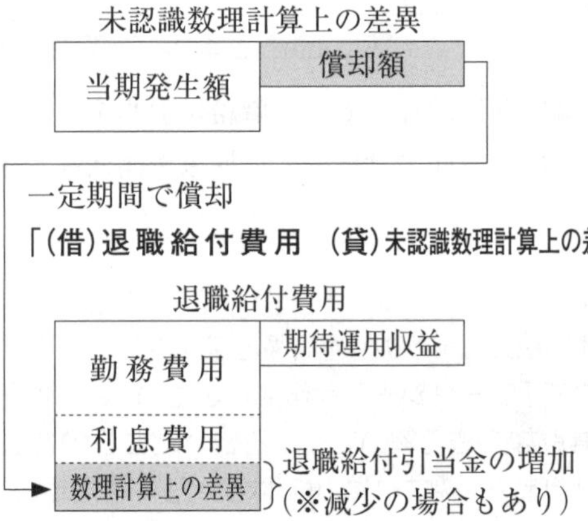

年金資産：見積額／数理計算上の差異 → 実際額

退職給付債務：見積額／数理計算上の差異 → 実際額

※次の処理が帳簿外で行われていると考えます。

「(借)年　金　資　産　(貸)未認識数理計算上の差異」

「(借)未認識数理計算上の差異　(貸)退 職 給 付 債 務」

未認識数理計算上の差異：当期発生額／償却額

一定期間で償却

「(借)退職給付費用　(貸)未認識数理計算上の差異」

退職給付費用：勤務費用／利息費用／数理計算上の差異、期待運用収益

退職給付引当金の増加（※減少の場合もあり）

※「年金資産」「退職給付債務」「未認識数理計算上の差異」のいずれも『**退職給付引当金**』(の構成要素)と読み替えることができます。

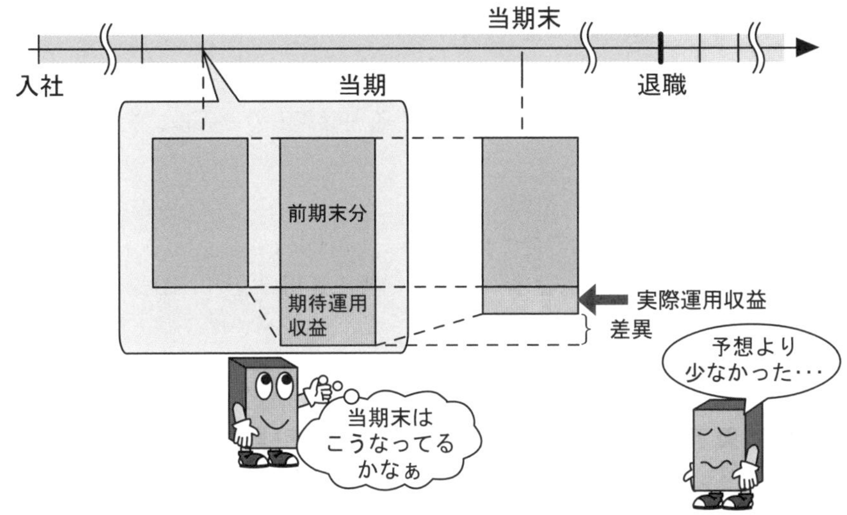

差異には見積額と実際額の大小関係により企業にとって有利な差異、不利な差異があり、未認識数理計算上の差異も借方に計上される場合（借方差異）と貸方に計上される場合（貸方差異）があります。

(1)借方差異（企業にとって不利な差異、「損失」）

以下の場合に、借方差異が発生します。

・年金資産の実際額が見積額より小さい
（期待運用収益＞実際運用収益）

・退職給付債務の実際額が見積額より大きい

この場合、企業は追加的に費用を計上する必要があるため、差異償却のさいに「**(借)退職給付費用　(貸)退職給付引当金**」（費用の増加）と仕訳を行います。

(2)貸方差異（企業にとって有利な差異、「利得」）

以下の場合に、貸方差異が発生します。

・年金資産の実際額が見積額より大きい
（期待運用収益＜実際運用収益）

・退職給付債務の実際額が見積額より小さい

この場合、企業にとって費用の軽減となるため、差異償却のさいに「**(借)退職給付引当金　(貸)退職給付費用**」（費用の控除）と仕訳を行います。

設例 5-1　数理計算上の差異 1

次の資料にもとづいて、(1)退職給付にかかる数理計算上の差異の当期発生額を答えるとともに、(2)その差異の償却にかかる仕訳を示しなさい。なお、数理計算上の差異は、発生年度から５年で均等償却している。

【資　料】

期末見積退職給付債務：196,283円　期末実際退職給付債務：197,000円

期首年金資産：61,500円　長期期待運用収益率：4.2%　実際運用収益率：4.0%

解答

(1)　数理計算上の差異　*840* 円　（ **借方** 差異 ）

(2)　(借) **退職給付費用**　*168*　(貸) **退職給付引当金**　*168*

解説

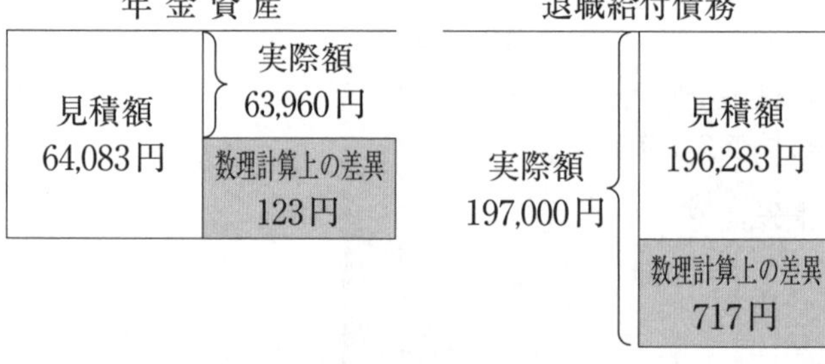

年金資産見積額：

61,500円×（1＋0.042）＝64,083円

年金資産実際額：

61,500円×（1＋0.04）＝63,960円

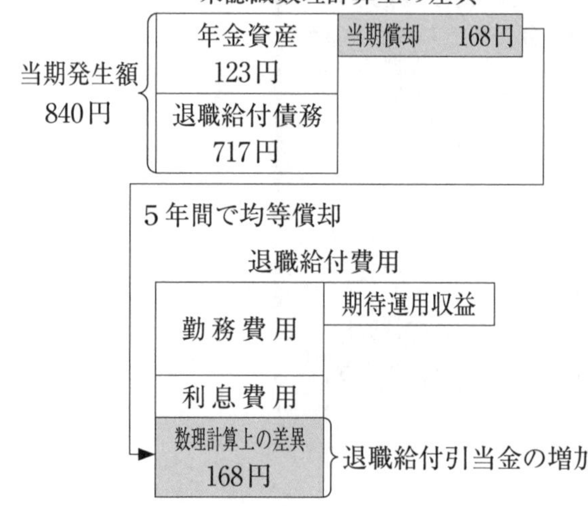

数理計算上の差異(当期発生額)：

年金資産の差異＋退職給付債務の差異

＝△123円(借方)＋△717円(借方)

＝△840円(借方差異)

当期償却額：

△840円÷５年＝△168円

設例 5-2　数理計算上の差異2

次の資料にもとづいて、(1)退職給付にかかる数理計算上の差異の当期発生額を答えるとともに、(2)その差異の償却にかかる仕訳を示しなさい。なお、数理計算上の差異は、発生年度から5年で均等償却している。

【資　料】

期末見積退職給付債務：196,283円　期末実際退職給付債務：197,000円

期首年金資産：61,500円　長期期待運用収益率：4.2%　実際運用収益率：6.0%

解答

(1)　数理計算上の差異　390円　(**貸方** 差異)

(2)　(借) **退職給付引当金**　78　(貸) **退職給付費用**　78

解説

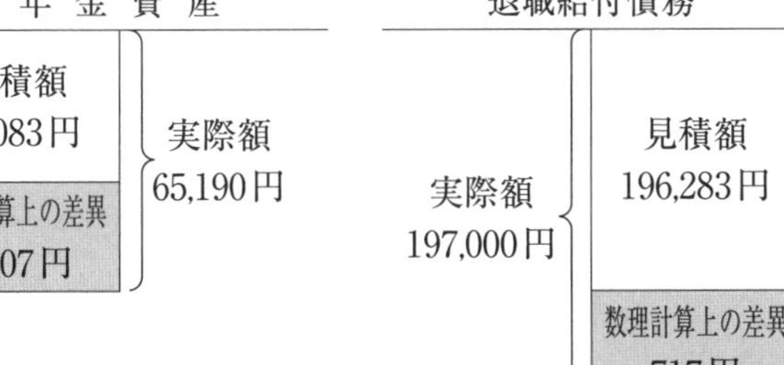

「(借)年金資産(貸)未認識数理計算上の差異」　「(借)未認識数理計算上の差異(貸)退職給付債務」

年金資産見積額：

61,500円×(1＋0.042)＝64,083円

年金資産実際額：

61,500円×(1＋0.06)＝65,190円

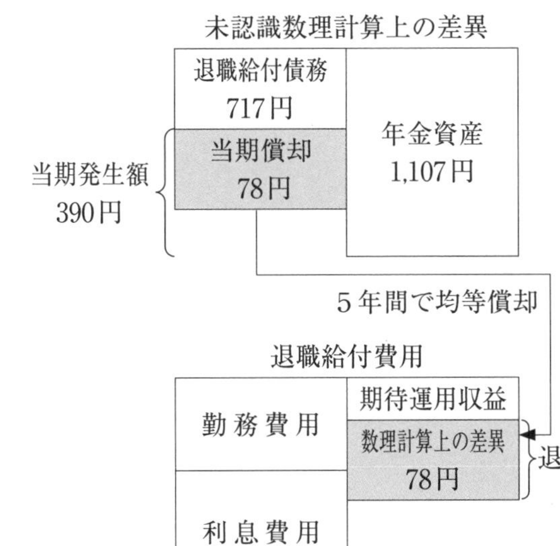

数理計算上の差異(当期発生額)：

年金資産の差異＋退職給付債務の差異

＝1,107円(貸方)＋△717円(借方)

＝390円(貸方差異)

当期償却額：

390円÷5年＝78円

3 過去勤務費用

簿B 財計B ▶▶簿問題集：問題6,7,8

1．過去勤務費用とは

過去勤務費用とは、**退職給付水準の改訂等に起因して発生した退職給付債務の増加または減少部分**をいいます。退職給付の額は、各企業の退職給付規定等にもとづいて算定されます。その規定等が改訂されれば、退職給付見込額や退職給付債務の額が変動して、それまでの計算との差異が生じることがあります。なお、**過去勤務費用のうち費用処理されていないものを未認識過去勤務費用**といいます。

(1)給付水準が引き上げられた場合(企業にとっては費用の増加)

当期(改訂時)に将来支払われる退職給付額が改訂され、退職時の給付額が増加するため、その割引計算によって求められる当期の退職給付債務の額も増加します。この増加した部分を「過去勤務費用」*01)として認識します。

*01)過去の勤務費用にかかる債務を修正するイメージです。

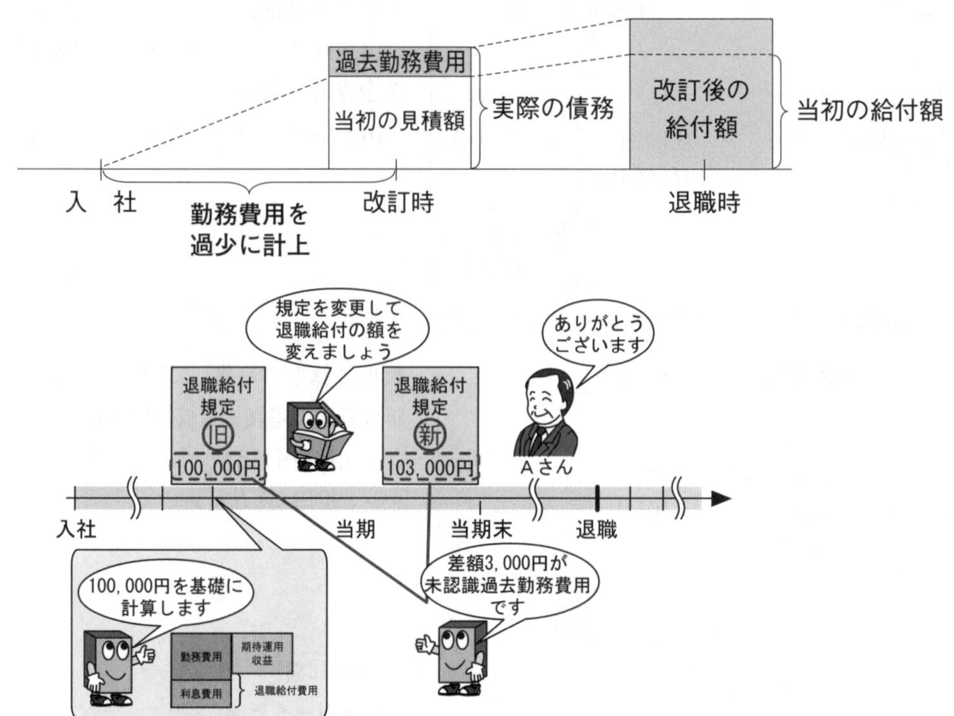

(2) 給付水準が引き下げられた場合(企業にとっては費用の減少)

当期(改訂時)に将来支払われる退職給付額が改訂され、退職時の給付額が減少するため、その割引計算によって求められる当期の退職給付債務の額も減少します。この減少した部分を「過去勤務費用」として認識します。

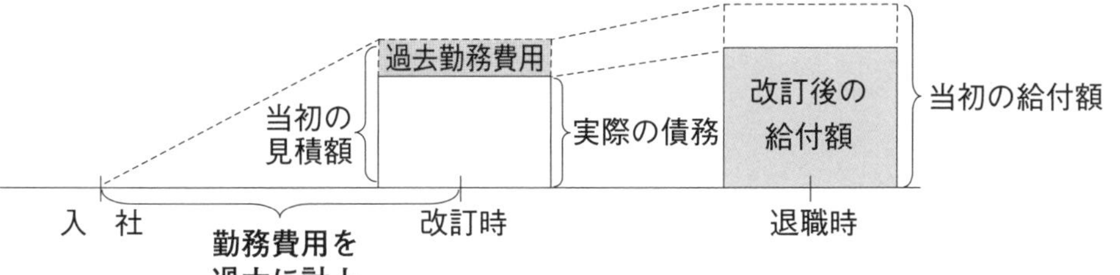

2．処理方法

(1) 期末において、退職給付債務については給付水準改訂後の額で認識します。

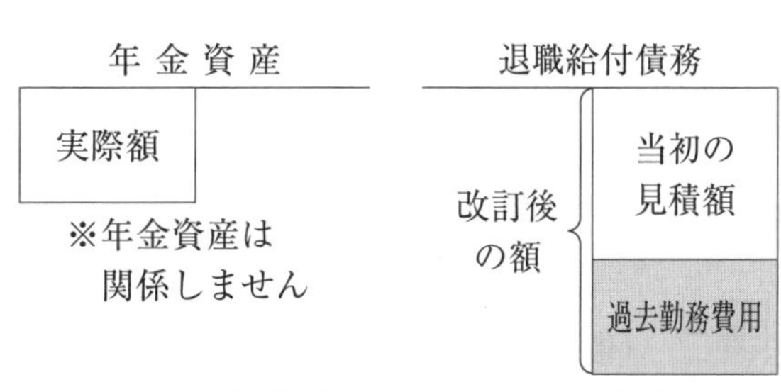

(2) 給付水準改訂後の額で認識したことにより生じた差異については、「**未認識過去勤務費用**」(**帳簿外で管理**)とします。

※次の処理が帳簿外で行われていると考えます。

「(借)未認識過去勤務費用　(貸)退 職 給 付 債 務」

(3) 「未認識過去勤務費用」は一定の期間にわたって定額法(原則)または定率法(容認)により償却を行い、**償却額をその期の退職給付費用に加算または控除**します。なお、この償却は発生年度から開始します。

また、過去勤務費用が借方残高(企業にとって不利)、貸方残高(企業にとって有利)については、数理計算上の差異と同様の考え方です。

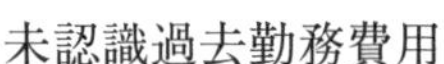

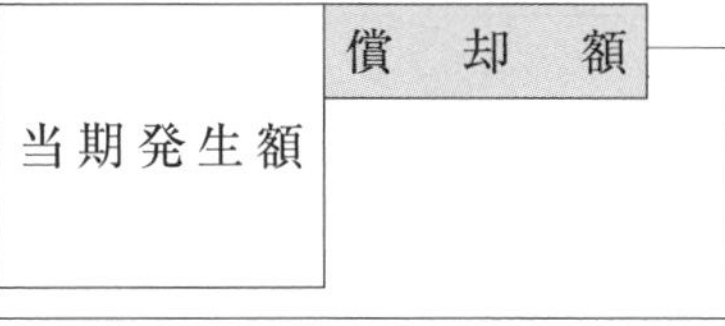

一定期間で償却

「(借)退 職 給 付 費 用　(貸)未認識過去勤務費用」

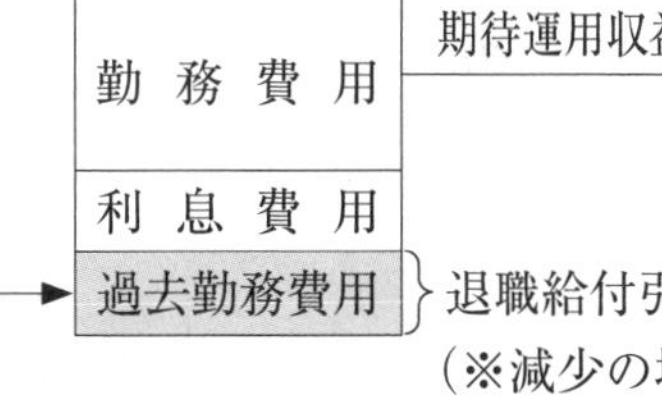

※ 「退職給付債務」「未認識過去勤務費用」のいずれも『**退職給付引当金**』(の構成要素)と読み替えることができます。

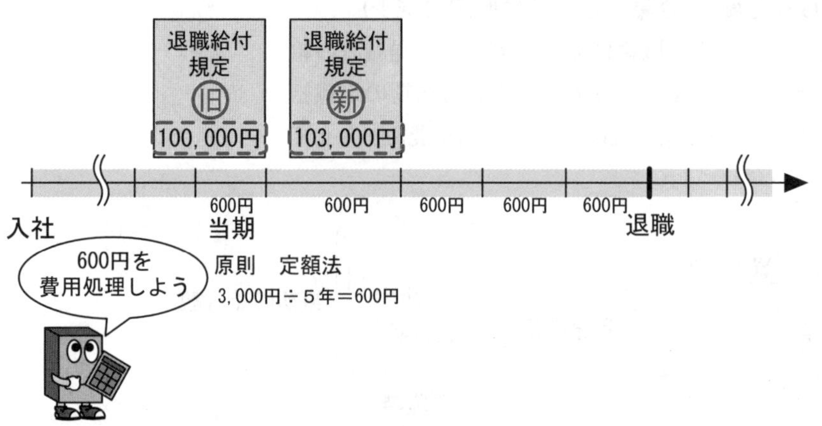

設例 5-3　　過去勤務費用 1

差異の償却にかかる仕訳を示しなさい。

退職給付水準の改訂により、退職給付水準を従来よりも引き上げた結果、当期において従来の見積りと比較して退職給付債務3,000円が積立不足であることが判明した。当該差異は定額法により５年間で償却する。

解答

(借) **退職給付費用**	*600*	(貸) **退職給付引当金**	*600*

解説

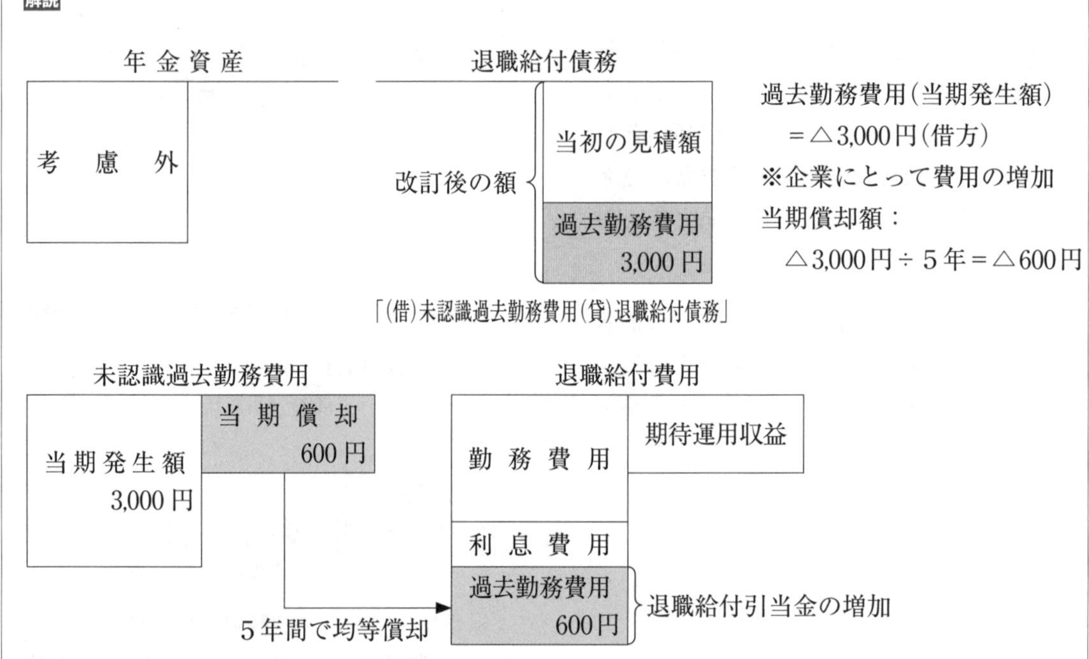

設例 5-4　過去勤務費用2

差異の償却にかかる仕訳を示しなさい。

退職給付水準の改訂により、退職給付水準を従来よりも引き下げた結果、当期において従来の見積りと比較して退職給付債務7,000円が積立過大であることが判明した。当該差異は定額法により５年間で償却する。

解答

(借) 退職給付引当金	*1,400*	(貸) 退職給付費用	*1,400*

解説

年金資産

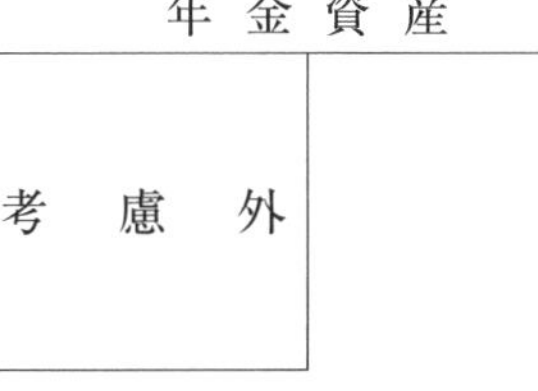

退職給付債務

改訂後の額

当初の見積額

過去勤務費用
7,000円

「(借)退職給付債務(貸)未認識過去勤務費用」

過去勤務費用(当期発生額)
　＝7,000円(貸方)
※企業にとって費用の減少
当期償却額：
　7,000円÷５年＝1,400円

未認識過去勤務費用

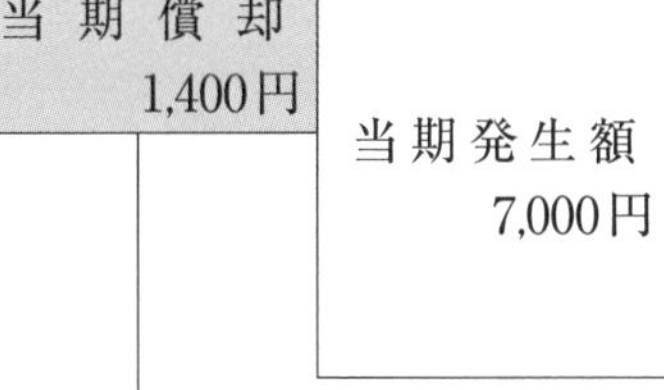

退職給付費用

勤 務 費 用

期待運用収益

過去勤務費用
1,400円

退職給付引当金の減少

利 息 費 用

５年間で均等償却

4 勘定連絡図

簿A 財計B

▶▶簿問題集：問題 9
▶▶財問題集：問題 14

Section 4 では、差異がない場合の勘定連絡図を学習しました。こんどは、数理計算上の差異や過去勤務費用も考慮した場合の勘定連絡図を学習しましょう。

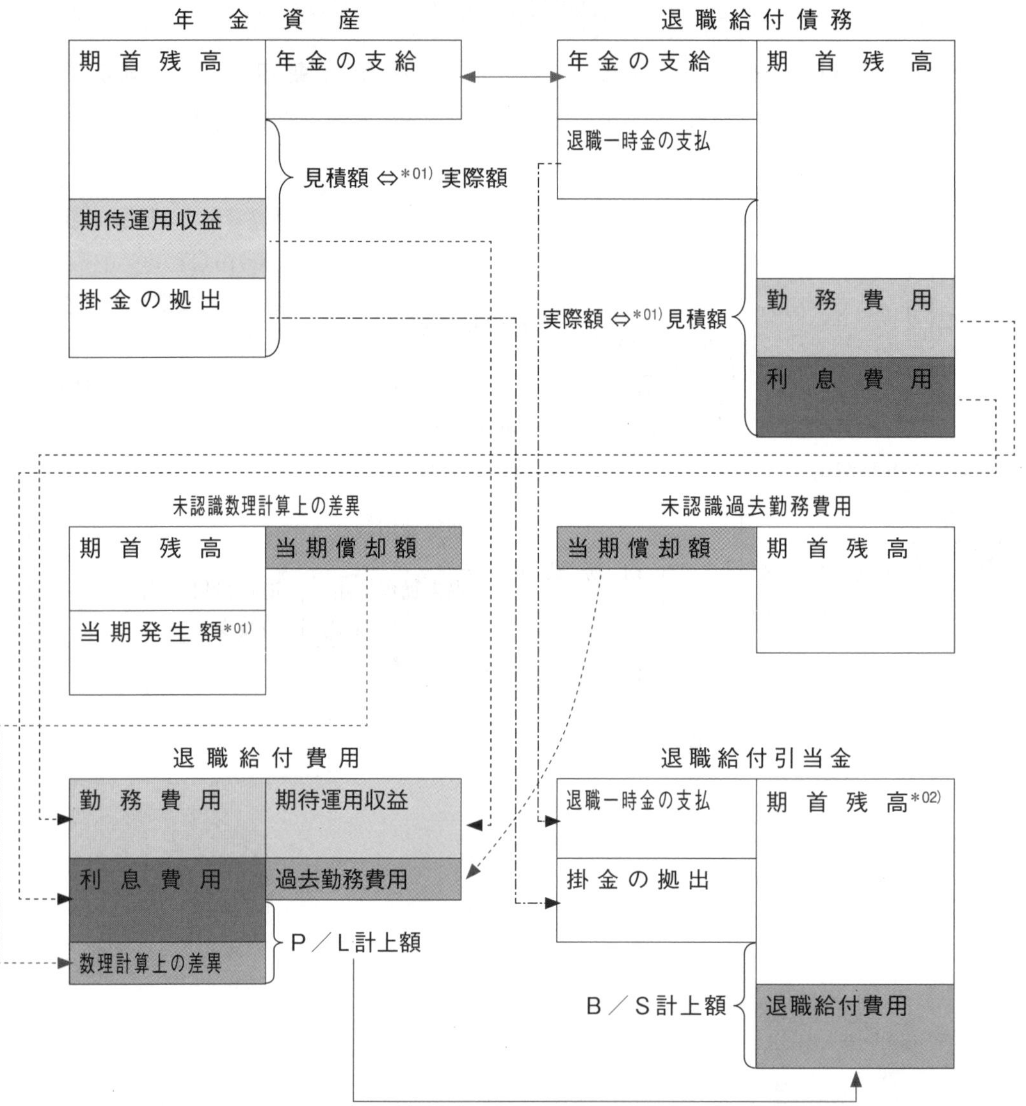

＊01) この状態で計算できる残高は見積額にあたり、これと実際額が異なる場合には「数理計算上の差異」が発生します。このとき、勘定連絡図では「未認識数理計算上の差異」当期発生額として、年金資産や退職給付債務の図に加えます。

＊02) 退職給付引当金の期首残高は、以下の算式により計算します。
「期首退職給付債務－期首年金資産±期首未認識数理計算上の差異±期首未認識過去勤務費用」
退職給付債務や年金資産は実際額で管理しますが、帳簿上では未認識の数理計算上の差異や過去勤務費用が反映されていない金額となっています。そこで、帳簿上で管理している退職給付引当金を求めるにあたり、借方差異はマイナスし、貸方差異はプラスする必要があります。

少し複雑な連絡図となりましたが、帳簿で使用される勘定は**『退職給付費用』**と**『退職給付引当金』**だけとなり、残りはすべて帳簿外での管理となります。

5 ワークシート

簿C 財計C ▶▶簿問題集：問題10

Section 4では、差異がない場合のワークシートを学習しました。こんどは、数理計算上の差異や過去勤務費用も考慮した場合のワークシートを学習しましょう。

	① 期首実際残高 ⊕	② 退職給付費用 ⊕	③ 年金／掛金支払額等 ⊖	④ 期末予測残高	⑤ 数理計算上の差異	⑥ 期末実際残高
Ⓐ退職給付債務 ＋	(前期末実際残高)	(勤務費用) (利息費用)	退職一時金 年金の支給	(期末予測残高)	(当期発生額)	(期末実際残高)
Ⓑ年金資産 ＝	前期末実際残高	期待運用収益	(年金の支給) 掛金の拠出	期末予測残高	(当期発生額)	期末実際残高
未積立退職給付債務 ＋						
Ⓓ未認識数理計算上の差異 ＋	前期末実際残高	(当期償却額)			当期発生額	期末実際残高
Ⓔ未認識過去勤務費用 ＝	前期末実際残高	(当期償却額)			当期発生額	期末実際残高
Ⓒ退職給付引当金	(前期B／S計上額)	(P/L退職給付費用)				(当期B／S計上額)

Section 4で学習したワークシートと同じ要領で記入します。

なお、今回増えた「Ⓓ未認識数理計算上の差異」「Ⓔ未認識過去勤務費用」については、借方・貸方のどちらにも計上されることがあるので、カッコを付けるか(貸方計上)、カッコを付けないか(借方計上)に注意が必要です。

Section 6 その他の論点

これまでのSectionで、非常に複雑な原則的方法を学習してきましたが、この方法を小規模な会社にまで適用するのは酷というものです。従業員が数名の小さな会社でも簡単に退職給付関連の計算ができないものでしょうか…？

このSectionでは、退職給付会計の簡便法とその他の論点を学習します。

1 小規模企業等における簡便法

▶▶簿問題集：問題11

従業員が比較的少ない小規模な企業等においては、原則どおり[*01]の退職給付引当金の設定は、過度に事務負担が大きくなる等の理由から、簡便的な方法を用いて退職給付債務等を計算することが認められています。

簡便法における退職給付債務の計算は、期末における自己都合要支給額を基礎とする方法等があります。

*01）本ChapterのSection 5までに学習した方法です。

簡便法による計算

- **期末退職給付債務 ＝ 期末自己都合要支給額**
- **退職給付費用 ＝ 当期末退職給付引当金 －（前期末退職給付引当金 － 退職給付引当金取崩額）**

設例 6-1 退職給付の簡便法

次の資料にもとづいて、当期に必要な退職給付費用にかかる仕訳を示しなさい。

【資　料】

自己都合要支給額の増減　（単位：円）

前期末金額	期中取崩額	当期末金額
181,480	2,500	197,000

当社は従業員数が300名未満と小規模であり、合理的に数理計算上の見積りを行うことが困難であるため、退職給付にかかる期末自己都合要支給額を退職給付債務とする方法（簡便法）を採用している。なお、年金資産は考慮しなくてよい。

（借）退職給付費用　*18,020*　（貸）退職給付引当金　*18,020*

解説

問題文の指示により、期末における自己都合要支給額がB/S退職給付引当金の金額となり、前期末と当期末の差額が当期に計上すべき費用(退職給付費用)となります。

退職給付費用：197,000円－(181,480円－2,500円)＝18,020円

なお、当期のB/Sに計上される退職給付引当金の金額は197,000円となります。

2 注記事項（重要な会計方針）

引当金の計上基準は、会社計算規則にもとづき「重要な会計方針」として注記をしなければなりません。退職給付引当金に関する個別財務諸表の注記は以下のようになります。

【注記例】

〈重要な会計方針に係る事項に関する注記〉

退職給付の会計処理基準に関する事項

（イ） 退職給付引当金又は前払年金費用並びに退職給付費用の処理方法

① 退職給付見込額の期間帰属方法

退職給付の算定にあたり、退職給付見込額を当期までの期間に帰属させる方法については、期間定額基準によっている。

② 数理計算上の差異及び過去勤務費用の費用処理方法

過去勤務費用は、その発生時の従業員の平均残存勤務期間以内の一定の年数(10～15年)による定額法により費用処理している。

※重要な会計方針に係る注記の他に〈退職給付に係る注記〉として以下のものがあります。

〈退職給付に係る注記〉

(1) 企業の採用する退職給付制度の概要
(2) 退職給付債務の期首残高と期末残高の調整表
(3) 年金資産の期首残高と期末残高の調整表
(4) 退職給付債務及び年金資産と貸借対照表に計上された退職給付に係る負債及び資産の調整表
(5) 退職給付に関連する損益
(6) 年金資産に関する事項
(7) 数理計算上の計算基礎に関する事項
(8) その他の退職給付に関する事項

退職給付費用は、会計上費用として計上しても、税務上は損金として認められない(損金不算入)ため、将来減算一時差異が発生します。

この退職給付費用は、年金掛金や退職一時金の支払いなどの現金支出時に税務上損金に算入され、将来減算一時差異が解消します。

設例 6-2　退職給付費用

次の資料にもとづいて、退職給付引当金および税効果会計に関する仕訳を示しなさい。法人税等の法定実効税率は30%である。

(1)　以下の資料にもとづき当期の退職給付費用を計上する。
　期首退職給付債務18,000円、期首年金資産6,000円
　なお、前期末における退職給付引当金は12,000円、繰延税金資産は3,600円である。
　勤務費用1,000円、利息費用900円、期待運用収益300円

(2)　当期中に年金掛金500円を小切手を振り出して支払った(現金預金勘定で処理する)。

(3)　税務上退職給付費用は損金に算入されないが、年金掛金支払時は損金に算入されるため、税効果の仕訳を行う。

解答

(1)	(借)	退職給付費用	1,600 *01)	(貸)	退職給付引当金	1,600
(2)	(借)	退職給付引当金	500	(貸)	現金預金	500
(3)	(借)	繰延税金資産	480 *02)	(貸)	法人税等調整額	480
	(借)	法人税等調整額	150	(貸)	繰延税金資産	150 *03)

*01) 1,000円+900円−300円=1,600円

*02) 1,600円×0.3=480円

*03) 500円×0.3=150円

このChapterでの表示と注記

（個別）貸借対照表	
（資産の部）	（負債の部）
	⋮
	Ⅱ　固定負債
	退職給付引当金　　×××
	（純資産の部）
	⋮

損益計算書	
⋮	
Ⅲ　販売費及び一般管理費	
退職給付費用	×××
⋮	

【注記例】（一部）
〈重要な会計方針に係る事項に関する注記〉
退職給付の会計処理基準に関する事項
（イ）退職給付引当金又は前払年金費用並びに退職給付費用の処理方法
① 退職給付見込額の期間帰属方法
退職給付の算定にあたり、退職給付見込額を当期までの期間に帰属させる方法については、期間定額基準によっている。
② 数理計算上の差異及び過去勤務費用の費用処理方法
過去勤務費用は、その発生時の従業員の平均残存勤務期間以内の一定の年数（10～15年）による定額法により費用処理している。

Chapter 7
引当金

会計上、負債に分類されるものはいろいろありますが、その中でも「引当金」とよばれるものはさまざまな場面で登場します。すでに他の Chapter でもいくつか紹介していますが、ここでは改めて、その概要などを確認しておくことにします。

このChapterでは、引当金の分類や会計処理について学習します。

Section 1

引当金

引当金の会計処理は、他の論点や会計処理とセットで登場することが多いので、一部の引当金については他のChapterで詳しい処理を紹介しています。

このSectionでは、引当金の概要と他のChapterでは扱わない引当金の会計処理について学習します。ほとんどの引当金の会計処理は似ているので、これまで登場した引当金との共通点を見つけてみてください。

1 引当金とは

引当金とは、財貨・役務の費消がいまだなされておらず、支払義務も確定していませんが、**適正な期間損益計算**のために**将来の費用・損失を当期の費用・損失として見越計上した場合の貸方項目**です。

このことからもわかるように、引当金は将来の費用・損失を当期に見越計上することによって、**適正な期間損益計算を行うために設定**されるものです。したがって、一定の要件に該当すれば、適正な期間損益計算の観点から引当金を計上しなければならないため[*01)]、その種類は企業の事情にあわせて様々なものがあります[*02)]。

*01) 収益が発生している以上、それに対応する費用や損失は、たとえ財貨などが実際には使われていなくても当期の費用や損失として認識すべきであるという観点から設定されます。

*02) 引当金については、退職給付引当金のように他の論点と結びつくものが多いため、そのような引当金の詳しい会計処理については他のChapterで学習します。

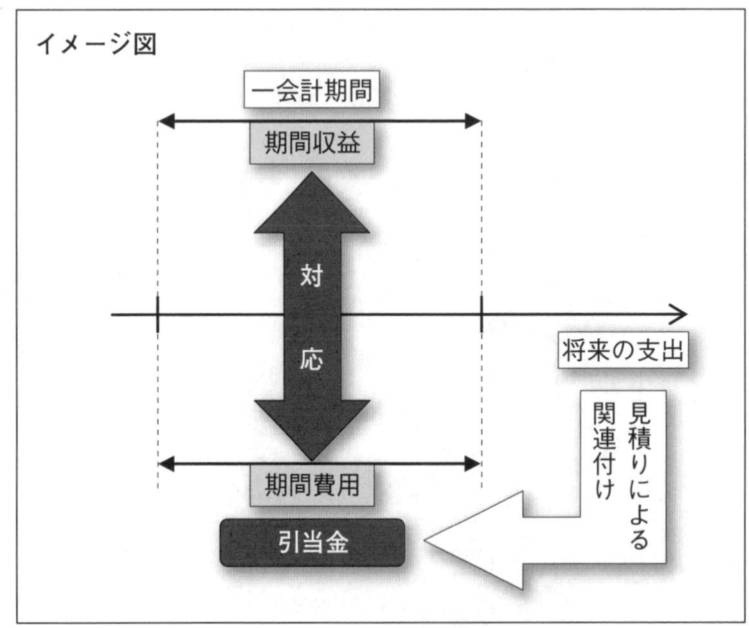

2 引当金の設定要件

引当金は無条件に設定できるわけではなく、次の４つの要件を満たした場合にのみ設定しなければならないと規定されています。

	設定要件	具体的内容
1	将来の特定の費用または損失であること。	将来発生する費用の計上に対して制限しています。具体的には、「特定」という文言で範囲を限定し、「当期以前の事象に起因」という文言で時期を制限しています。
2	その発生が当期以前の事象に起因すること。	
3	発生の可能性が高いこと。※	引当金の発生可能性と、その金額の正確性に対して制限しています。具体的には、発生可能性が高く、その金額を合理的に見積もることができる場合のみ引当金の設定が認められます。
4	金額を合理的に見積もることができること。	

※　発生の可能性が低い場合には引当金を設定できません。ただし、将来一定の事象が生じた場合には債務となる(偶発債務)ため、利害関係者に対して注記(貸借対照表に関する注記)により開示する必要があります。

3 引当金の分類

引当金を設定するときには、次のような仕訳をするのが一般的です。

(借) ○○引当金繰入　×××　(貸) ○○引当金　×××

引当金によって、上記の仕訳に登場する借方科目・貸方科目の性質が異なるため、借方側と貸方側から引当金を分類することができます。

1．貸方側からの分類

引当金について貸方側、つまり『○○引当金』にあたるものの性質によって分類する場合、資産の部に表示される**評価性引当金**と、負債の部に表示される**負債性引当金**の２つに分類できます。

さらに、負債性引当金は債務性の有無によって、**債務性引当金**と**非債務性引当金**に分類できます。

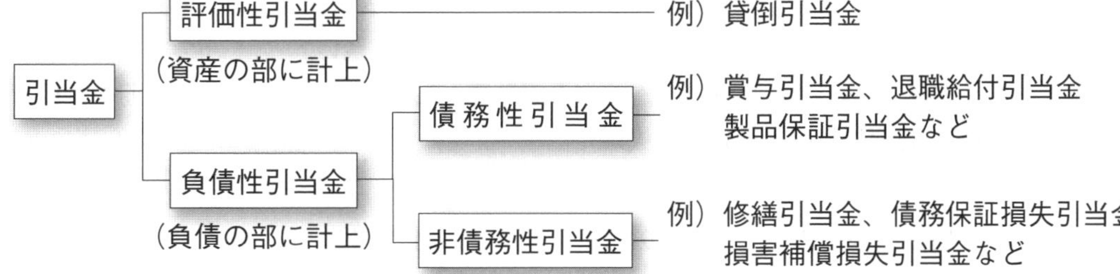

2．借方側からの分類

引当金について借方側、つまり『○○引当金繰入』にあたるものの性質によって、引当金を分類することもできます。

借方側によって分類すると、次のように分類することができます。

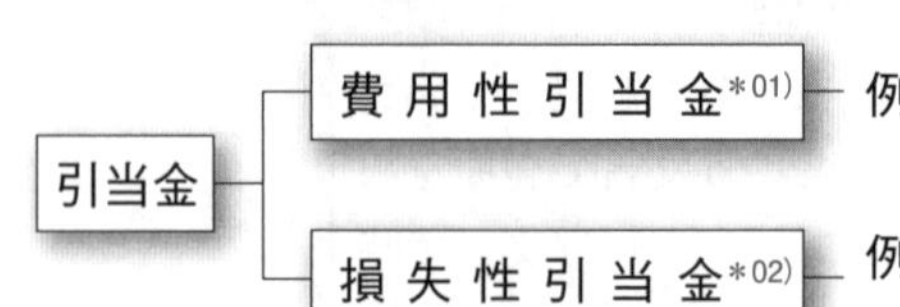

例）修繕引当金、貸倒引当金など

例）債務保証損失引当金、損害補償損失引当金など

*01)費用の性質をもつ引当金です。

*02)損失の性質をもつ引当金です。

4 引当金の会計処理

簿B 財計B

▶▶簿問題集：問題1
▶▶財問題集：問題2,3,4

1．特別修繕引当金

特別修繕引当金とは、一定期間ごとに行われる特別の大修繕に備えて設定される引当金です。

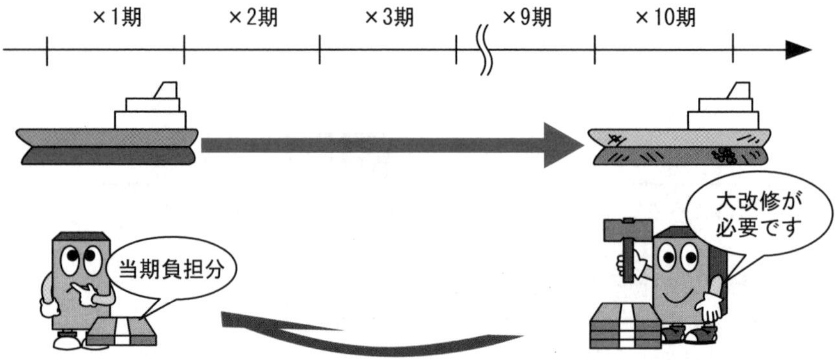

(1)決算時の処理

決算時における処理は、基本的に修繕引当金と変わりません。将来に見込まれる特別の大修繕にかかる支出のうち、当期の負担に属する金額を特別修繕引当金に繰り入れます。

特別修繕引当金は、基本的に修繕引当金と同じです！

設例 1-1 特別修繕引当金（決算時）

次の取引にもとづいて、特別修繕引当金に関する仕訳を示しなさい。

５年後の船舶定期大修繕では、500,000円の支出が見込まれる。これに備えて、当期の負担額である100,000円を特別修繕引当金に繰り入れた。

（借）特別修繕引当金繰入	*100,000*	（貸）特別修繕引当金	*100,000*

(2) 修繕時の処理

実際に修繕し、代金を支払ったときの会計処理も、修繕引当金と同様の処理をします。なお、取り崩す引当金と実際の支出額が異なるときは、次のように処理します。

①特別修繕引当金以上の修繕を行った場合(ケース1)

特別修繕引当金の**不足額**については、当期の『**修繕費**』として**販売費及び一般管理費**に計上します。

②特別修繕引当金以下で修繕の金額が収まった場合(ケース2)

特別修繕引当金の**過大額**については、当期の『**特別修繕引当金戻入**』として計上します。

設例 1-2 特別修繕引当金(修繕時)1

次の取引にもとづいて、特別修繕引当金に関する仕訳を示しなさい。

船舶の定期大修繕を行い、500,000円の修繕代金は期末に支払うこととした。この大規模修繕に備えて400,000円の特別修繕引当金が設定されている。

(借)		(貸)	
特別修繕引当金	400,000	未払金＊01)	500,000
修繕費	100,000		

＊01) 修繕代金は期末に支払うとあるので、貸方は『未払金』となります。

修繕引当金と同じように、実際に修繕を行った場合、まず『**特別修繕引当金**』を取り崩します。それでも、当期に行った修繕を補えなかった場合、『**修繕費**』を計上することになります。

設例 1-3 特別修繕引当金(修繕時)2

次の取引にもとづいて、特別修繕引当金に関する仕訳を示しなさい。

船舶の定期大修繕を行い、300,000円の修繕代金は期末に支払うこととした。この大規模修繕に備えて400,000円の特別修繕引当金が設定されている。

(借)		(貸)	
特別修繕引当金	400,000	未払金＊02)	300,000
		特別修繕引当金戻入	100,000

＊02) 修繕代金は期末に支払うとあるので、貸方は『未払金』となります。

実際に修繕を行った場合、まず『**特別修繕引当金**』を取り崩します。修繕代金が特別修繕引当金に満たない場合(修繕代金＜特別修繕引当金)は、その差額を『**特別修繕引当金戻入**』で処理します。

2．債務保証損失引当金

債務保証損失引当金とは、他人の債務保証を行っている場合で、実際にその負担をする危険が高い場合、この負担にともなう損失[*03)]を見積計上するための引当金です。

債務保証損失引当金の会計処理も、他の引当金と同様に行います。

＊03）法律上は代わりに債務を弁済するだけで、支払いを肩代わりしたにすぎないため、あとでその代金を請求することが可能です（求償権）。この求償権の貸倒れに対して設定されるものであるため、債務性はありません。ただし、相手がその支払いに応じられなくなると、その分だけ損失を被ることになります。

設例 1-4　債務保証損失引当金（決算時）

次の取引にもとづいて、債務保証損失引当金に関する仕訳を示しなさい。

当社は得意先の銀行借入れに対する債務保証を行っていたが、得意先の経営状態が悪化したため、将来見込まれる損失の見込額100,000円を引当金として設定する。

（借）債務保証損失引当金繰入	*100,000*	（貸）債務保証損失引当金	*100,000*

3．損害補償損失引当金

損害補償損失引当金とは、企業が訴訟などによって損害賠償を請求されており、損害賠償を支払う可能性が高くなった場合に設定される引当金です[*04)]。

＊04）損害補償損失引当金は損害賠償責任が確定し、損害賠償義務を負担する前に設定するものであるため、債務性はありません。なお、現在係争中（損害賠償を支払う可能性が不明）の場合は、注記により開示します。

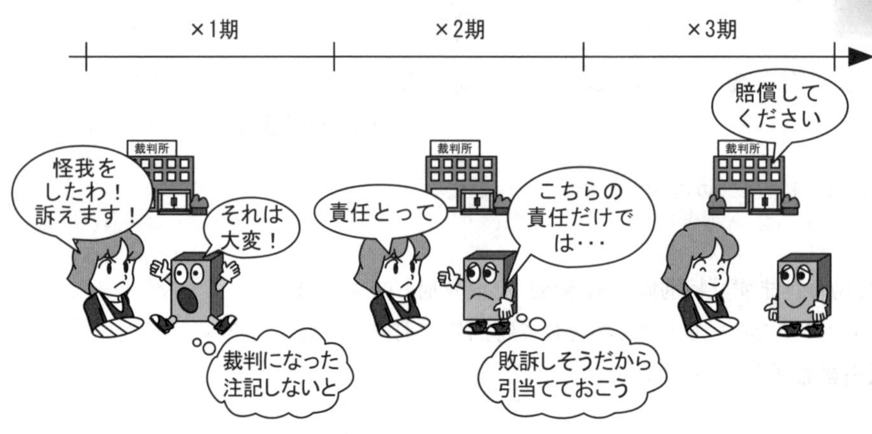

設例 1-5　　損害補償損失引当金(決算時)

次の取引にもとづいて、損害補償損失引当金に関する仕訳を示しなさい。

当社は以前から行っていた係争案件において、損害賠償の支払いを行う可能性が高くなったため、その損害賠償による損失の見積額1,000,000円を引当金として計上する。

(借) 損害補償損失引当金繰入　*1,000,000*　　(貸) 損害補償損失引当金　*1,000,000*

5 表示のまとめ

▶▶財問題集：問題5

財務諸表論では、財務諸表における表示区分が問われることもあります。具体的な会計処理は他のChapterで学習するものもありますが、代表的なものをまとめた次の表で確認しましょう。

<table>
<tr><th colspan="2" rowspan="2">引当金の種類</th><th colspan="2">貸借対照表*01)</th><th colspan="5">損益計算書</th></tr>
<tr><th>流動負債</th><th>固定負債</th><th>売上高</th><th>売上総利益</th><th>販管費</th><th>営業外費用</th><th>特別損失</th></tr>
<tr><td>商品・製品に関するもの</td><td>製品保証引当金</td><td colspan="2">○</td><td></td><td></td><td>○*02)</td><td></td><td></td></tr>
<tr><td rowspan="3">賞与・退職金に関するもの</td><td>賞与引当金</td><td>○</td><td></td><td></td><td></td><td>○*02)</td><td></td><td></td></tr>
<tr><td>役員賞与引当金</td><td>○</td><td></td><td></td><td></td><td>○</td><td></td><td></td></tr>
<tr><td>役員退職慰労引当金</td><td></td><td>○</td><td></td><td></td><td>○</td><td></td><td></td></tr>
<tr><td rowspan="2">修繕に関するもの</td><td>修繕引当金</td><td>○</td><td></td><td></td><td></td><td>○*02)</td><td></td><td></td></tr>
<tr><td>特別修繕引当金</td><td></td><td>○</td><td></td><td></td><td>○*02)</td><td></td><td></td></tr>
<tr><td rowspan="2">損失に関するもの</td><td>債務保証損失引当金</td><td colspan="2">○</td><td></td><td></td><td></td><td colspan="2">○*03)</td></tr>
<tr><td>損害補償損失引当金</td><td colspan="2">○</td><td></td><td></td><td></td><td colspan="2">○*03)</td></tr>
</table>

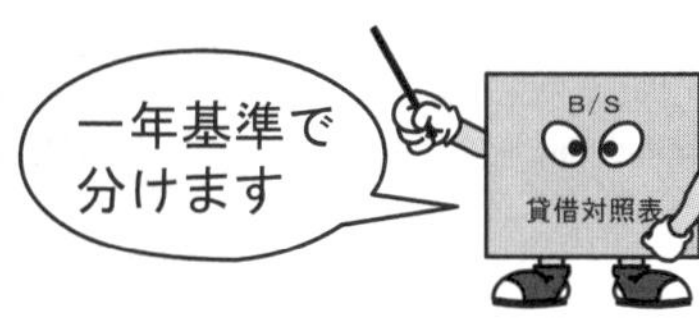

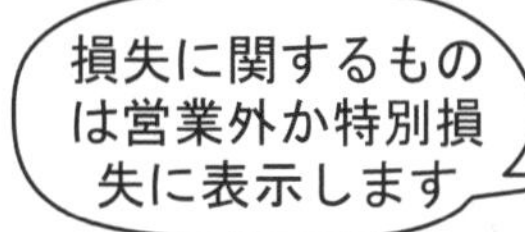

＊01)貸借対照表の表示箇所は、通常は引当金の対象に対して一年基準(1年以内または1年超)を適用することにより、流動・固定の分類を行います。

＊02)製造費用にもなります。

＊03)問題文の指示に従います。

4 会計方針の注記

引当金の計上基準は、重要な会計方針として注記しなければなりません。

【注記例】

<重要な会計方針に係る事項に関する注記>
(略)
4. 引当金の計上基準
・賞与引当金……………従業員に対して支払われる予定である賞与の支給に備えるため、支給見込額にもとづき計上している。
・役員賞与引当金………役員に対して支払われる予定である賞与の支給に備えるため、支給見込額にもとづき計上している。
・損害補償損失引当金…訴訟等の損害賠償の支出に備えるため、損害賠償の見積額を計上している。

このChapterでの表示と注記

貸借対照表

(資産の部)	(負債の部)	
⋮	Ⅰ 流動負債	
	債務保証損失引当金*01)	×××
	損害補償損失引当金*01)	×××
	Ⅱ 固定負債	
	特別修繕引当金	×××
	(純資産の部)	
	⋮	

*01) 固定負債に計上される場合もある。

損益計算書

⋮	
Ⅲ 販売費及び一般管理費	
特別修繕引当金繰入額	×××
⋮	
Ⅶ 特別損失	
債務保証損失引当金繰入額*02)	×××
損害補償損失引当金繰入額*02)	×××

*02) 営業外費用に計上される場合もある。

【注記例】(一部)
〈重要な会計方針に係る事項に関する注記〉
引当金の計上基準
・賞与引当金……………従業員に対して支払われる予定である賞与の支給に備えるため、支給見込額にもとづき計上している。
・役員賞与引当金………役員に対して支払われる予定である賞与の支給に備えるため、支給見込額にもとづき計上している。
・損害補償損失引当金…訴訟等の損害賠償の支出に備えるため、損害賠償の見積額を計上している。
〈貸借対照表に関する注記〉
偶発債務の注記
・当社得意先の借入金×××千円に対し、債務保証を行っている。
・NS社から×××千円の損害賠償を請求する訴訟が提起され、現在係争中である。

Chapter 8 社　債

企業が多額の資金を必要とする場合に「借金」を行うことがあります。この借金の仕方には、銀行から借入を行う場合もあれば、ここで学習する「社債」の発行を行う場合もあります。

このChapterでは、社債の会計処理について学習します。

Section 1

社債の一連の処理

教科書Ⅰ基礎導入編のChapter 8 金融商品で学習した「社債」。そこでは「社債を持っている側」の処理を学びましたが、このSectionでは「社債を発行した側」の処理について学習します。

「社債を持っている」ということは、「お金を貸している」ことと同じことでした。それを逆の立場から見るので、「社債を発行した側」は、「お金を借りている」ことになります。

1 社債とは

1．社債の意義

企業は、資金を借り入れるさいに銀行などの金融機関だけではなく、市場を通じて広く多くの人から資金を借り入れるために、社債券(という有価証券)を発行することがあります。このときに生じる債務を**社債**といいます。多くの人(会社なども入ります)から資金を調達する仕組みであるため、銀行からの借入れに比べて多額の資金を借り入れることに適しています。

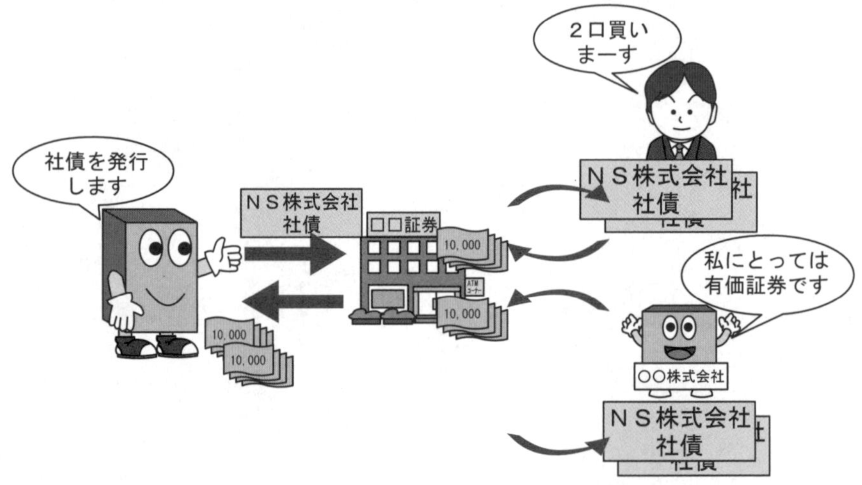

2．社債の取引の全体像

社債の取引では、発行、利払い、決算、再振替[*01]、償還の５つの会計事実の処理が問題になります。特に利払日もしくは決算日に行われる償却原価法の処理がポイントとなります。

*01）再振替仕訳は、通常のものと大きく異なる点がないため、解説は省略しています。

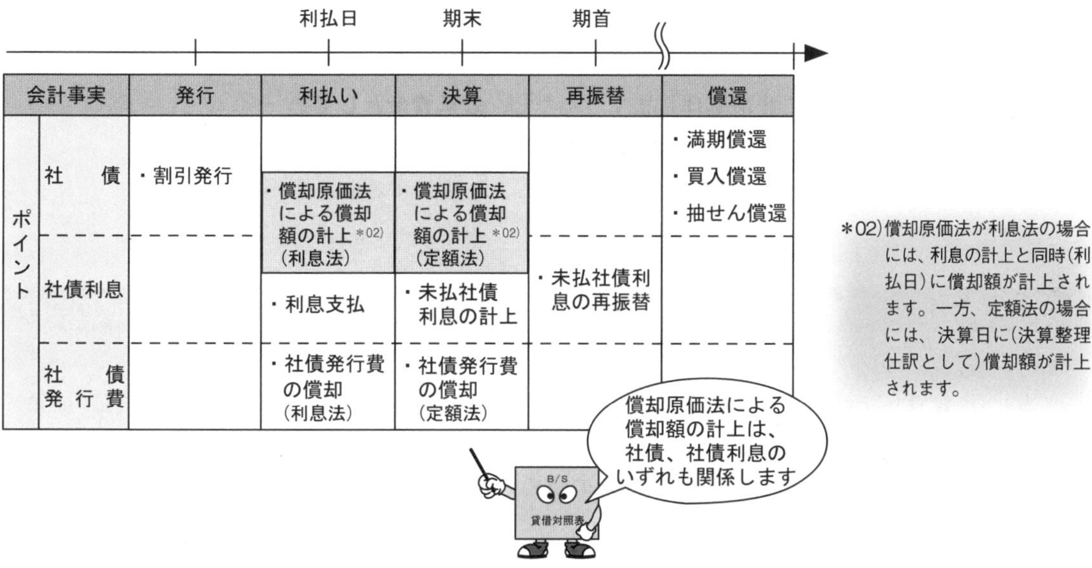

会計事実		発行	利払い	決算	再振替	償還
			利払日	期末	期首	
ポイント	社債	・割引発行	・償却原価法による償却額の計上[*02]（利息法）	・償却原価法による償却額の計上[*02]（定額法）		・満期償還 ・買入償還 ・抽せん償還
	社債利息		・利息支払	・未払社債利息の計上	・未払社債利息の再振替	
	社債発行費		・社債発行費の償却（利息法）	・社債発行費の償却（定額法）		

*02）償却原価法が利息法の場合には、利息の計上と同時（利払日）に償却額が計上されます。一方、定額法の場合には、決算日に（決算整理仕訳として）償却額が計上されます。

2 発行時の処理

薄A 財計A

1．社債の発行形態と会計処理

社債の発行形態には、社債の額面金額と発行価額（払込金額）との関係から、平価発行・割引発行・打歩（うちぶ）発行の3つの形態があります[*01]。

*01）出題されるのは割引発行がほとんどなので、これからさきは割引発行を中心に見ていきます。

①平価発行 ――→ 額面金額＠100円[*02]＝ 発行価額＠100円
②割引発行 ――→ 額面金額＠100円 ＞ 発行価額＠ 95円
③打歩発行 ――→ 額面金額＠100円 ＜ 発行価額＠102円

*02）社債などの債券の金額は、額面金額100円を1口として、1口あたりの金額を表記します。ただし、問題によっては100千円（100,000円）などの場合もあるので、注意してください。

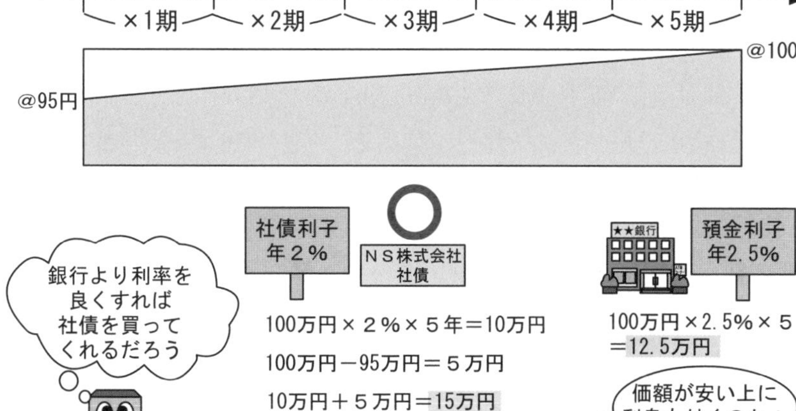

ただし、どの発行形態であっても、社債を発行したときには発行価額で『**社債**』として計上します。

また、発行価額と額面金額が異なる場合（②割引発行、③打歩発行の場合）には、償却原価法によりこの差額（本書では**発行差額**と呼ぶことにします）を期間配分します。

2．社債発行費の会計処理

社債の発行のために支出した費用(発行手数料など)は、原則として支出時に『**社債発行費**』として費用処理します。ただし、**繰延資産として処理することもできます**。繰延資産とした社債発行費は、原則として利息法により償却しますが、継続適用を条件に定額法により償却することもできます。

設例 1-1 社債の発行

次の取引の仕訳を示しなさい。

当社(決算日年1回、3月末日)は×1年7月1日に、額面総額100,000円の社債を額面@100円につき@95円、期間5年、利率年5％(利払日は12月末日、6月末日)の条件により発行し、払込金は当座預金とした。また、社債発行のための費用(繰延資産として計上する) 6,000円を現金で支払った。

(借) 現金預金	95,000	(貸) 社債	95,000 *03)
(借) 社債発行費	6,000	(貸) 現金預金	6,000

*03) $100,000円 \times \frac{@95円}{@100円} = 95,000円$

3 利払日の処理

社債に対して支払う利息は、『**社債利息**』で処理します。

設例 1-2 社債利息の支払い

次の取引にもとづいて、×1年12月31日の社債利息の支払いに関する仕訳を示しなさい。

当社(決算日年1回、3月末日)は×1年7月1日に、額面総額100,000円の社債を額面@100円につき@95円、期間5年、利率年5％(利払日は12月末日、6月末日)の条件により発行し、払込金は当座預金とした。なお、利息の支払いは現金で行っている。

(借) 社債利息	2,500 *01)	(貸) 現金預金	2,500

*01) $100,000円 \times 0.05 \times \frac{6カ月}{12カ月} = 2,500円$

4 決算の処理*01)

1．社債発行費の償却

社債発行費を繰延資産として計上し、かつ定額法で償却する場合は、決算日において社債の償還までの期間にわたり月割りで償却します。

*01) 利払日と決算日が同じ日でも、簿記上の扱いは異なります。
利払日の処理⇒期中取引
決算日の処理⇒決算整理前T／Bに反映されているか否かが違うので、注意しましょう。

設例 1-3　社債発行費の処理

次の取引にもとづいて、社債発行費について、社債の償還までの期間にわたり定額法で月割計算を行う場合の×2年3月31日における仕訳を示しなさい。

当社(決算日年1回、3月末日)は×1年7月1日に、額面総額100,000円の社債を額面@100円につき@95円、期間5年、利率年5％(利払日は12月末日、6月末日)の条件により発行し、払込金は当座預金とした。また、社債発行のための費用(繰延資産として計上する) 6,000円を現金で支払った。

(借)	社債発行費償却	900 *02)	(貸)	社債発行費	900

*02) $6,000円 \times \dfrac{9カ月}{60カ月} = 900円$

2．利息の見越計上

利払日と決算日が一致しない場合、直前の利払日の翌日から決算日までの期間に対応する利息を見越計上し、『**未払費用**』として処理します*03)。

*03) 見越計上をした翌期首は、もちろん再振替仕訳を行います。

設例 1-4　決算日における社債利息の処理

次の取引にもとづいて、社債利息についての見越計上に関する仕訳を示しなさい。

当社(決算日年1回、3月末日)は×1年7月1日に、額面総額100,000円の社債を額面@100円につき@95円、期間5年、利率年5％(利払日は12月末日、6月末日)の条件により発行し、払込金は当座預金とした。

解答

(借)	社債利息	1,250	(貸)	未払費用	1,250 *04)

*04) $100,000円 \times 0.05 \times \dfrac{3カ月}{12カ月} = 1,250円$

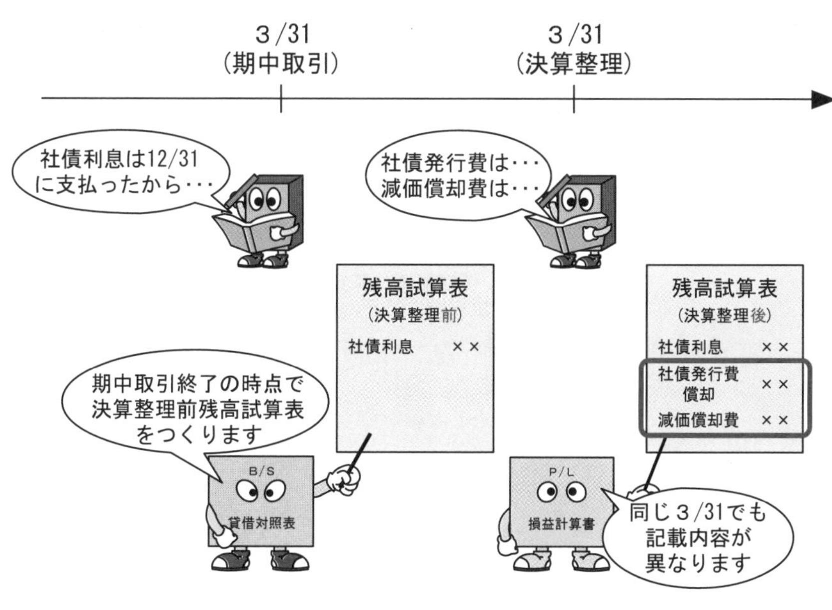

5 償却原価法の処理

▶▶簿問題集：問題1,2,3

社債の額面金額と発行価額の差額(発行差額)は、**償却原価法**により発行日から償還日までの期間にわたって毎期一定の方法(**利息法**または**定額法**)で社債の帳簿価額に加減します。この償却原価法にもとづいて算定された金額(**償却原価**といいます)で、『**社債**』を計上します。

発行差額の性格は利息とみることができるため、償却額は『**社債利息**』に含めて処理します。

	処理方法	計上のタイミング
利息法 (原則)	社債の帳簿価額に実効利子率を掛けた金額と、額面金額にクーポン利子率を掛けた金額の差額を社債の帳簿価額に加減するとともに、同額の社債利息を計上する方法をいいます。	社債利息の計上と同時に償却額を計上します。
定額法	社債の発行差額を発行日から償還日までの期間で割って各期に配分する方法をいいます。	決算整理仕訳として償却額を計上します。

①定額法

定額法とは、社債の発行差額を発行日から満期日までの期間で割って各期に配分する方法をいいます。

定額法による処理は、**決算整理仕訳として決算日**に行われる点に注意してください。

定額法の計算方法

$$\text{償却額} = \text{発行差額} \times \frac{\text{当期の利用期間}}{\text{発行日から満期日までの期間}^{*01)}}$$

＊01)本試験では、月数で計算するのが一般的です。

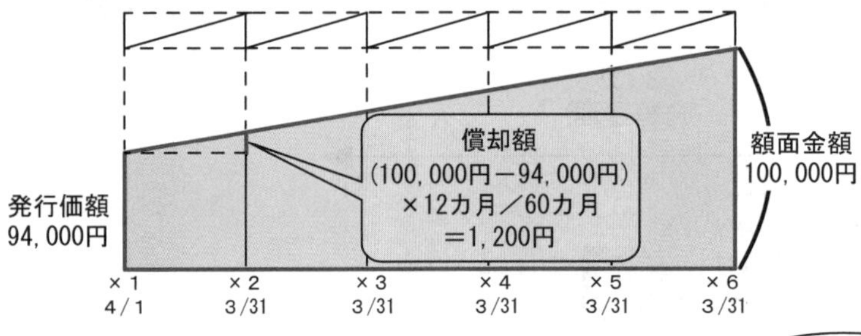

償却原価の算定は
決算時に行うんだね

設例 1-5 発行差額の償却(定額法)

次の取引にもとづいて、発行差額について償却原価法(定額法)を適用する場合の、×2年3月31日に行う決算整理仕訳を示しなさい。

当社(決算日年1回、3月末日)は×1年4月1日に、額面総額100,000円の社債を額面@100円につき@94円、期間5年、利率年4％(利払日は3月末日)の条件により発行し、払込金は当座預金とした。

(借)	社債利息	1,200	(貸)	社債	1,200

解説

償却額：$(100{,}000\text{円} - 94{,}000\text{円}^{*02)}) \times \dfrac{12\text{カ月}}{60\text{カ月}} = 1{,}200\text{円}$

＊02) $100{,}000\text{円} \times \dfrac{@94\text{円}}{@100\text{円}} = 94{,}000\text{円}$

②利息法[＊03)]

＊03) 満期保有目的の債券での利息法と同じ計算を行います。

利息法とは、社債の帳簿価額に実効利子率を掛けた金額と額面金額にクーポン利子率を掛けた金額の差額を、社債の帳簿価額に加減するとともに、同額の社債利息を計上する方法をいいます。

利息法による処理は、社債利息を計上するときに行います。したがって、基本的には**利払日**に行われる点に注意してください。なお、決算日と利払日が異なる場合には、決算日に利息の見越計上を行うとともに償却額を月割りで計上します。

利息法の計算方法

STEP 1 帳簿価額に実効利子率を掛けて、その期間に配分される実質的な利息の金額を算定します。

利息配分額 ＝ 帳簿価額 × 実効利子率

STEP 2 額面金額にクーポン利子率を掛けて、実際に支払う利息の金額を算定します。

利札支払額 ＝ 額面金額 × クーポン利子率

STEP 3 利息配分額から利札支払額を控除して償却額を算定し、その金額を帳簿価額に加減します。

償却額 ＝ 利息配分額 － 利札支払額

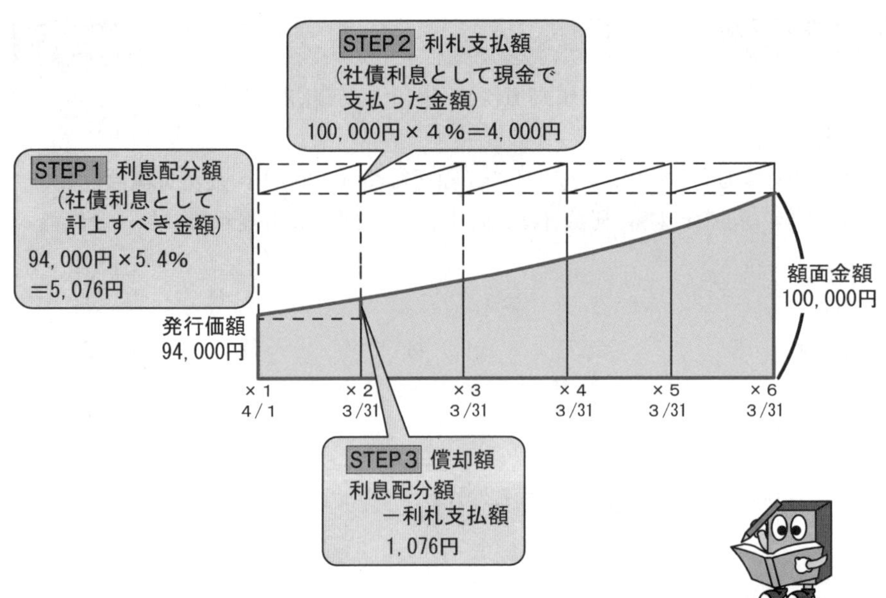

設例 1-6　発行差額の償却（利息法）

　次の取引にもとづいて、×2年3月31日（第1回）の利払日に償却原価法（利息法）を適用する場合の仕訳を示しなさい。なお、実効利子率は年5.4%として計算し、計算の途中で円未満の端数が生じた場合は円未満を四捨五入すること。また、利息の支払いは現金で行っている。

　当社（決算日年1回、3月末日）は×1年4月1日に、額面総額100,000円の社債を額面@100円につき@94円、期間5年、利率年4％（利払日は3月末日）の条件により発行し、払込金は当座預金とした。

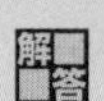

（借）	社債利息	*4,000*	（貸）	現金預金	*4,000*
（借）	社債利息	*1,076*	（貸）	社債	*1,076*

解説

STEP 1　利息配分額（社債利息）：94,000円 × 0.054 = 5,076円

STEP 2　利札支払額（現金預金）：100,000円 × 0.04 = 4,000円

STEP 3　償　却　額（社　　債）：5,076円 − 4,000円 = 1,076円

　償却原価法（利息法）での償却額と償却原価の推移をまとめると、次の表のようになります。なお、社債利息の金額はまとめて5,076円（4,000円 + 1,076円）としても正解になります。

＜利息及び償却原価＞

年 月 日	利息配分額 STEP 1	利札支払額 STEP 2	償却額 STEP 3	償却原価（帳簿価額）
×1. 4. 1	—	—	—	94,000
×2. 3.31	5,076	4,000	1,076	95,076
×3. 3.31	5,134	4,000	1,134	96,210
×4. 3.31	5,195	4,000	1,195	97,405
×5. 3.31	5,260	4,000	1,260	98,665
×6. 3.31	5,335	4,000	1,335*04)	100,000

*04）最終利払日の償却額は端数処理の影響で一致しないため、調整となります。

6 社債の償還

社債の償還とは、社債の発行により調達した資金を社債権者*01)に返済することをいいます。社債の償還には、次の方法があります。

*01）社債を持っている人のことで、社債の利息を受け取ったり、満期日に社債の金額を受け取ったりできる権利があります。

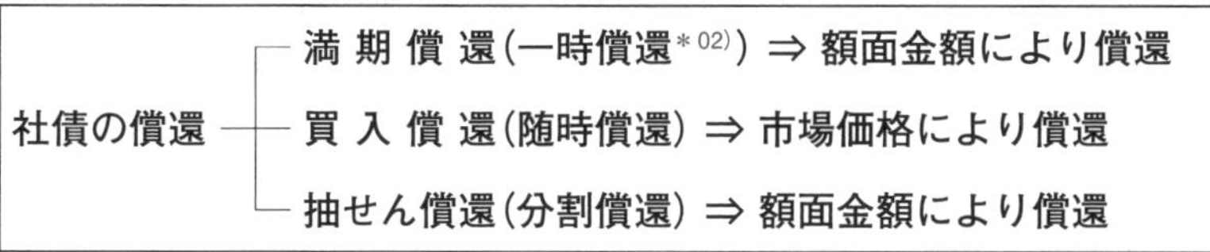

社債の償還
満 期 償 還（一時償還*02)）⇒ 額面金額により償還
買 入 償 還（随時償還）⇒ 市場価格により償還
抽せん償還（分割償還）⇒ 額面金額により償還

*02）「一時償還」の「一時」とは、「一度にまとめて」という意味です。「一時的」という意味ではないので、注意してください。

買入償還については次のSectionで学習します。ここでは満期償還について学習します。

1．満期償還とは

満期償還とは、**社債の満期日（償還期日）**に、**額面金額**により**一括して償還する方法**です。

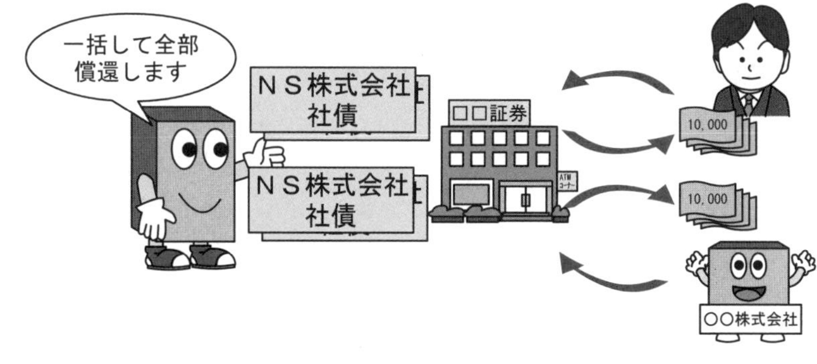

2．満期償還の会計処理

社債を満期償還する場合、①期首から償還時までの償却原価法の償却額を計上するとともに、②償還した社債の額面金額を『社債』から控除し、その額面金額と最終回の社債利息を現金等で支払います。また、③社債発行費を繰延資産として計上している場合は、当期償却分の計上も行います。

設例 1-7　満期償還の会計処理

次の取引にもとづいて、×6年6月30日の満期償還時の仕訳を示しなさい。

×1年7月1日に額面総額100,000円を額面@100円につき@95円、期間5年、年利率5％(利払日は6月末と12月末)の条件により発行した社債を、満期につき、額面金額と最終回の利息を小切手を振り出して支払い、償還した。償却原価法(定額法)を採用しており、繰延資産として計上した社債発行費6,000円は社債の償還までの期間にわたり定額法により月割償却している。なお、会計期間は3月31日を決算日とする1年である。

解答

①	(借)	社債利息	250 *03)	(貸)	社債	250
②	(借)	社債	100,000	(貸)	現金預金	100,000
		社債利息	2,500 *04)		現金預金	2,500
③	(借)	社債発行費償却	300 *05)	(貸)	社債発行費	300

*03) $100{,}000円 \times \frac{@100円-@95円}{@100円} \times \frac{3カ月}{60カ月} = 250円$

*04) $100{,}000円 \times 0.05 \times \frac{6カ月}{12カ月} = 2{,}500円$

*05) $6{,}000円 \times \frac{3カ月}{60カ月} = 300円$

7 社債に関する表示

簿C　財計A　▶▶財問題集：問題6

1．貸借対照表上の表示

通常、社債は長期的な資金調達手段として発行されるため、貸借対照表上は**固定負債**の区分に**『社債』**として表示します。

ただし一年基準により、貸借対照表日の翌日から1年以内に満期が到来する(償還する)ものは、**『一年内償還社債』**として**流動負債**の区分に表示します*01)。

*01) ただし、帳簿上はそのまま『社債』とすることが考えられるので、後T／B作成のさいには問題の指示に従いましょう。

貸借対照表

	(負債の部)	
	Ⅰ　流動負債	
	一年内償還社債	×××
	Ⅱ　固定負債	
	社債	×××

2．損益計算書上の表示

社債利息は、実際に支払う分と、償却原価法により計上する分とを、区別せずに、『**社債利息**』として**営業外費用**の区分に表示します[＊02]。

＊02)『支払利息』に含める問題もあります。

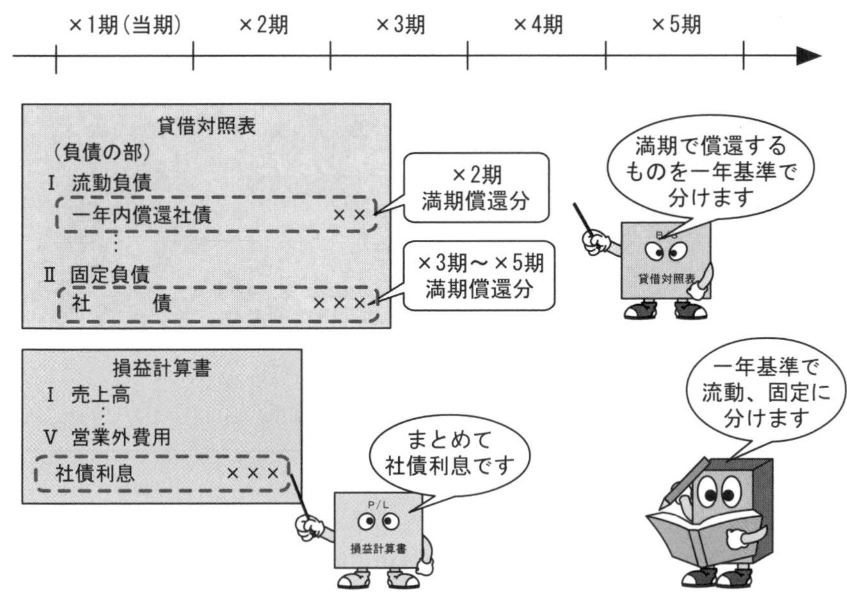

Section 2

社債の買入償還

前のSectionでは、社債の基本的な流れをとおして満期償還について学習しました。社債の償還は満期日に一括して償還する以外にも、お金に余裕があれば早めに償還することもあります。

このSectionでは、買入償還の処理について学習します。

1 買入償還とは

買入償還とは、資金的に余裕が生じたり、ほかに金利の安い借入先が出現したりといった理由で、会社が「すでに発行している社債を市場から買い入れたほうが有利だ」と判断した場合に、償還期限(満期日)前に臨時に時価で買い戻すことをいいます*01)。

買入償還では、償還時における社債の帳簿価額を正確に求められるかがポイントとなります。

*01)市場に流通している社債を買い戻すことで、償還したことになります。

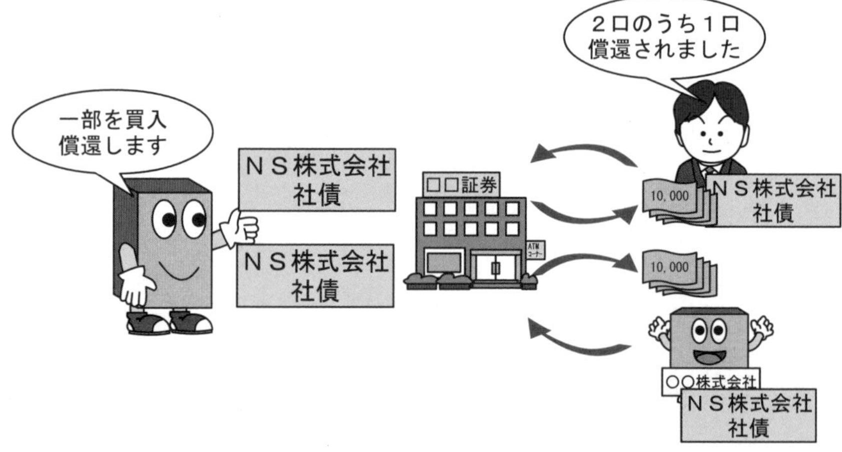

2 買入償還の処理

簿A 財計C

発行している社債の一部を満期日前に買入償還した場合の処理を確認します。買入償還日の償却原価の計算アプローチが利息法と定額法で異なりますので注意してください。

まず最初に、利払日と買入償還日が同日の場合を確認します。

1．定額法

定額法を採用している場合は、期首償却原価の金額を買入償還分と未償還分とに分けて買入償還分の償却額を計算します。

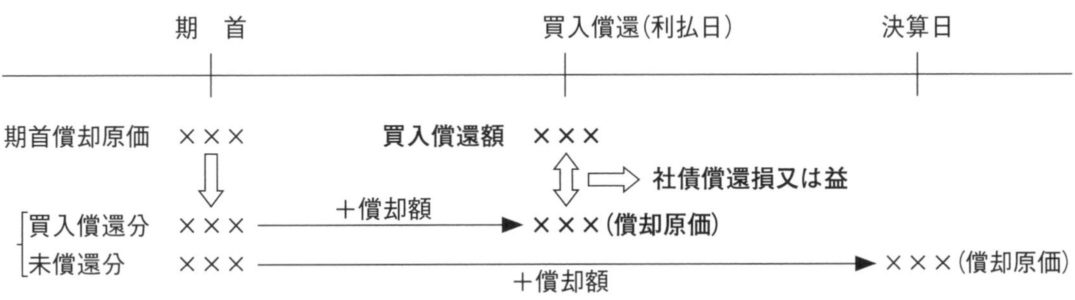

2．利息法

利息法を採用している場合は、期首から買入償還日(利払日)までの償却額を計算し、買入償還日(利払日)の償却額を買入償還分と未償還分に分けます。

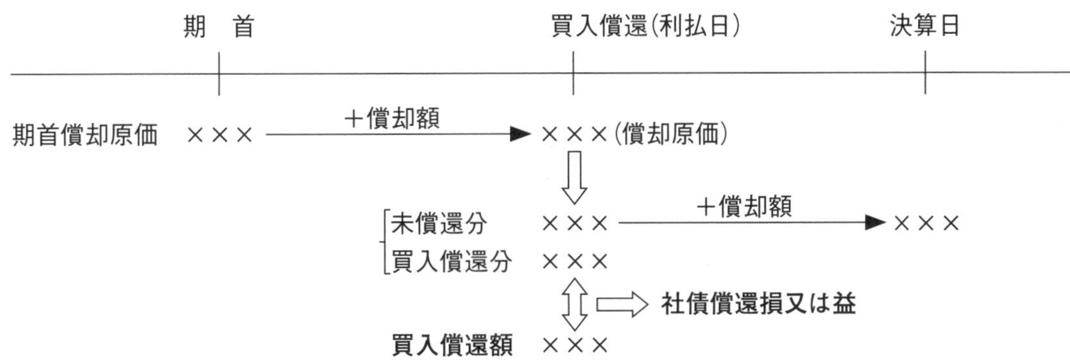

設例2-1　　**買入償還の会計処理(定額法)**

次の取引の仕訳を示しなさい。

×1年4月1日に額面総額20,000円、額面@100円につき@95円、期間5年、利率年8％(利払日は3月末と9月末)の条件で発行した社債のうち額面総額4,000円を、×3年9月30日の利払後に1口@96円で買入償還し、代金は小切手を振り出して支払った。

なお、償却原価法(定額法)を採用している。当社の決算日は毎年3月31日である。

解答

(借)	社債利息	*20*	(貸)	社債	*20*
(借)	社債	*3,900*	(貸)	現金預金	*3,840*
				社債償還益	*60*

解説

(1)期首の社債の帳簿価額

期首社債帳簿価額：$4,000円 \times \frac{@95円}{@100円} + 4,000円 \times \frac{@100円 - @95円}{@100円} \times \frac{24カ月}{60カ月} = 3,880円$

(2)当期の発行差額の償却

当期償却額：$4,000円 \times \frac{@100円 - @95円}{@100円} \times \frac{6カ月}{60カ月} = 20円$

償還時点の社債の帳簿価額：(1)3,880円＋(2)20円＝3,900円

(3)社債償還損益の計算

社債償還損益：3,900円－3,840円*01)＝60円(社債償還益)

*01) $4,000円 \times \frac{@96円}{@100円} = 3,840円$

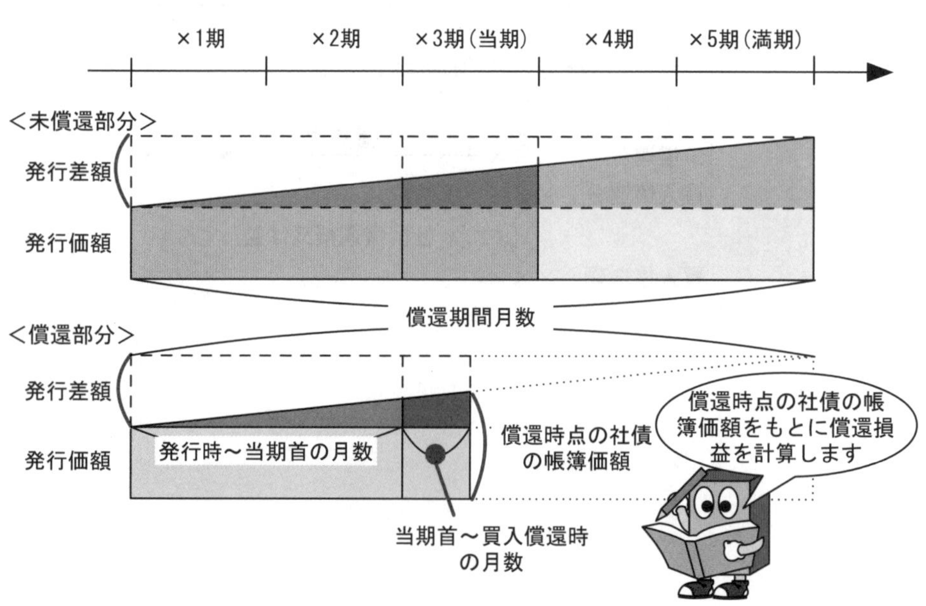

設例2-2　　**買入償還の会計処理(利息法)**

次の取引の仕訳を示しなさい。

×1年4月1日に額面総額20,000円(額面@100円、発行価額@95.62円、期間5年、約定利子率：年4%、実効利子率：年5%、利払日：3月及び9月の各末日)の条件で発行した社債のうち額面総額5,000円を、×2年9月30日に4,800円で買入償還し、小切手を振り出して支払った。

なお、償却原価法(利息法)を採用している。当社の決算日は3月31日である。また、当期首(×2年4月1日)における償却原価は、19,282円である。円未満の端数は四捨五入する。

(借)	社債利息	482	(貸)	現金預金	400
				社債	82
(借)	社債	4,841	(貸)	現金預金	4,800
				社債償還益	41

解説

(1)社債利息

$$19,282円 \times 5\% \times \frac{6カ月}{12カ月} = 482.05 \rightarrow 482円$$

(2)約定利息

$$20,000円 \times 4\% \times \frac{6カ月}{12カ月} = 400円$$

(3)償却額

482円－400円＝82円

(4)買入償還社債の償却原価

$$(19,282円 + 82円) \times \frac{5,000円}{20,000円} = 4,841円$$

(5)社債償還益

貸借差額

又は

4,841円－4,800円＝41円

3 未償還の社債に関する処理

　買入償還しなかった社債については、利払日・決算日ともに通常どおりの処理を行います。このとき、利払いや償却原価法の処理は、買入償還していない社債の金額をもとに計算する点に注意が必要です。

設例2-3　　買入償還・未償還社債の会計処理(定額法)

　次の取引にもとづいて、決算日の仕訳を示しなさい。

　設例2-1の社債の未償還分、額面総額16,000円(額面@100円につき@95円で発行、利率年8%、利払日は3月末と9月末)について、×4年3月31日、利払日につき半年分の利息を小切手を振り出して支払うとともに、決算日につき償却原価法(定額法)による処理を行う。

(借)	社債利息	*640* *01)	(貸)	現金預金	*640*
(借)	社債利息	*160* *02)	(貸)	社債	*160*

*01) $16{,}000円 \times 0.08 \times \frac{6カ月}{12カ月} = 640円$

*02) $16{,}000円 \times \frac{@100円 - @95円}{@100円} \times \frac{12カ月}{60カ月} = 160円$

設例2-4　　買入償還・未償還社債の会計処理(利息法)

　設例2-2に基づいて、×3年3月31日(利払日)の仕訳を示しなさい。

(借)	社債利息	*363*	(貸)	現金預金	*300*
				社債	*63*

解説

(1)×2年9月30日の償却原価

$$(19{,}282円 + 82円) \times \frac{15{,}000円}{20{,}000円} = 14{,}523円$$

(2)社債利息

$$14{,}523円 \times 5\% \times \frac{6カ月}{12カ月} = 363.075 \rightarrow 363円$$

(3)約定利息

$$15{,}000円 \times 4\% \times \frac{6カ月}{12カ月} = 300円$$

(4)償却額

363円 − 300円 = 63円

4 裸相場と利付相場

簿A 財計C　▶▶簿問題集：問題 4,5　▶▶財問題集：問題 7,8

買入償還日と利払日にズレがある場合は、通常の利付債券の購入と同様に端数利息(経過利息)の支払いが必要になります。決算日を3月31日、利払日を9月30日、12月31日に買入償還したと仮定した場合を図に表すと、次のようになります。

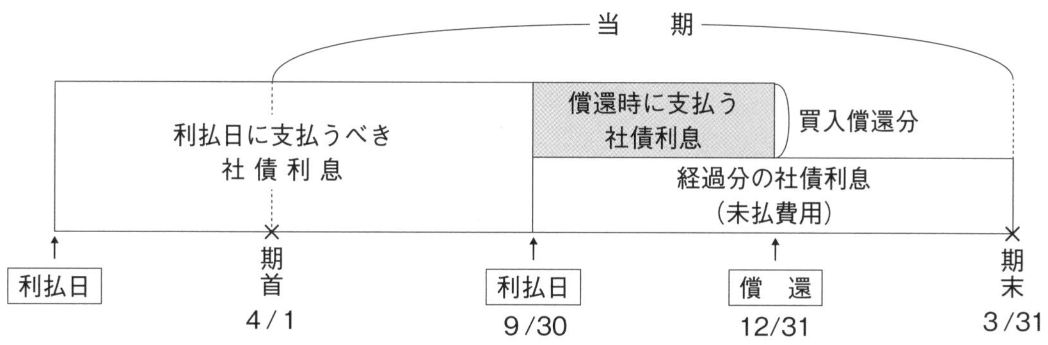

そのさい、買入価額の相場に端数利息が含まれている場合といない場合があります。端数利息が含まれていない相場を**裸相場**(はだかそうば)、端数利息を含んだ相場を**利付相場**(りつきそうば)といいます。

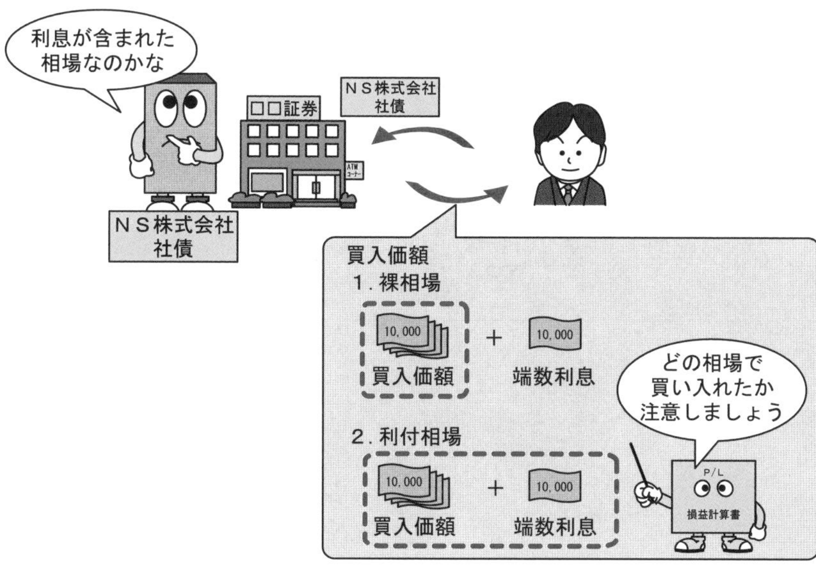

1．裸相場の場合

裸相場で買入償還を行った場合、裸相場による買入価額に加えて、買入償還した社債に対する端数利息(前回利払日の翌日から償還日まで)を支払います。

設例2-5 裸相場による計算

次の取引にもとづいて、×3年12月31日の買入償還時の仕訳を示しなさい。

×1年10月1日に額面総額100,000円、額面@100円につき@96円、期間5年、利率年4％(利払日は9月末)の条件で発行している社債(定額法で償却)のうち額面総額30,000円を@98円(裸相場)で買入償還し、代金は小切手を振り出して支払った。なお、当社の決算日は3月31日とする。

解答

	借方科目	金額		貸方科目	金額
(借)	社債利息	180	(貸)	社債	180
(借)	社債	29,340	(貸)	現金預金	29,400
	社債償還損	60			
(借)	社債利息	300	(貸)	現金預金	300

解説

・当期償却額：$30{,}000円 \times \dfrac{@100円 - @96円}{@100円} \times \dfrac{9カ月}{60カ月} = 180円$

・償還時点での社債の帳簿価額：期首29,160円*01)＋当期償却額180円＝29,340円

・買入価額：$30{,}000円 \times \dfrac{@98円}{@100円} = 29{,}400円$

・社債償還損益：29,340円－29,400円＝△60円(社債償還損)

・利息支払額：$30{,}000円 \times 0.04 \times \dfrac{3カ月}{12カ月} = 300円$

*01) $30{,}000円 \times \dfrac{@96円}{@100円} + 30{,}000円 \times \dfrac{@100円 - @96円}{@100円} \times \dfrac{18カ月}{60カ月} = 29{,}160円$

2．利付相場の場合

利付相場で買入償還を行った場合でも、社債償還損益は端数利息を除いた金額、つまり裸相場での買入価額と買入償還する社債の帳簿価額を比較して、社債償還損益を計算します。

裸相場による買入価額の計算
利付相場による買入価額 － 端数利息 ＝ 裸相場による買入価額

設例2-6　利付相場による計算

次の取引の仕訳を示しなさい。

×3年12月31日に、×1年10月1日に額面総額100,000円、額面@100円につき@96円、期間5年、利率年4％（利払日は9月末）の条件で発行している社債（定額法で償却）のうち額面総額30,000円を@99円（利付相場）で買入償還し、代金は小切手を振り出して支払った。なお、当社の決算日は3月31日とする。

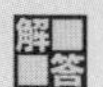

	借方科目	金額		貸方科目	金額
（借）	社債利息	*180*	（貸）	社債	*180*
（借）	社債	*29,340*	（貸）	現金預金	*29,700*
	社債利息	*300*			
	社債償還損	*60*			

解説

・（利付相場による）買入価額：$30{,}000円 \times \frac{@99円}{@100円} = 29{,}700円$

・（裸相場による）買入価額：29,700円－300円（端数利息）＝29,400円

・社債償還損益：29,340円－29,400円＝△60円（社債償還損）

このChapterでの表示と注記

貸借対照表			
(資産の部)		(負債の部)	
⋮		Ⅰ 流動負債	
Ⅲ 繰延資産		一年内償還社債	×××
社債発行費	×××	Ⅱ 固定負債	
		社債	×××
		(純資産の部)	
		⋮	

損益計算書	
⋮	
Ⅴ 営業外費用	
社債利息	×××
社債発行費償却	×××
Ⅵ 特別利益	
社債償還益*01)	×××

＊01）特別損失に計上される場合もある。

Chapter 9

純資産会計Ⅰ

貸借対照表に計上される資産と負債の差額を、純資産といいます。この純資産には、会社の元手である資本金はもちろんですが、元手とは直接関係のないものまで含まれます。

資産と負債に該当しないものは、みんなここに入れましょう、という感じでわかりづらいものでもあります。

このChapterでは、純資産の分類や会計処理について学習します。

Section 1

純資産会計の基礎知識

これまで資産・負債について多くのことを学習してきましたが、ここではそれらの差額としての「純資産」について学習していきます。純資産の中心となるものが「株主資本」で、その内容は会社の元手となった資本金や会社が獲得した利益などです。

いくらを元手に、いくら稼いだかを意味するので、とても重要な内容です。

このSectionでは、純資産の分類と表示を中心に学習します。

1 貸借対照表における分類と表示

簿A 財計A ▶▶財問題集：問題3

1．純資産の分類

純資産は「**株主資本**」と「**株主資本以外の項目**」とに分類されます。

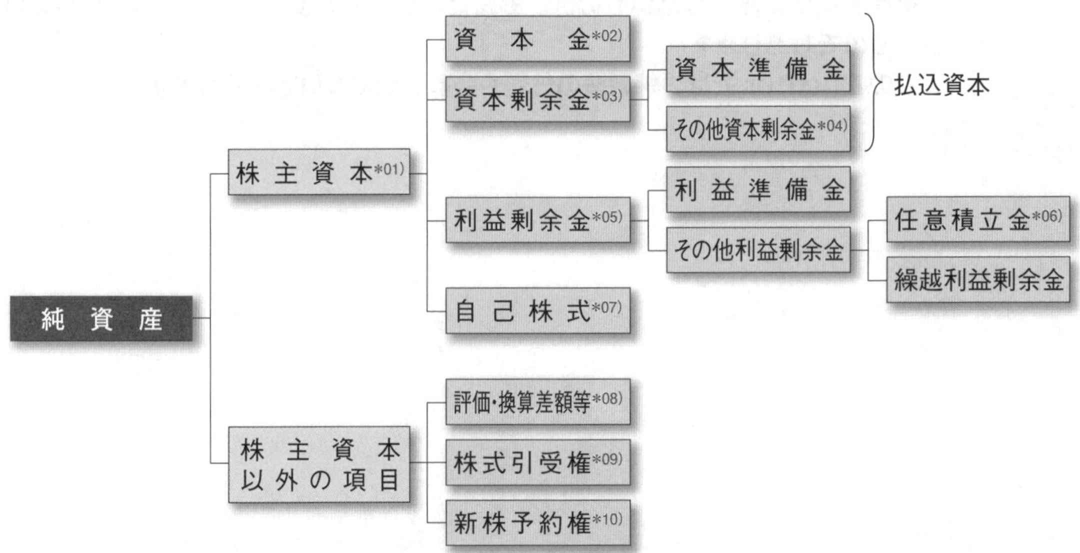

＊01）株主資本とは、純資産のうち株主に帰属する部分をいい、①資本金、②資本剰余金、③利益剰余金、④自己株式に分類されます。

＊02）資本金とは、株主からの払込資本のうち会社法の規定に従って設定される部分です。

＊03）資本剰余金とは、株主からの払込資本のうち資本金以外の部分です。資本剰余金は、「資本準備金」と「その他資本剰余金」に分類されます。

＊04）『自己株式処分差益』など、より具体的な科目を用いることがあります。ただし、B/S上は「その他資本剰余金」として一括表示します。

＊05）利益剰余金とは、払込資本（資本金および資本剰余金）を元手に、企業が獲得した利益の累積額をいいます。利益剰余金は「利益準備金」と「その他利益剰余金」に分類されます。

＊06）より具体的な科目として、『新築積立金』や『別途積立金』等を用いることがあります。

＊07）自己株式とは、株式会社が有する自己の株式をいいます。自己株式は、株主資本の控除項目として貸借対照表上、株主資本の末尾に記載されます。

＊08）評価・換算差額等とは、資産・負債を時価評価したさいの評価・換算差額でありながら当期の損益に算入されない部分をいいます。具体的には『その他有価証券評価差額金』や『繰延ヘッジ損益』などが該当します。

＊09）株式引受権とは、取締役の報酬等として株式を無償交付する取引において計上されます（詳細は教科書Ⅲ応用編で取り上げます。）。

＊10）新株予約権とは、それを発行する会社の株式を一定期間の間に一定の額で購入する権利をいいます。

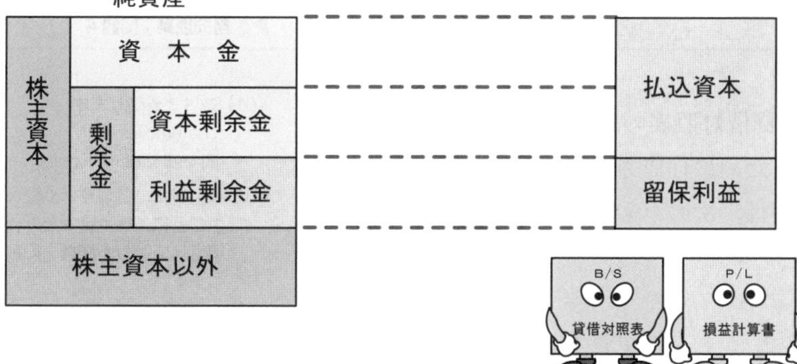

B/S 貸借対照表　P/L 損益計算書

適正な財政状態・経営成績の表示

2. 純資産の部における表示

純資産の分類をもとに、個別貸借対照表の純資産の部において各項目を表示します。

＜個別貸借対照表・純資産の部の表示例＞

（純資産の部）		
Ⅰ 株主資本		
1 資本金*10)		560,000
2 資本剰余金		
(1) 資本準備金	66,600	
(2) その他資本剰余金	28,150	94,750
3 利益剰余金		
(1) 利益準備金	48,500	
(2) その他利益剰余金		
任意積立金	37,000	
繰越利益剰余金	109,800	195,300
4 自己株式		△ 32,050
株主資本合計		818,000
Ⅱ 評価・換算差額等		
1 その他有価証券評価差額金		13,000
Ⅲ 株式引受権		10,000
Ⅳ 新株予約権		44,750
純資産合計		885,750

*10) 資本金の次に『新株式申込証拠金』が、自己株式の次に『自己株式申込証拠金』が記載されることもあります。

純資産の部はこのように表示します

2 株主資本等変動計算書

▶▶財問題集：問題4

1．株主資本等変動計算書の作成

株主資本等変動計算書[*01)]は、貸借対照表の純資産の部のうち、主に株主資本の変動原因を明らかにするために作成されます[*02)]。

株主資本等変動計算書のひな型は、次のとおりです。

＊01）S/Sと省略します。
Statements of Shareholders' Equity

＊02）株主資本の各項目は変動事由ごとに、株主資本以外の項目は変動した純額を記載します。

株主資本等変動計算書　（単位：千円）

	株主資本					評価・換算差額等	純資産合計
	資本金	資本剰余金	利益剰余金		株主資本合計	その他有価証券評価差額金	
		資本準備金	利益準備金	その他利益剰余金			
当期首残高	200,000	25,000	11,000	54,500	290,500	8,400	298,900
当期変動額							
当期純利益				30,000	30,000		30,000
株主資本以外の項目の当期変動額(純額)						△　600	△　600
当期変動額合計	―	―	―	30,000	30,000	△　600	29,400
当期末残高	200,000	25,000	11,000	84,500	320,500	7,800	328,300

株主資本の当期変動額は変動事由ごとに記載します

株主資本以外の当期変動額は純額で記載します

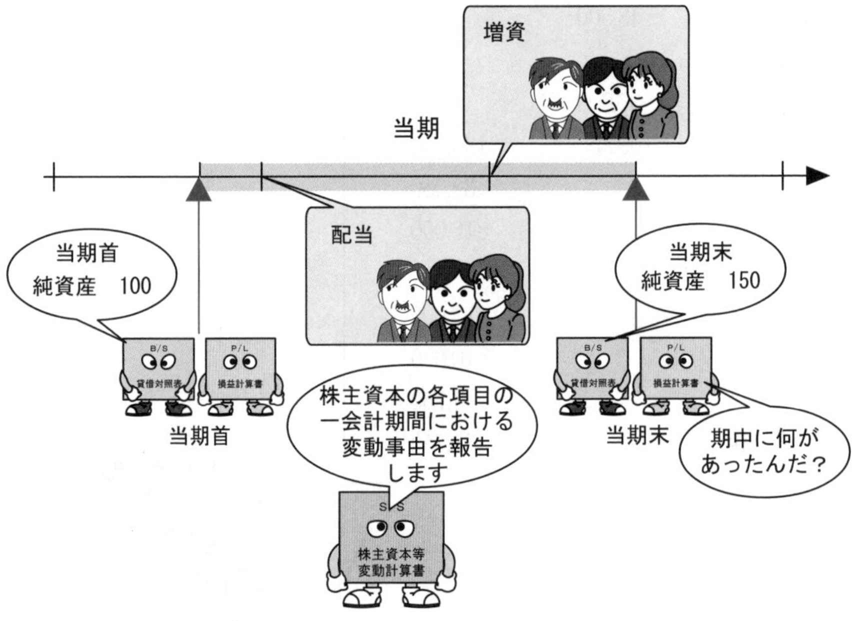

2．貸借対照表・損益計算書との連絡

株主資本等変動計算書は、会社の純資産の増減明細を示す財務諸表の1つで、他の財務諸表との関係は、次のようになります。

① 損益計算書から当期純利益を受け継ぐ。
② 繰越利益剰余金の当期末残高を算定する。
③ それを貸借対照表に引き渡す。

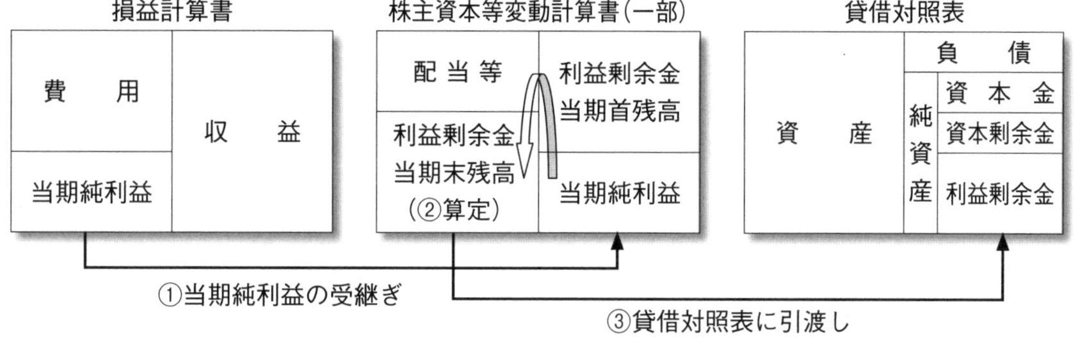

Section 2

株主資本項目の変動

株式会社では設立時はもとより、設立後においても募集株式の発行により資金調達をすることができます。また、欠損てん補のため資本金を取り崩すこともあります。これらは会社の規模の拡大や縮小に関わることで、会社にしてみれば一大事です。それゆえ、当然ながら厳格な会計処理が要求されます。

このSectionでは、会社設立後の純資産の変動に関する処理を学習します。

1 新株の発行

簿B 財計B

1．資本金への組入額

新株の発行時には、**原則として払込金額の全額を資本金**とします。ただし、払込金額の２分の１以下を資本金とせずに資本準備金とすることができます。

	払込金額の扱い	
原　則	全額を資本金とする。	
容　認*01)	$\frac{1}{2}$以上	⇒資　本　金
	残　　額	⇒資本準備金

*01) 払込金額の$\frac{1}{2}$を資本金とする場合、「会社法規定の最低限度額を資本金とする」等の指示があります。

2．新株の発行の処理(会社設立後)

(1) 株主の募集と申込み

会社設立後に新株の発行による増資を行う場合、まず株主の募集を行います*02)。そして、応募者は申込期間内に申込みを行います。このとき、会社は申し込んだ証拠として、応募者から証拠金を受け取ります。そして、この払い込まれた申込金は、新株の払込期日まで『**新株式申込証拠金**』とするとともに、払込金額は『**別段預金**』*03)で処理します。

*02) 会社法では、増資による株式発行を「募集株式の発行」といいます。

*03) この申込金は、まだ会社が自由に使えないものなので、当座預金などと区別するために『別段預金』とします。

設例 2-1　　新株の発行（募集）

次の取引の仕訳を示しなさい。

当社は、新株10株を１株あたりの払込金額10,000円で募集し、全株式について申込みを受け、払込金額は別段預金とした。

解答

(借)			(貸)	
(借)	別　段　預　金	*100,000*	(貸) 新株式申込証拠金	*100,000*

(2) 株式の割当て

申込期日後、会社は応募者の中から株式を割り当てる人を決め、株式を割り当てます。そして、払込期日に『**新株式申込証拠金**』を『**資本金**』[*04]に、『**別段預金**』を『**当座預金**』などの適当な科目に振り替えます。

また、新株の発行に要した費用は『**株式交付費**』に計上し、原則として支出した期の費用(**営業外費用**)とします[*05]。

*04) 容認として、$\frac{1}{2}$以下の金額を資本準備金とすることができます。

*05) 問題文に指示がある場合は、繰延資産に計上します。

設例 2-2 新株の発行（割当て）

次の取引について、(1)原則的な処理および(2)会社法規定の最低限度額を資本金とする処理の仕訳を示しなさい。

当社は、新株10株を１株あたりの払込金額10,000円で募集し、全株式について申込みを受け、払込金額は別段預金としていたところ、本日、払込期日となった。なお、別段預金は現金預金に振り替えること。

解答

(1)	(借)	新株式申込証拠金	*100,000*	(貸)	資　本　金	*100,000*
	(借)	現　金　預　金	*100,000*	(貸)	別　段　預　金	*100,000*
(2)	(借)	新株式申込証拠金	*100,000*	(貸)	資　本　金	*50,000*
					資本準備金	*50,000*
	(借)	現　金　預　金	*100,000*	(貸)	別　段　預　金	*100,000*

解説

(2)は問題文の指示により、100,000円×$\frac{1}{2}$＝50,000円は資本金としないことができます。

なお、問題文で特に指示がない場合は、原則である(1)の処理を行います。

ちなみに、問題に「株式を発行した」とある場合は、**設例2-1**と**設例2-2**をあわせて

(借)	現　金　預　金	100,000	(貸)	資　本　金	100,000

と処理しても同じ結果となります。

2 剰余金の配当

1．配当の処理

剰余金の配当は、原則として株主総会決議により行います。この決議によって配当額は確定しますが、実際に支払うのは後日になるため、決議のさいには**『未払配当金』**で処理します*01)。

なお、剰余金の配当財源となるのは、その他資本剰余金とその他利益剰余金(繰越利益剰余金)です。

*01) 実際に配当金を支払ったさいに
(借) 未払配当金　　(貸) 現 金 預 金
と処理します。

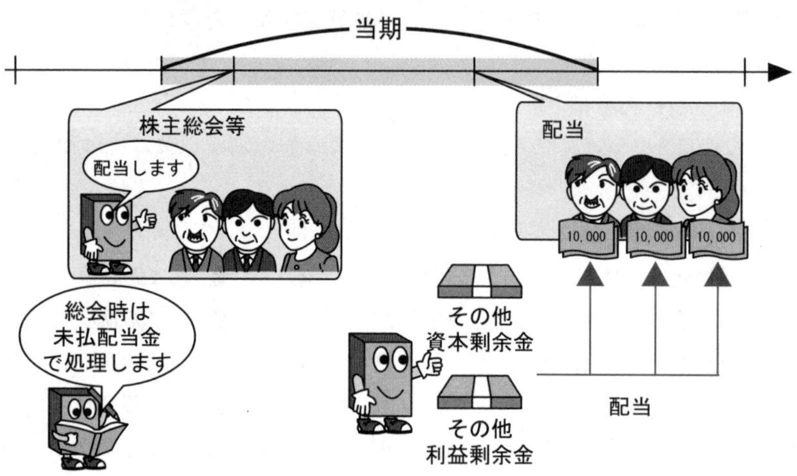

2．準備金の積立て

剰余金の配当を行うさいには、配当額の10分の1の金額を、配当財源別に**『資本準備金』**または**『利益準備金』**として積み立てなければなりません。ただし、配当する日の**『資本準備金』**と**『利益準備金』**の合計額が資本金の4分の1(積立限度額)に達したら、それ以上は積み立てる必要はありません。

＜準備金の積立額＞

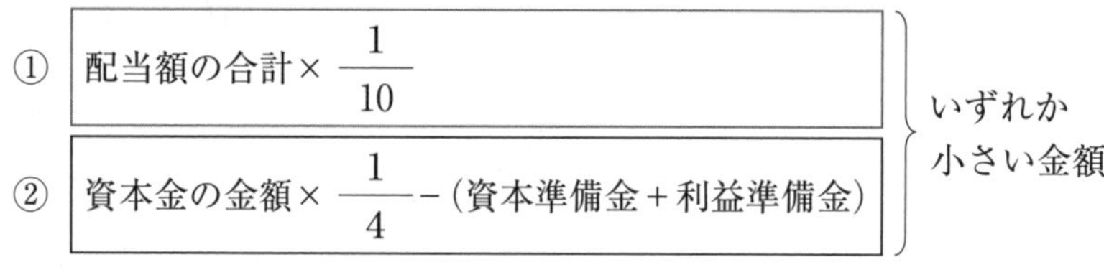

① 配当額の合計 $\times \frac{1}{10}$

② 資本金の金額 $\times \frac{1}{4}$ −(資本準備金＋利益準備金)

いずれか小さい金額

①＜②の場合

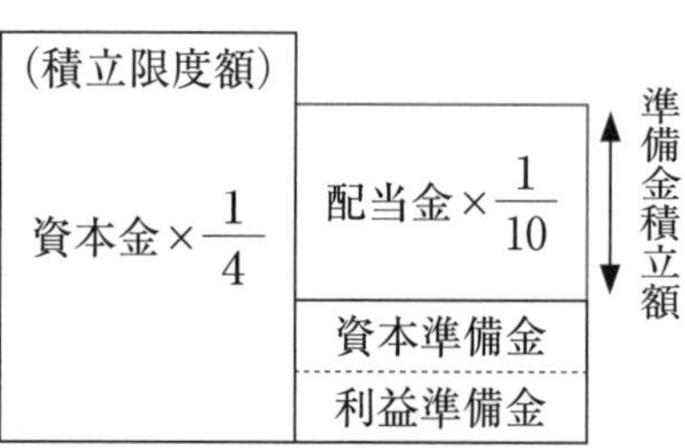

①＞②の場合

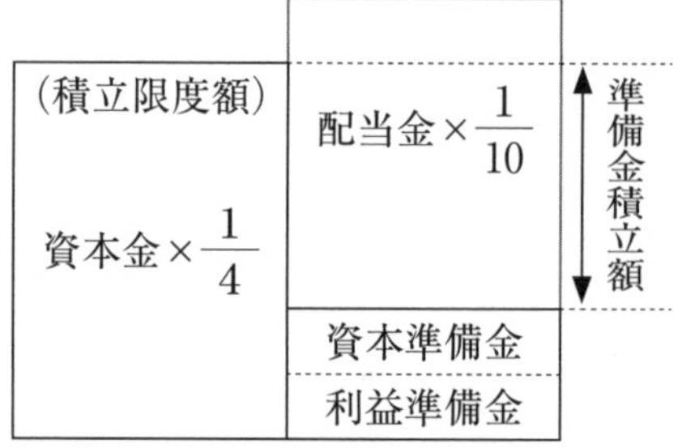

※配当財源：その他資本剰余金 → 資本準備金を積み立てる
　　　　　　その他利益剰余金 → 利益準備金を積み立てる

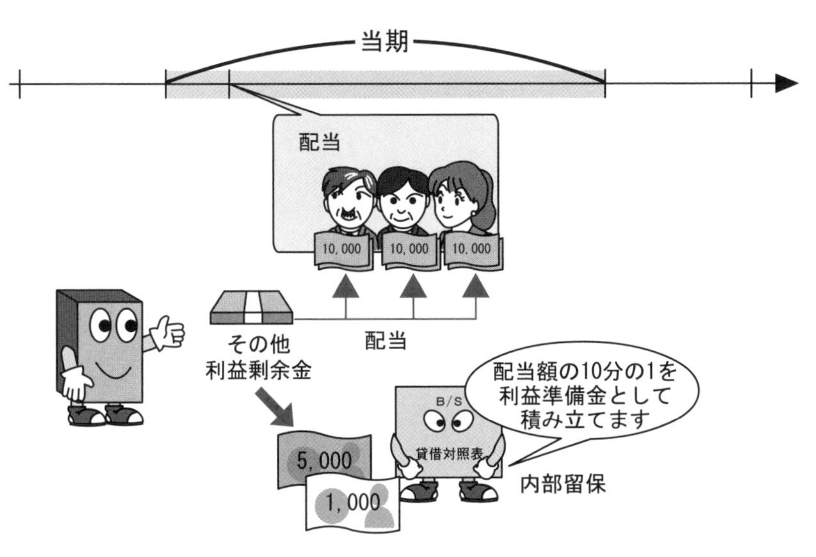

設例 2-3　剰余金の配当

次の取引の仕訳を示しなさい。

株主総会決議により、剰余金の配当に関する以下の決議がなされ、その効力が生じた。なお、株主総会時における資本金は500,000円、資本準備金は70,000円、利益準備金は35,000円であった。

〈剰余金の配当に関する決議内容〉

配当総額は80,000円とする(10,000円についてはその他資本剰余金を、残額の70,000円については繰越利益剰余金を財源とする)。

(借)	その他資本剰余金	*11,000*	(貸)	未払配当金	*10,000*
				資本準備金	*1,000*
(借)	繰越利益剰余金	*77,000*	(貸)	未払配当金	*70,000*
				利益準備金	*7,000*

解説

配当額の10分の1と資本金の4分の1から準備金を控除した金額を比較します(いずれか小さい金額が準備金積立額)。

$$80{,}000円 \times \frac{1}{10} = 8{,}000円 \quad < \quad 500{,}000円 \times \frac{1}{4} - (70{,}000円 + 35{,}000円) = 20{,}000円$$

∴準備金積立額 = 8,000円

本問では、配当の財源がその他資本剰余金とその他利益剰余金(繰越利益剰余金)のため、それぞれの準備金積立額を計算します。

$$8{,}000円 \begin{cases} 資本準備金：10{,}000円 \times \frac{1}{10} = 1{,}000円 \\ 利益準備金：70{,}000円 \times \frac{1}{10} = 7{,}000円 \end{cases}$$

3 株主資本項目間の振替え

簿B 財計B

▶▶簿問題集：問題1
▶▶財問題集：問題10

株主資本項目間の振替えは、大きく次のように分けられます。

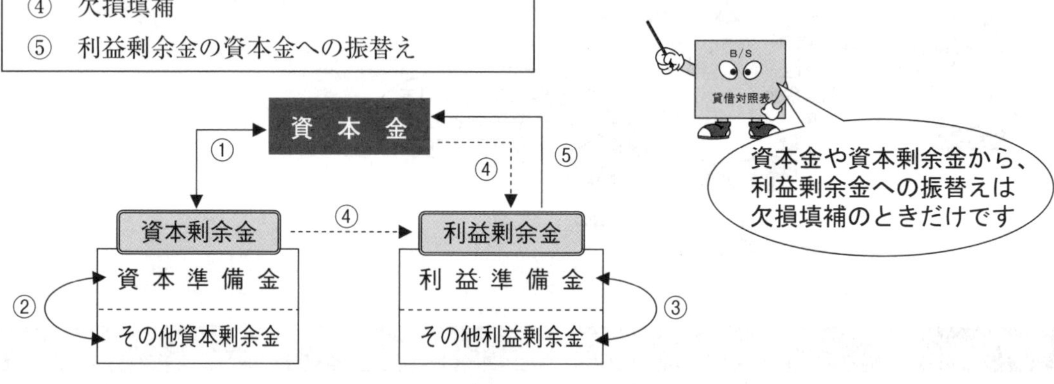

なお、これらの振替えを行うさいには、原則として株主総会の決議が必要となります。

① 資本金と資本剰余金との振替え

資本剰余金は『**資本金**』に振り替えることができます。また、資本金は『**資本剰余金**』に振り替えることができます。

なお、資本金や資本準備金の減少によって生じる剰余金は、いずれも減少前と会計上の性格に変化はなく、**資本性の剰余金の性格を有する**と考えられます。そのため、資本剰余金であることを明確にした科目である『**その他資本剰余金**』で表示することが適切であると考えられています。

設例 2-4　資本剰余金から資本金への振替え

次の取引の仕訳を示しなさい。

株主総会で、資本準備金10,000円とその他資本剰余金5,000円を資本金とすることを決議し、効力が生じた。

解答

(借)	資本準備金	10,000	(貸)	資本金	15,000
	その他資本剰余金	5,000			

設例 2-5　資本金から資本剰余金への振替え

次の取引の仕訳を示しなさい。

株主総会で、資本金10,000円を資本準備金6,000円とその他資本剰余金4,000円とすることを決議し、効力が生じた。

解答

(借)	資本金	10,000	(貸)	資本準備金	6,000
				その他資本剰余金	4,000

② 資本剰余金内の振替え

資本剰余金である『**資本準備金**』と『**その他資本剰余金**』は、相互に振り替えることができます。

設例 2-6 資本剰余金内の振替え1

次の取引の仕訳を示しなさい。
株主総会で、資本準備金10,000円をその他資本剰余金とすることを決議し、効力が生じた。

(借)		(貸)	
資本準備金	10,000	その他資本剰余金	10,000

設例 2-7 資本剰余金内の振替え2

次の取引の仕訳を示しなさい。
株主総会で、その他資本剰余金10,000円を資本準備金とすることを決議し、効力が生じた。

(借)		(貸)	
その他資本剰余金	10,000	資本準備金	10,000

③ 利益剰余金内の振替え

利益剰余金である『**利益準備金**』と『**その他利益剰余金**』は、相互に振り替えることができます。また、その他利益剰余金の各項目[*01]についても、相互に振り替えることができます。

*01) 繰越利益剰余金や任意積立金のことです。

なお、利益準備金はもともと**留保利益を原資**とするものであり、**利益性の剰余金の性格を有する**と考えられます。そのため、利益準備金の減少によって生じる剰余金は、『**その他利益剰余金(繰越利益剰余金)**』として処理することが適切であると考えられています。

設例 2-8 利益剰余金内の振替え1

次の取引の仕訳を示しなさい。
株主総会で、利益準備金10,000円を繰越利益剰余金とすることを決議し、効力が生じた。

(借)		(貸)	
利益準備金	10,000	繰越利益剰余金	10,000

設例 2-9 利益剰余金内の振替え2

次の取引の仕訳を示しなさい。
株主総会で、繰越利益剰余金10,000円を利益準備金とすることを決議し、効力が生じた。

(借)		(貸)	
繰越利益剰余金	10,000	利益準備金	10,000

設例 2-10 利益剰余金内の振替え3

次の取引の仕訳を示しなさい。

株主総会で、繰越利益剰余金10,000円を別途積立金とすることを決議し、効力が生じた。

(借) 繰越利益剰余金	10,000	(貸) 別途積立金	10,000

④ 欠損填補

株主資本の金額が資本金と準備金の合計額を下回る状況を**欠損**といいます。また、資本金や資本剰余金を取り崩して欠損を解消することを**欠損填補**といいます[*02)]。欠損填補を行う場合には、資本金と資本剰余金を取り崩し、繰越利益剰余金に振り替える処理を行います。

なお、原則的には「資本金・資本剰余金⇒利益剰余金」といった振替えはできませんが[*03)]、欠損填補の場合は例外的に可能となります。

*02) 具体的には、その他利益剰余金がマイナスである場合に損失をうめることをいいます。

*03) 適正な期間損益計算のためです。

設例 2-11 欠損填補

次の取引の仕訳を示しなさい。

繰越利益剰余金△10,000円を填補するために、資本金10,000円を減少させることを決議し、効力が生じた。なお、資本金減少額をいったんその他資本剰余金に振り替えたうえで、充当する処理を行うこと。

(借) 資本金	10,000	(貸) その他資本剰余金[*04)]	10,000
(借) その他資本剰余金[*04)]	10,000	(貸) 繰越利益剰余金	10,000

*04) 会社法では、欠損填補により、資本金、資本準備金を減少させる場合には、その他資本剰余金(資本金及び資本準備金減少差益)に計上してから、充当することを要求しているため、本書では以下の仕訳としています。ただし、借方と貸方のその他資本剰余金を相殺して1本の仕訳とすることも考えられます。本試験では、問題文の指示に従ってください。

⑤ 利益剰余金の資本金への振替え

利益剰余金は資本金に振り替えることができます[*05)]。

*05) 逆に資本金を利益剰余金に振り替えることは、欠損填補の場合を除いてできません。

設例 2-12 利益剰余金の資本金への振替え

次の取引の仕訳を示しなさい。

繰越利益剰余金10,000円を資本金とすることを決議し、効力が生じた。

(借) 繰越利益剰余金	10,000	(貸) 資本金	10,000

Section 3

自己株式

他社の株式を購入した場合、有価証券として資産に計上されます。ところで、自社の株式を購入した場合はどうなるのでしょうか？　確かに市場などで売却もできますし、資産性もあるように見えますが、他社の株式と同様に扱うのは問題がありそうです。

このSectionでは、自社の株式を自分でもつ自己株式について学習します。

1 自己株式とは

自己株式とは、その名のとおり「自己」すなわち自社の「株式」であり、すでに発行している自社の株式を自ら取得したものをいいます*01)。

*01)一定の範囲内での取得が認められています。

なお、自己株式の性格について、次の２つの考え方があります。

資産とする考え方（資産説）	自己株式を取得したのみでは株式は失効しておらず、**他の有価証券と同じく換金性のある会社財産**なので、自己株式は資産であるとします。
資本の控除とする考え方*02)（資本控除説）	自己株式の取得は**株主との間の資本取引**であり、**会社所有者に対する会社財産の払戻し**なので、自己株式は資本から控除します。

*02)「自己株式及び準備金の額の減少等に関する会計基準」では、自己株式を株主資本から控除する考え方によっており、取得原価で一括して株主資本全体から控除する形で表示します。

資産とする考え方

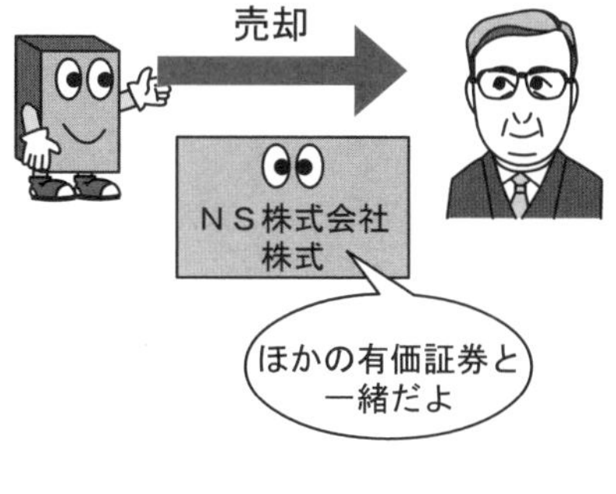

資本の控除とする考え方

2 自己株式の取得

自己株式を取得した場合には、その自己株式の取得原価を『**自己株式**』として借方に計上します。

なお、自己株式を取得、消却したときの付随費用は『**支払手数料**』(**営業外費用**)とします。

設例 3-1 自己株式の取得

次の取引の仕訳を示しなさい。

当社は、発行済みの当社の株式を10,000円で取得し、そのさいの手数料1,000円とともに現金で支払った。

(借)	自己株式	10,000	(貸)	現金預金	11,000
	支払手数料	1,000			

3 自己株式の期末評価と表示

自己株式は取得原価で評価し、時価評価は行いません。また、減損処理の対象にもなりません。

貸借対照表上の表示については、期末に保有する自己株式につき、取得原価で「**純資産の部の株主資本の区分の末尾**」に『**自己株式**』**として控除する形式**[*01]によります(**金額の前に「△」を付して記載**します)。

*01)株式を発行して資金を調達し、結局はその資金で自己株式を取得するということは、実質的に出資の払戻しとなるからです。

<純資産の部の表示例>

(純資産の部)	
Ⅰ 株主資本	
1 資本金	560,000
2 資本剰余金	94,750
3 利益剰余金	195,300
4 自己株式	△ 32,050
株主資本合計	818,000

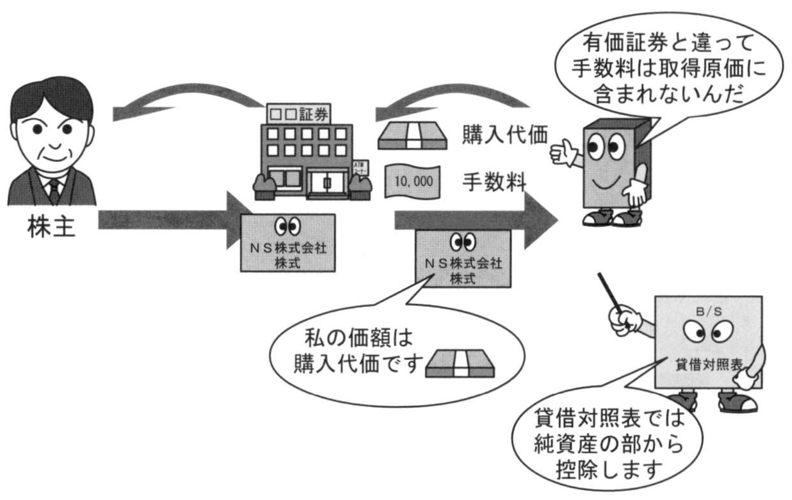

4 自己株式の処分

簿A 財計B ▶▶簿問題集：問題2 ▶▶財問題集：問題12

1．自己株式処分差額の処理

会社は取得した自己株式を処分[*01]することができます。自己株式を処分した場合は、自己株式の処分対価(売却価額)と帳簿価額の差額である「自己株式処分差額」が計上されます。

自己株式処分差額が、正の場合は「自己株式処分差益」、負の場合は「自己株式処分差損」といいます。いずれの場合も、自己株式処分差額は**『その他資本剰余金』**を用いて処理します[*02]。

*01)売却というイメージで捉えてください。要は他人に譲渡することです。

*02)「自己株式処分差益」、「自己株式処分差損」を用いて仕訳を行う場合もあります。

自己株式処分差額の計算

自己株式処分差額 ＝ 自己株式の処分対価 － 自己株式の帳簿価額

→ 正…(1)自己株式処分差益 ┐
→ 負…(2)自己株式処分差損 ┘『その他資本剰余金』で処理

設例 3-2 自己株式処分差額の処理

次の取引について、自己株式の処分対価が(1)13,000円の場合と、(2)8,000円の場合の各仕訳を示しなさい。

自己株式(取得原価10,000円)を処分し、現金の払込みを受けた。

(1)	(借) 現金預金	*13,000*	(貸)	自己株式	*10,000*
				その他資本剰余金	*3,000*
(2)	(借) 現金預金	*8,000*	(貸)	自己株式	*10,000*
	その他資本剰余金	*2,000*			

2．処分にかかる付随費用の処理

自己株式の処分にかかる付随費用は、次の方法により処理します[*03]。

(1) 原則：**『株式交付費』**（**営業外費用**）で**費用処理**

(2) 容認：**『株式交付費』**（**繰延資産**）に計上することが可能

*03) 同じ自己株式にかかる付随費用でも、取得時と処分時で処理方法が違う点に注意！

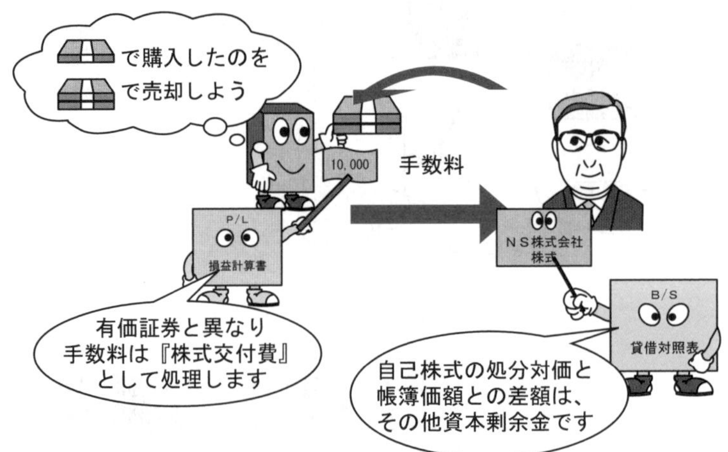

3．新株の発行と自己株式の処分を同時に行った場合

新株発行と自己株式の処分を同時に行った場合は、払込金額の総額を新株発行数と自己株式交付数の比で按分し、それぞれを新株の払込金額と自己株式の処分対価とします。

新株に対する払込金額と自己株式の処分対価の計算

$$\text{新株に対する払込金額} = \text{払込金額} \times \frac{\text{新株発行数}}{\text{株式交付数}}$$

$$\text{自己株式の処分対価} = \text{払込金額} \times \frac{\text{自己株式交付数}}{\text{株式交付数}}$$

なお、自己株式処分差益が生じる場合は通常の処理と同様ですが、**自己株式処分差損が生じる場合は、その金額を新株に対する払込金額から差引きます。**

設例 3-3　新株の発行と自己株式の処分

次の取引について、自己株式200株の帳簿価額が(1) 80,000円の場合と、(2) 125,000円の場合の各仕訳を示しなさい。

株式を1,000株募集し、総額500,000円の払込みを受けた。1,000株のうち800株は株式を発行して全額資本金とし、残りの200株は自己株式を交付した。

解答

(1)	(借) 現 金 預 金	500,000	(貸)	資 本 金	400,000
				自 己 株 式	80,000
				その他資本剰余金	20,000
(2)	(借) 現 金 預 金	500,000	(貸)	資 本 金	375,000
				自 己 株 式	125,000

解説

(1)新株に対する払込金額、自己株式の処分対価は、株式数で按分します。

新株に対する払込金額：$500{,}000円 \times \dfrac{800株}{1{,}000株} = 400{,}000円$

自己株式の処分対価：$500{,}000円 \times \dfrac{200株}{1{,}000株} = 100{,}000円$

自己株式処分差額：100,000円－80,000円＝20,000円(差益)

(2)新株に対する払込金額、自己株式の処分対価の算定は(1)と同様です。

自己株式処分差額：100,000円－125,000円＝△25,000円(差損)

新株に対する払込金額：400,000円－25,000円＝375,000円

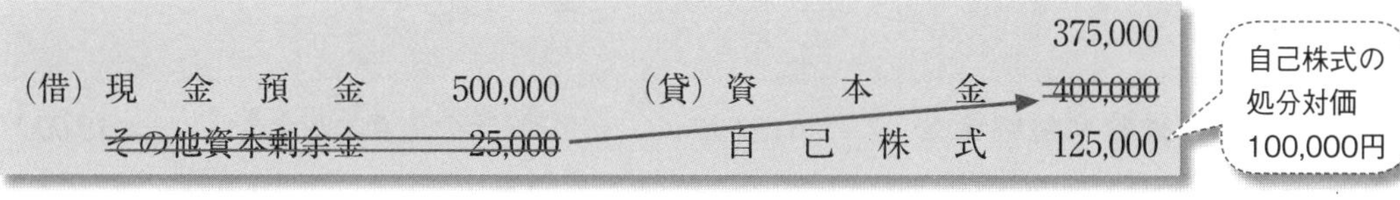

(借)	現 金 預 金	500,000	(貸) 資 本 金	~~400,000~~ 375,000
	~~その他資本剰余金~~	~~25,000~~	自 己 株 式	125,000

5 自己株式の消却

▶▶簿問題集：問題16
▶▶財問題集：問題11

会社は、保有する自己株式を消却することができます[*01]。自己株式を消却する場合は、会社法の規定によって帳簿価額を『**その他資本剰余金**』から減額します。なお、自己株式の消却にかかる付随費用は、財務費用と考え、『**支払手数料**』(**営業外費用**)に計上します[*02]。

*01)株式を無効にして捨てるイメージです。

*02)処分の場合と処理が違うので注意！

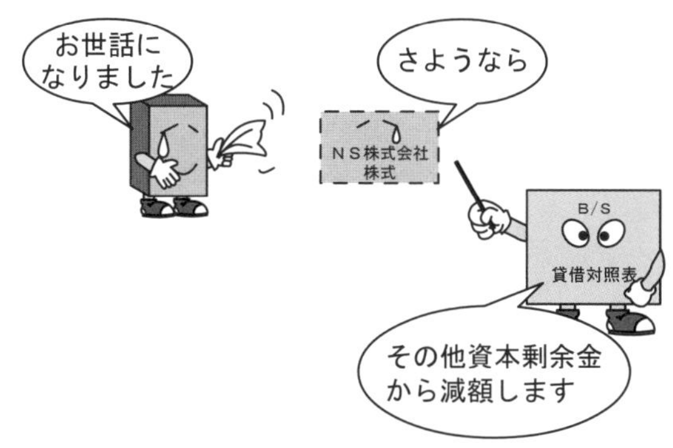

設例 3-4　自己株式の消却

次の取引の仕訳を示しなさい。

取締役会決議により自己株式10,000円を消却することが決議され、消却手続が完了した。なお、自己株式の消却に要した費用100円は現金で支払った。

解答

(借)	その他資本剰余金	*10,000*	(貸)	自 己 株 式	*10,000*
(借)	支 払 手 数 料	*100*	(貸)	現 金 預 金	*100*

6 その他資本剰余金がマイナスとなった場合

自己株式処分差損等によって、結果として『**その他資本剰余金**』がマイナスとなる場合があります。

利益剰余金を資本剰余金に振り替えることは原則的にはできませんが、このような場合は例外的に、期末において『**繰越利益剰余金**』を取り崩し、マイナスとなった『**その他資本剰余金**』を填補します。

設例 3-5 その他資本剰余金がマイナスとなった場合の処理

次の取引の仕訳を示しなさい。

期中に自己株式の処分を行った結果、期末におけるその他資本剰余金の金額は△10,000円であった。なお、期末における繰越利益剰余金の金額は25,000円である。

(借)	**繰越利益剰余金**	*10,000*	(貸)	**その他資本剰余金**	*10,000*

Section 4

新株予約権

新株予約権とは、それを発行する会社の株式を、ある価格で購入できる権利をいいますが、それは取得者側の話。発行者側では、新株予約権と「権利」であるかのような名称で計上しますが、実際は、新株予約権の行使があれば株式を交付する義務があります。しかも、義務といいつつも負債ではない。少しややこしいですね。

このSectionでは、新株予約権の発行者側の処理を学習します。

1 新株予約権とは

新株予約権とは、それを発行する会社の株式を**一定の期間内に一定の価格で購入できる権利**をいいます[*01)]。

新株予約権が行使されると、その発行会社は新株予約権者[*02)]に対して、**新株を発行**するか**自己株式を交付**しなければなりません[*03)]。逆に、新株予約権が権利行使期間内に行使されなければ、その新株予約権は失効します。

＊01)この権利が証券化された「新株予約権証券」が市場等で売買されています。

＊02)新株予約権の保有者のことです。

＊03)「新株予約権１個に対して株式10株」といった形で、新株予約権１個あたりの引き渡す株式数があらかじめ決められています。

2 新株予約権の会計処理

簿A 財計A ▶▶簿問題集：問題5,6,17,18 ▶▶財問題集：問題13

1．新株予約権の一連の処理

新株予約権の発行者側の取引は、(1)発行時、(2)権利行使されたとき、(3)権利行使期限到来時の処理が問題となります。

＜新株予約権の発行から失効＞

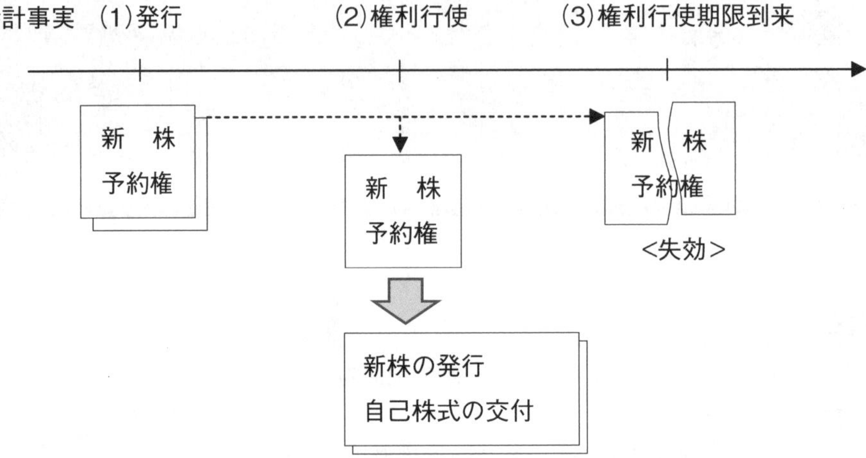

(1) 発行時の処理

新株予約権を発行した場合、払込金額をもって『**新株予約権**』(**純資産**)に計上します。

設例 4-1 新株予約権の発行

次の資料にもとづいて、必要な仕訳を示しなさい。

【資　料】

×1年4月1日、当社は以下の条件で新株予約権を発行し、対価は現金で受け取った。

(1) 新株予約権の発行にかかる条件
発行総数：40個　　払込金額：新株予約権1個につき500円

(2) 新株予約権1個あたりの株式交付数：2株　　1株あたり権利行使価額：1,500円
権利行使期限：×3年3月31日

解答

(借) 現金預金	20,000	(貸) 新株予約権	20,000 *01)

＊01)新株予約権：@500円×40個＝20,000円

(2) **権利行使されたときの処理**

新株予約権が行使された場合、発行会社は新株予約権者に対して①新株を発行するか、または②自己株式を交付します。

①新株を発行する場合

権利行使に対し新株を発行する場合、**権利行使による払込金額と新株予約権の振替額**(新株予約権発行による払込金額)**の合計額**を新株の払込金額とします。

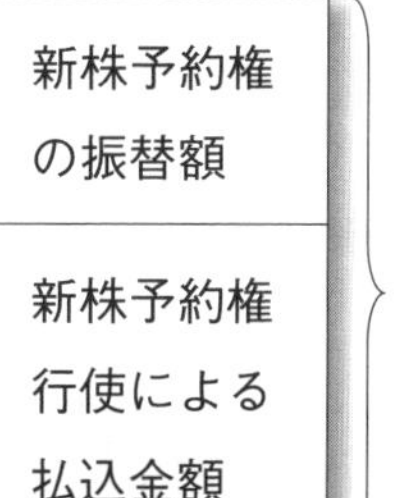

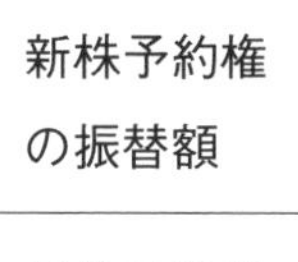

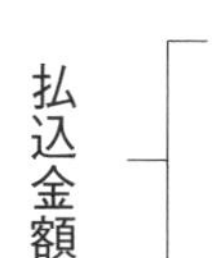

原則：全額 → 資　本　金

容認：$\frac{1}{2}$以上 → 資　本　金
残額 → 資本準備金

設例 4-2　　新株予約権と新株の発行

設例4-1で発行した新株予約権にもとづいて、次の取引の仕訳を示しなさい。

×2年6月30日、当社の発行した新株予約権のうち10個が権利行使され、すべて新株を発行した。なお、新株予約権の行使により発行する株式については、会社法規定の最低限度額を資本金に計上することとした。

(借)	現　金　預　金	30,000 *02)	(貸)	資　　本　　金	17,500
	新 株 予 約 権	5,000 *03)		資 本 準 備 金	17,500

*02) 権利行使による払込金額：(@1,500円×2株)×10個=30,000円

*03) 新株予約権の振替額：@500円×10個=5,000円

②自己株式を交付する場合

権利行使に対し自己株式を交付する場合、権利行使による払込金額と新株予約権の振替額の合計額を自己株式処分対価とします*04)。

*04) 自己株式処分差額が生じるさいの処理は、自己株式の処分の場合と同様です。

設例 4-3　新株予約権と自己株式の交付

設例４-１で発行した新株予約権にもとづいて、次の取引の仕訳を示しなさい。

×２年９月30日、当社の発行した新株予約権のうち10個が権利行使され、自己株式20株（帳簿価額@1,300円）を交付した。

（借）	現金預金	30,000	（貸）	自己株式	26,000 *05)
	新株予約権	5,000		その他資本剰余金	9,000 *06)

*05）@1,300円×20株＝26,000円

*06）貸借差額

設例 4-4　新株予約権と新株の発行・自己株式の交付

設例４-１で発行した新株予約権にもとづいて、次の取引の仕訳を示しなさい。

×２年12月31日、当社の発行した新株予約権のうち10個が権利行使され、交付する株式20株のうち５株は自己株式（帳簿価額@1,300円）を交付し、残りの15株は新株を発行した。なお、新株予約権の行使により発行する株式については、全額を資本金に計上することとした。

（借）	現金預金	30,000 *07)	（貸）	資本金	26,250 *09)
	新株予約権	5,000 *08)		自己株式	6,500
				その他資本剰余金	2,250 *10)

*07）払込金額：（@1,500円×２株）×10個＝30,000円 ｝払込金額合計：35,000円

*08）新株予約権の振替額：@500円×10個＝5,000円 ｝

*09）新株の払込金額：35,000円×$\frac{15株}{20株}$＝26,250円

*10）自己株式処分対価：35,000円×$\frac{5株}{20株}$＝8,750円

自己株式処分差額：8,750円－（@1,300円×５株）＝2,250円（差益）⇒『その他資本剰余金』として処理

(3) 権利行使期限到来時の処理

発行した新株予約権の権利行使がなされずに権利行使期限が到来した場合には、『**新株予約権**』を『**新株予約権戻入益**』(**特別利益**)に**振り替え**ます。

設例 4-5 新株予約権の失効

設例 4-1で発行した新株予約権にもとづいて、次の取引の仕訳を示しなさい。

×3年3月31日、当社の発行した新株予約権10個が行使されないまま権利行使期限が到来した。

(借)		(貸)	
新株予約権	*5,000*	**新株予約権戻入益**	*5,000* *11)

*11) 新株予約権戻入益:@500円×10個=5,000円

2. 新株予約権の表示

新株予約権は社債のような返済義務のある負債ではないため、純資産の部に記載します*12)。ただし、新株予約権者は株主ではないため、純資産の部において株主資本とは明確に区別し、新株予約権の区分を設けて表示します。

*12) 貸借対照表項目のうち、貸方項目で負債の定義にあてはまらないものは、純資産の部に計上します。

<純資産の部の表示例>

(純資産の部)	
Ⅰ 株主資本	
1 資本金	560,000
2 資本剰余金	94,150
3 利益剰余金	195,300
4 自己株式	△ 32,050
株主資本合計	817,400
Ⅱ 評価・換算差額等	
1 その他有価証券評価差額金	13,000
Ⅲ 株式引受権	10,000
Ⅳ 新株予約権	44,750
	885,150

Section 5 新株予約権付社債

社債によって多額の資金調達をしようとしても、社債のみの発行では利率を高く設定しないと魅力に乏しく、十分な調達ができない可能性があります。

そこで、低い利率によっても社債を引き受けてもらえるように、社債と新株予約権をセットにして募集することがあります。それが新株予約権付社債です。

このSectionでは、新株予約権付社債の発行者側の処理を学習します。

1 新株予約権付社債とは

新株予約権付社債とは、**新株予約権が付された社債**のことをいいます。新株予約権付社債は、新株予約権または社債が消滅した場合を除き、新株予約権部分または社債部分のいっぽうのみを分離譲渡することはできません。

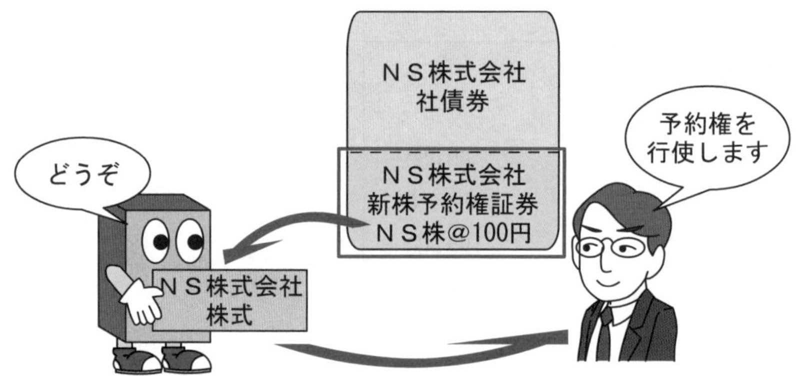

2 新株予約権付社債の種類と会計処理

簿B 財計B

新株予約権付社債の種類には、(1)転換社債型(てんかんしゃさいがた)と(2)転換社債型以外のものがあります。

(1)転換社債型

転換社債型の新株予約権付社債とは、新株予約権行使時に現金等を払い込む代わりに、社債自体を払込みに用いること[*01]があらかじめ決められている新株予約権付社債のことです。

つまり、追加的な払込みをしていないので、あたかも社債から株式へと転換したような社債ということになります。

転換社債型では、新株予約権と社債を「区分して処理する方法(区分法)」、または「一括して処理する方法(一括法)」により処理します。

＊01)「代用払込」といいます。転換社債型の場合は、代用払込が強制されます。

(2)転換社債型以外

転換社債型以外の新株予約権付社債には、代用払込があったとみなすものと、代用払込が認められるものとがあります。

ただし、いずれの場合でも、転換社債型以外の新株予約権付社債は、区分法により処理をします。

	転換社債型	転換社債型以外
発行者側の処理	一括法または区分法	区分法

＜新株予約権付社債の会計処理＞

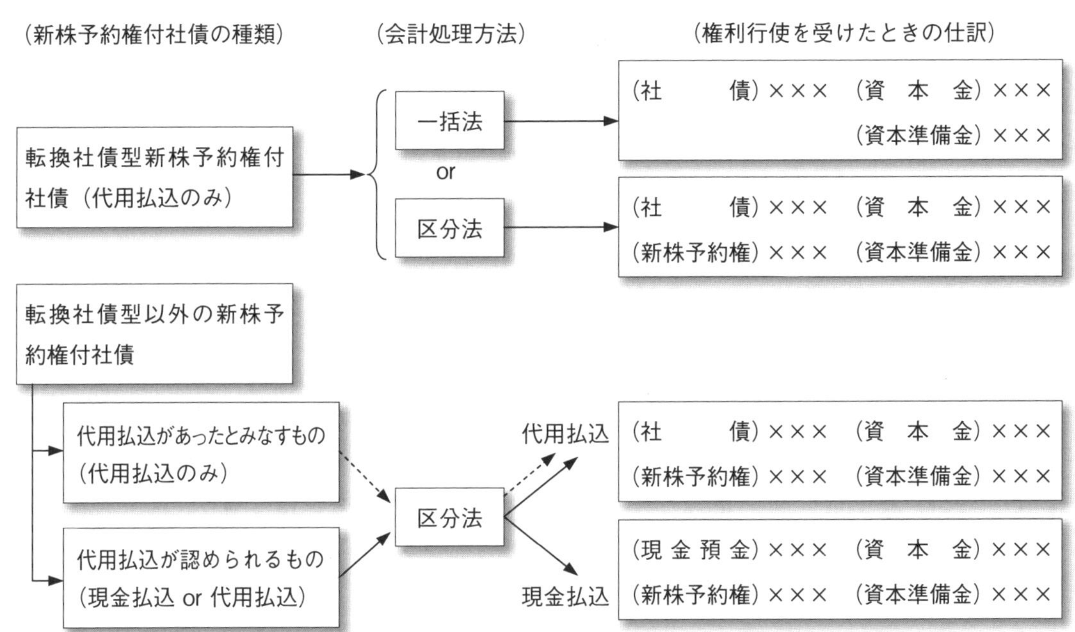

3 一括法による会計処理

簿B 財計B

▶▶簿問題集：問題7
▶▶財問題集：問題14

転換社債型の新株予約権付社債を一括法により処理した場合、(1)発行時、(2)利払時・決算時、(3)権利行使時、(4)権利行使期限到来時、(5)満期時の各時点における会計処理が問題となります。

(1)発行時の処理

社債および新株予約権の対価を、まとめて『**社債**』*01)に計上します。

*01)『新株予約権付社債』を用いることもあります。

設例 5-1 一括法による処理（発行時）

次の資料にもとづいて、一括法より、新株予約権付社債の発行時の仕訳を示しなさい。なお、決算日は年１回３月31日である。

【資　料】

×１年４月１日に、額面総額100,000円の新株予約権付社債(転換社債型)を額面発行し、払込金は現金で受領した。払込金のうち90%は社債の対価であり、残りの10%は新株予約権100個の対価とする。なお、償還期限(権利行使期限)は×６年３月31日、クーポン利率は年４%、利払日は３月末日の後払いである。

(借) 現金預金	*100,000*	(貸) 社　債	*100,000*

(2)利払時・決算時の処理

通常の社債と同様に、クーポン利息等の計上を行います*02)。

*02) 額面金額と帳簿価額とに差額がある場合には、償却原価法を適用する場合もあります。

設例 5-2 一括法による処理（利払時・決算時）

設例５-１と次の資料にもとづいて、必要な仕訳を示しなさい。

【資　料】

×２年３月31日、新株予約権付社債にかかるクーポン利息を現金で支払った。

(借) 社債利息	*4,000* *03)	(貸) 現金預金	*4,000*

*03) クーポン利息額：100,000円×0.04＝4,000円

(3)権利行使時の処理

権利行使部分に対応する社債の簿価合計*04)を、資本金または資本準備金に振り替えます。

*04) 転換社債型なので代用払込によります。

設例 5-3 一括法による処理（権利行使された時）

設例５-１と次の資料にもとづいて、必要な仕訳を示しなさい。

【資　料】

×２年９月30日、新株予約権の80%について権利行使された。なお、会社法規定の最低限度額を資本金とし、クーポン利息の支払いは考慮しないものとする。

(借) 社　債	*80,000* *05)	(貸) 資本金	*40,000*
		資本準備金	*40,000*

*05) 代用払込額：100,000円×0.8＝80,000円

(4)権利行使期限到来時の処理

新株予約権の権利行使期限が到来しても、新株予約権と一括して処理されている社債は満期日まで残るため、処理を行いません。

設例 5-4　一括法による処理（権利行使期限到来時）

設例5-1と次の資料にもとづいて、必要な仕訳を示しなさい。

【資　料】

×6年3月31日、新株予約権のうち20%は行使されずに権利行使期限をむかえた。

(借)	仕　訳　な　し	(貸)	

(5)満期時の処理

社債の満期時には通常の社債と同様に、社債の額面金額について償還します。

設例 5-5　一括法による処理（満期時）

設例5-1と次の資料にもとづいて、必要な仕訳を示しなさい。

【資　料】

×6年3月31日、社債の利払日および満期日につき、利息の支払いおよび償還を現金で行った。なお、×2年9月30日において、新株予約権付社債の80%について権利行使を受けている。

(借)	社債利息	800 *06)	(貸)	現金預金	800
(借)	社債	20,000 *07)	(貸)	現金預金	20,000

*06) クーポン利息額：100,000円×0.2×0.04=800円

*07) 社債償還額：100,000円×0.2=20,000円

4 区分法による会計処理

簿B　財計B　▶▶簿問題集：問題8,9

転換社債型または転換社債型以外の新株予約権付社債を区分法により処理した場合、発行時から満期時までの各時点における会計処理が問題となります。

なお、転換社債型以外によった場合、権利行使されたときに、代用払込によった場合と現金等の払込みを受けた場合で、会計処理が異なります*01)。

*01) 権利行使を受けたときの処理の違いから、満期時の処理も異なります。

(1)発行時の処理

社債の対価は『**社債**』で、新株予約権の対価は『**新株予約権**』で処理します。

設例 5-6　区分法による処理（発行時）

次の資料にもとづいて、新株予約権付社債の発行時の仕訳を示しなさい。なお、決算日は年1回3月31日である。

【資　料】

×1年4月1日に、額面総額100,000円の新株予約権付社債(転換社債型以外)を額面発行し、払込金は現金で受領した。払込金のうち90％は社債の対価であり、10％は新株予約権100個の対価とする。なお、償還期限は5年(×6年3月31日)、権利行使期限は4年(×5年3月31日)、利率は年4％、利払日は3月末日の後払いである。

(借)	現金預金	90,000	(貸) 社債	90,000 *02)
(借)	現金預金	10,000	(貸) 新株予約権	10,000 *03)

*02) 社債：100,000円×0.9＝90,000円

*03) 新株予約権：100,000円－90,000円＝10,000円

(2)利払時・決算時の処理

通常の社債と同様に、クーポン利息の計上を行います。また、社債の額面金額と帳簿価額とに差額がある場合には、償却原価法を適用します*04)。

*04) 償却方法等については、問題文の指示に従いましょう。

設例 5-7　区分法による処理（利払時・決算時）

設例5-6と次の資料にもとづいて、必要な仕訳を示しなさい。

【資　料】

×2年3月31日、新株予約権付社債にかかるクーポン利息を現金で支払った。また、期末につき償却原価法(定額法)による処理を行う。

(借)	社債利息	4,000 *05)	(貸) 現金預金	4,000
(借)	社債利息	2,000 *06)	(貸) 社債	2,000

*05) クーポン利息額：100,000円×0.04＝4,000円

*06) 償却額：(100,000円－90,000円)×$\frac{12カ月}{60カ月}$＝2,000円

(3)権利行使時の処理

権利行使されたときの処理は、それが①代用払込によるものか、②現金等の払込みによるものかで、会計処理が異なります。

①代用払込

権利行使に対し、権利行使した部分に対応する新株予約権と社債の簿価合計を、資本金または資本準備金に振り替えます*07)。

*07) 期中に権利行使を受けた場合、期首から権利行使時までの償却額の計上を忘れないようにしましょう。

新株予約権	資本金等に振り替える部分
社債払込金額	社債の簿価
社債発行差額既償却分	
社債発行差額未償却分	

社債額面：社債払込金額＋社債発行差額既償却分＋社債発行差額未償却分

設例 5-8　区分法による処理（代用払込）

設例5-6と次の資料にもとづいて、必要な仕訳を示しなさい。

【資　料】

×2年9月30日、代用払込により新株予約権の80%について権利行使され、新株予約権1個につき2株を交付する。なお、会社法規定の最低限度額を資本金とし、クーポン利息の支払いは考慮しないものとする。

(借)	社債利息	800 *08)	(貸) 社債	800
(借)	社債	74,400 *09)	(貸) 資本金	41,200
	新株予約権	8,000 *10)	資本準備金	41,200

*08) 当期償却額：(100,000円−90,000円)×0.8×$\frac{6カ月}{60カ月}$=800円

*09) 社債振替額：(90,000円+2,000円(前期償却額))×0.8+800円=74,400円

*10) 新株予約権の振替額：10,000円×0.8=8,000円

（*09・*10）払込金額合計：82,400円

②現金等の払込み

権利行使に対し、現金等による払込みを受ける場合は、通常の新株予約権の権利行使時と同じ処理になります。なお、**権利行使後も社債部分は残ります。**

設例 5-9　区分法による処理（現金払込）

設例5-6と次の資料にもとづいて、必要な仕訳を示しなさい。

【資　料】

×2年9月30日、現金払込により新株予約権の80%について権利行使され、新株予約権1個につき2株を交付する(権利行使価額は1株あたり500円である)。なお、会社法規定の最低限度額を資本金とし、クーポン利息の支払いは考慮しないものとする。

(借)	現金預金	80,000 *11)	(貸) 資本金	44,000
	新株予約権	8,000 *12)	資本準備金	44,000

*11) 現金払込額：(@500円×2株)×100個×0.8=80,000円

*12) 新株予約権の振替額：10,000円×0.8=8,000円

（*11・*12）払込金額合計：88,000円

(4)権利行使期限到来時の処理

権利行使期限到来時に、未行使分の新株予約権の帳簿価額を『**新株予約権戻入益**』(特別利益)に振り替えます*13)。

*13)通常の新株予約権の処理と同様です。

設例 5-10　区分法による処理(権利行使期限到来時)

設例5-6と次の資料にもとづいて、必要な仕訳を示しなさい。

【資　料】

×5年3月31日、新株予約権のうち20%は行使されずに権利行使期限をむかえた。

(借)	新株予約権	2,000	(貸)	新株予約権戻入益 2,000*14)

*14)新株予約権戻入益:10,000円×0.2=2,000円

(5)満期時の処理

社債の満期時には通常の社債と同様に、社債の額面金額について償還します。なお、償還前に新株予約権の権利行使をされた場合、代用払込によったか、現金等の払込みによったかにより、社債の金額が異なる点に注意が必要です*15)。

*15)現金等の払込みの場合、社債は減っていない点に注意します。

設例 5-11　区分法による処理(満期時・代用払込)

設例5-6と次の資料にもとづいて、必要な仕訳を示しなさい。

【資　料】

×6年3月31日、社債の利払日および満期日につき、利息の支払いおよび償還を現金で行った。なお、×2年9月30日において新株予約権付社債の80%について代用払込による権利行使を受けている。

(借)	社債利息	800*16)	(貸)	現金預金	800
(借)	社債利息	400*17)	(貸)	社債	400
(借)	社債	20,000*18)	(貸)	現金預金	20,000

*16)クーポン利息額:100,000円×0.2×0.04=800円

*17)当期償却額:(100,000円−90,000円)×0.2×$\frac{12カ月}{60カ月}$=400円

*18)社債償還額:100,000円×0.2=20,000円

設例 5-12　区分法による処理（満期時・現金払込）

設例5-6と次の資料にもとづいて、必要な仕訳を示しなさい。

【資　料】

×6年3月31日、社債の利払日および満期日につき、利息の支払いおよび償還を現金で行った。なお、×2年9月30日において新株予約権付社債の80％について現金等の払込みによる権利行使を受けている。

（借）	社債利息	4,000 *19)	（貸）	現金預金	4,000
（借）	社債利息	2,000 *20)	（貸）	社債	2,000
（借）	社債	100,000 *21)	（貸）	現金預金	100,000

＊19）クーポン利息額：100,000円×0.04＝4,000円

＊20）当期償却額：(100,000円−90,000円)×$\frac{12カ月}{60カ月}$＝2,000円

＊21）現金払込による権利行使のため、満期日における社債は額面金額と同額になっています。

Section 6

純資産に関する注記

このSectionでは、主に会社計算規則に規定されている純資産に関する注記について学習します。あまり馴染みのない注記内容かもしれませんが、特に株主資本等変動計算書に関する注記事項は、出題されれば得点しやすい項目です。ぜひマスターしましょう！

1 株主資本等変動計算書に関する注記 

株主資本等変動計算書に関する注記事項および注記例を示します。

注記事項	注　記　例
当該事業年度の末日における**発行済株式の数**	当事業年度の末日における発行済株式数 100,000株
当該事業年度の末日における**自己株式の数**	当事業年度の末日における自己株式数 1,000株
当該事業年度中に行った剰余金の**配当の総額**	当事業年度中に行った配当総額 5,000千円
当該事業年度末後に行う剰余金の**配当の総額**＊01)	当事業年度末後に行う配当総額 2,500千円
当該事業年度の末日における**新株予約権の目的となる株式の数**＊02)	新株予約権の目的となる株式数 2,000株

＊01) 配当の基準日が当期中で実際の配当が翌期となるもの。

＊02) 権利行使期間の初日が到来していないものを除きます。

2 一株あたり情報に関する注記 

▶▶財問題集：問題15

普通株主に関する一会計期間における企業の成果を示し、投資者の的確な投資判断に資する情報を提供します。銭未満を切り捨て、銭単位で表示します＊01)。

＊01)「××円○○銭」と表示します。

1．一株あたり当期純利益

一株あたり当期純利益の計算

$$\text{一株あたり当期純利益}^{*02)} = \frac{\text{当期純利益}}{\text{発行済株式総数}^{*03)} - \text{自己株式数}^{*03)}}$$

※株式数については、期中平均を使います。

＊02) 厳密には、発行済株式、自己株式、当期純利益とも普通株式について計算します。

＊03) 期中に株式数の増減があった場合は、保有期間も考慮します。

2．一株あたり純資産額

一株あたり純資産額の計算

$$一株あたり純資産額 = \frac{純資産額^{*04)}}{年度末発行済株式総数 - 年度末自己株式総数}$$

＊04)貸借対照表の純資産の部の合計額から新株式申込証拠金、新株予約権を控除した金額です。

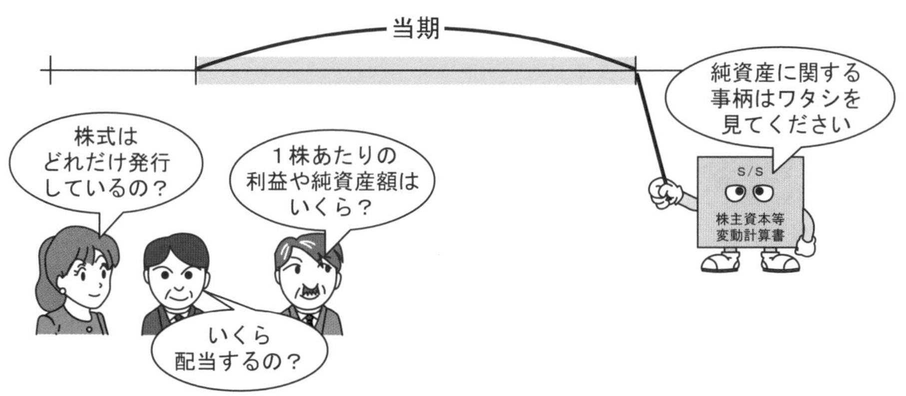

設例 6-1 一株あたり情報 1

次の資料にもとづいて、一株あたり当期純利益と一株あたり純資産額を求めなさい。

【資　料】

N社は当期(×1年4月1日～×2年3月31日)の7月1日に自己株式5,000株を取得し、期末においても保有している。また、10月1日に10,000株の増資を行っている。N社の期首発行済株式数は20,000株であり、純資産額合計は1,235,600円、当期純利益は80,000円である。

解答

一株あたり当期純利益は　3 円 76 銭　である。

一株あたり純資産額は　49 円 42 銭　である。

解説

(1) 一株あたり当期純利益

期中に増減した自己株式や増資にかかる株式は月数で按分し、平均株式数を求めます。

$$当期中の平均株式数：20{,}000株 - 5{,}000株 \times \frac{9カ月}{12カ月} + 10{,}000株 \times \frac{6カ月}{12カ月} = 21{,}250株$$

$$\therefore 一株あたり当期純利益：\frac{80{,}000円}{21{,}250株} = 3.7647\cdots円 \Rightarrow 3円76銭$$

(2) 一株あたり純資産額

期末の株式数：20,000株－5,000株(自己株式)＋10,000株＝25,000株

$$\therefore 一株あたり純資産額：\frac{1{,}235{,}600円}{25{,}000株} = 49.424円 \Rightarrow 49円42銭$$

設例 6-2　一株あたり情報2

次の資料にもとづいて、一株あたり純資産額を求めなさい。

【資　料】

N社の当期末における貸借対照表の純資産合計額は1,400,000円であるが、純資産の部には新株予約権30,000円が計上されている。なお、N社の期末発行済株式数は20,000株であった。

一株あたり純資産額は 68 円 50 銭 である。

解説

新株予約権は一株あたり純資産額の計算上、控除します。

∴一株あたり純資産額：$\dfrac{(1{,}400{,}000\text{円} - 30{,}000\text{円})}{20{,}000\text{株}} = 68.5\text{円} \Rightarrow 68\text{円}50\text{銭}$

この Chapter での表示と注記

貸借対照表

（資産の部）	（負債の部）		
⋮	⋮		
	Ⅱ　固定負債		
	社債		×××
	（純資産の部）		
	Ⅰ　株主資本		
	1　資　本　金		×××
	2　資本剰余金		
	（1）資本準備金	×××	
	（2）その他資本剰余金	×××	×××
	3　利益剰余金		
	（1）利益準備金	×××	
	（2）その他利益剰余金		
	任意積立金	×××	
	繰越利益剰余金	×××	×××
	4　自己株式		△××
	株主資本合計		×××
	Ⅱ　評価・換算差額等		
	1　その他有価証券評価差額金		×××
	Ⅲ　株式引受権		×××
	Ⅳ　新株予約権		×××
	純資産合計		×××

損益計算書

⋮	
Ⅲ　販売費及び一般管理費	
⋮	
Ⅴ　営業外費用	
社債利息	×××
株式交付費	×××
支払手数料	×××
⋮	
Ⅵ　特別利益	
新株予約権戻入益	×××
Ⅶ　特別損失	
⋮	

【注記例】（一部）

〈株主資本等変動計算書に関する注記〉

・当事業年度の末日における発行済株式数　×××株
・当事業年度の末日における自己株式数　××株
・当事業年度中に行った配当総額　×××千円
・当事業年度末後に行う配当総額　×××千円
・新株予約権の目的となる株式数　××株

〈一株あたり情報に関する注記〉

・一株あたり当期純利益　×円××銭
・一株あたり純資産額　××円××銭

Chapter 10
繰延資産

皆さんは、有形固定資産にも無形固定資産にもあてはまらない資産があるのをご存知ですか？　そうです。繰延資産です。この繰延資産は会計の世界でしか存在できない変わり者です。

このChapterでは、その繰延資産について学習します。

Section 1

繰延資産の会計処理

繰延資産は「資産」と名が付いていますが、本来の姿は「費用」です。支出した時に「費用」とするものを、例外的に支出した時に「資産」としているのですから、時がたてば再び「費用」に姿を変えてあげなければなりません。

このSectionでは、繰延資産の会計処理のポイントとなる、どのようにして「費用」とするのかについて学習します。

1 繰延資産の処理の流れ

繰延資産については、支出時および決算日の会計処理が問題となります。

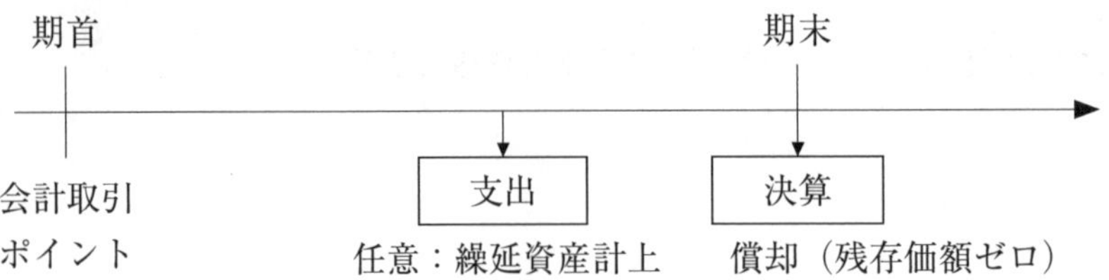

2 繰延資産の2つの処理方法

1．原則

繰延資産に計上できる項目についても、原則は全額を**支出時の費用**として処理することとされています*01)。

＊01）特に指示がなければ、繰延資産に計上できる項目でも、費用として計上します。

＜支出時＞

（借）創　立　費 ×××　（貸）現　金　預　金 ×××
　　（営業外費用）

原則は、全額を支出時の費用とします。

2．容認

繰延資産は換金価値のない資産であるため、現行の会計制度では、次にあげる5つの項目に**限定**して、繰延資産として計上することを認めています。

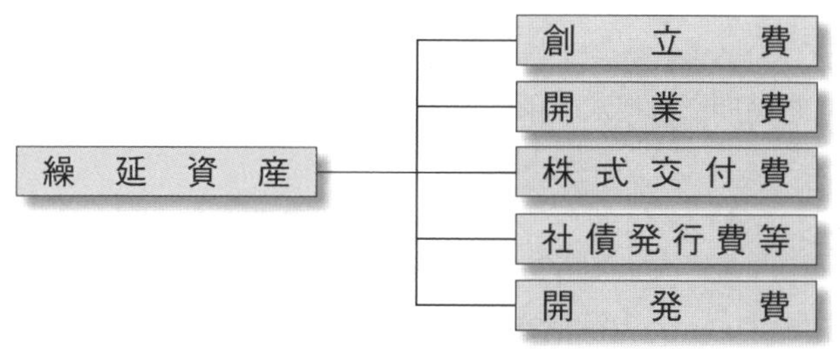

なお、繰延資産として計上した場合は、決算日において、**残存価額をゼロ**とした一定の方法・期間によって**直接法により償却**しなければなりません。

<支出時>

(借) 創立費 ××× (貸) 現金預金 ×××
(繰延資産)

<決算時>

(借) 創立費償却 ××× (貸) 創立費 ×××
(営業外費用)

3 繰延資産の償却

▶▶簿問題集：問題１

ここでは、繰延資産として計上できる項目の概要と、繰延資産として計上した場合の償却(費用化)について学習します。

1．創立費

創立費とは、会社を設立するために支出した定款作成費、登記料等の費用をいいます*01)。

*01) このほか、設立費用や発起人への報酬、設立時に発行した株式の発行費用なども含まれます。

償却期間	会社設立のときから５年以内のその効果の及ぶ期間
償却方法	定額法（月割）
償却費の表示区分	営業外費用

2．開業費

開業費とは、会社設立後から営業開始までの期間に、開業準備のために支出した従業員の給料等*02)の費用をいいます。

*02) その他に、営業開始までに支払った広告宣伝費や支払利子、保険料なども含まれます。

償却期間	開業のときから５年以内のその効果の及ぶ期間
償却方法	定額法（月割）
償却費の表示区分	営業外費用（または販売費及び一般管理費）

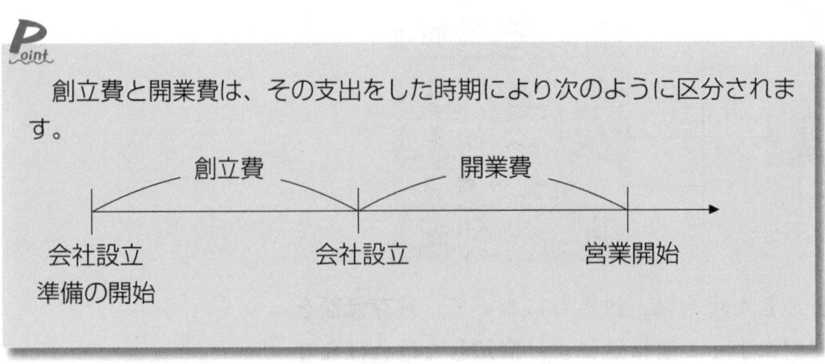

設例 1-1　創立費・開業費の償却

次の資料にもとづき、決算日(×2年3月31日)において必要な仕訳を示しなさい。なお、当期は×1年4月1日を期首とする1年間である。

【資　料】

1

決算整理前残高試算表　(単位：円)

創　立　費	500,000		
開　業　費	250,000		

2 (1) 当社は×1年4月1日に設立しており、設立のために500,000円を支出した。この支出は創立費として繰延資産に計上し、5年間にわたり定額法により償却する。

(2) 当社は×1年7月1日に営業を開始し、会社設立後から営業開始までに250,000円を支出した。この支出は開業費として繰延資産に計上し、5年間にわたり定額法により償却する。

解答

(借)	創立費償却	100,000 *03)	(貸) 創　立　費	100,000
(借)	開業費償却	37,500 *04)	(貸) 開　業　費	37,500

*03) 創立費償却：500,000円×$\frac{12カ月}{12カ月×5年}$=100,000円

*04) 開業費償却：250,000円×$\frac{9カ月}{12カ月×5年}$=37,500円

3．株式交付費

株式交付費とは、会社設立後に新株の発行または自己株式の処分のために支出した費用*05)をいいます。

ただし、繰延資産として資産計上できる株式交付費は、**企業規模の拡大のため**に行う新株発行や自己株式の処分にかかった支出額に限られています。そのため、株式の分割*06)や株式無償割当*06)にかかった支出額は、繰延資産として計上することはできず、一括して支出した期の費用としなければなりません。

*05) 証券会社等への手数料や、電子化されていない株券の紙代・印刷代なども含まれます。

*06) どちらも会社の資産は増えずに、株式の数だけを増やすものなので、企業規模は拡大しません。

償　却　期　間	株式交付のときから3年以内のその効果の及ぶ期間
償　却　方　法	定額法（月割）
償却費の表示区分	営業外費用

設例 1-2 株式交付費の償却

次の資料にもとづき、決算(×1年4月1日～×2年3月31日)における繰延資産の償却に関する仕訳を示しなさい。なお、繰延資産として計上できる株式交付費は、繰延資産として計上している。

【資　料】

1　×1年6月1日に、会社の規模拡大のために新株を発行し、発行にかかる諸費用1,080円を現金で支払っている。

2　×1年12月1日に、株式分割のために株式を発行し、発行にかかる諸費用400円を現金で支払っている。

3　繰延資産として計上した株式交付費は、株式交付の日から3年間にわたり定額法により償却する。

解答

(借) **株式交付費償却**　300＊07)　(貸) **株　式　交　付　費**　300

解説

1　新株発行にかかった費用については企業規模拡大のためのものなので、問題の指示により繰延資産として計上し、決算日において償却します。

2　株式分割にかかる諸費用は資金調達をともなわない株式の交付であるため、繰延資産として計上することはできず、支出時の費用としているため、決算日に処理は行いません。

＊07)株式交付費償却：$1,080円\times\frac{10カ月}{12カ月\times3年}=300円$

株式交付費(B／S)：1,080円−300円＝780円

4．社債発行費等

社債発行費とは、社債を発行するために支出した費用＊08)をいいます。

償　却　期　間	社債の償還までの期間
償　却　方　法	原則：利息法 容認：継続適用を条件に定額法(月割)
償却費の表示区分	営業外費用

＊08)証券会社等への手数料や、電子化されていない債券の紙代・印刷代などが含まれます。

なお、新株予約権の発行にかかる費用についても、資金調達などの財務活動にかかるものについては、社債発行費と同様に繰延資産として処理することができます＊09)。

＊09)新株予約権の発行費も含めて、「社債発行費“等”」といいます。

償　却　期　間	新株予約権の発行のときから3年以内のその効果の及ぶ期間
償　却　方　法	定額法（月割）
償却費の表示区分	営業外費用

設例 1-3 社債発行費の償却（定額法）

次の資料にもとづき、決算（×4年3月31日）における仕訳を示しなさい。なお、当社の会計期間は1年間である。

1　決算整理前残高試算表

決算整理前残高試算表　　（単位：円）

社　債　発　行　費	300	

2　決算整理事項（前期までの処理は適正に行われている）

社債発行費は、×1年4月1日に発行した償還期限5年の社債にかかるものであり、定額法で償却している。

解答

（借）**社債発行費償却**	*100*[*10)]	（貸）**社　債　発　行　費**	*100*

解説

×1年4月1日から×3年3月31日の24カ月分については、すでに償却されているので、前T／B上の300円を残り36カ月（12カ月×5年－24カ月）で償却します。

＊10）社債発行費償却：$300円 \times \frac{12カ月}{60カ月-24カ月} = 100円$

5．開発費

開発費とは、企業が新技術の採用や新資源の開発、新市場の開拓等のために支出した金額[*11)]のうち、**経常費用としての性格をもつものを除いた支出額**をいいます。

開発費と研究開発費は似ていますが、支出の効果が望めるもの（開発費）か、支出の効果が不明なもの（研究開発費）かにより、次のように区別します。

・新技術の**採用**、市場の**開拓**、新資源の**開発**	経常的なもの⇒『開発費』[*12)]（費用処理） 経常的でないもの⇒『開発費』（繰延資産に計上可）
・新技術の**研究**や**計画**　⇒　『研究開発費』（費用処理）	

償　却　期　間	支出のときから5年以内のその効果の及ぶ期間
償　却　方　法	定額法、その他の合理的な方法（月割）
償却費の表示区分	売上原価または販売費及び一般管理費

＊11）このうち、新技術の採用にかかる費用で、研究開発費に該当するものは、発生時に費用処理します。なお、研究開発費については教科書Ⅲ応用編で詳しく説明します。

＊12）『開発費』という費用の勘定科目を使います。繰延資産と同じ勘定科目なので、混同しないように注意！

設例 1-4 開発費の償却

次の資料にもとづき、決算(×4年3月31日)における、貸借対照表(一部)および損益計算書(一部)を完成させなさい。なお、当社の会計期間は1年間である。

【資　料】

1　決算整理前残高試算表

決算整理前残高試算表　(単位：円)

開　発　費	29,000	

2　決算整理事項等

(1)　×3年4月1日に新技術の採用のための費用9,000円を支払い、繰延資産(開発費)として計上した。当該費用は研究開発費(原価性はない)に該当する。

(2)　×3年6月1日には新資源の開発のための費用12,000円を支払い、繰延資産(開発費)として計上した。当該費用は経常費用としての性格は有していない。

(3)　×3年8月1日には新市場の開拓のための費用8,000円を支払い、繰延資産(開発費)として計上した。当該費用は経常費用といえるものである。

(4)　当社では、繰延資産として計上できるものは資産計上し、支出のときから5年(定額法)で償却している。なお、償却費は販売費及び一般管理費として処理する。

(5)　繰延資産としての処理が適切でないものは、決算にあたり適切に処理すること。

解答

貸借対照表　(単位：円)

開　発　費	*10,000*	

損益計算書　(単位：円)

Ⅲ　販売費及び一般管理費	
研究開発費	*9,000*
開発費償却	*2,000*
開　発　費	*8,000*

解説

(1)の費用は研究開発費に該当するため、支出した期の費用として処理します。なお、原価性はないという指示により、一般管理費になります。

(2)の費用は経常費用にあたらないため、繰延資産として計上し、償却していきます。

開発費償却(P／L)：$12{,}000\text{円} \times \dfrac{10\text{カ月}}{12\text{カ月} \times 5\text{年}} = 2{,}000\text{円}$

開　発　費(B／S)：12,000円－2,000円(当期償却額)＝10,000円

(3)の経常費用としての開発費は繰延資産に計上できないため、支出した期の費用となります。また、繰延資産として計上した誤処理を訂正する仕訳が必要となります。

〈繰延資産の会計処理のまとめ〉

繰延資産として計上できる項目であっても、原則は全額を支出時に費用として計上します。繰延資産として計上した場合は、次のように処理をします。

		償却方法	償却期間	償却費のP/L表示
創立費		定額法	5年以内	営業外費用
開業費		定額法	5年以内	営業外費用 （販売費及び一般管理費でも可）
株式交付費		定額法	3年以内	営業外費用
社債発行費等	社債	原則：利息法 容認：定額法	償還期間内	営業外費用
	新株予約権	定額法	3年以内	営業外費用
開発費		定額法	5年以内	売上原価　または 販売費及び一般管理費

4 表示方法

1．表示区分

資産の部に「Ⅲ繰延資産」として、「Ⅰ流動資産」・「Ⅱ固定資産」とは区別して計上します。

2．計上額

当該繰延資産から償却額を直接控除し未償却残高を計上します。繰延資産は、取替更新が予定されないため、純額としての未償却残高を示すことが有益となります。

貸　借　対　照　表

（資産の部）		（負債の部）	
Ⅰ　流動資産	×××	⋮	×××
Ⅱ　固定資産	×××		
Ⅲ　繰延資産			
1　創立費	×××		
2　開業費	×××		
⋮			

5 繰延資産の注記

▶▶財問題集：問題 1,2

繰延資産として計上できる項目は支出時に費用として処理することが原則です。また、容認処理として繰延資産に計上された項目は一定の期間内に償却しなければなりません。

繰延資産に関して、どのような会計処理方法を採用したかを明らかにするため、重要な会計方針として注記が必要となります。

【注記例】

〈重要な会計方針に係る事項に関する注記〉
- 創立費は全額支出時の費用として処理している。
- 開業費は５年間で定額法により償却している。
- 株式交付費は３年間で定額法により償却している。
- 社債発行費は償還期限である４年間で定額法により償却している。
- 開発費は全額支出時の費用として処理している。

このChapterでの表示と注記

1．繰延資産として計上した場合

貸借対照表

（資産の部）		（負債の部）
⋮		⋮
Ⅲ　繰延資産		
創立費	×××	（純資産の部）
開業費	×××	⋮
株式交付費	×××	
社債発行費	×××	
開発費	×××	

損益計算書

⋮	
Ⅲ　販売費及び一般管理費	
開発費償却	×××
⋮	
Ⅴ　営業外費用	
創立費償却	×××
開業費償却	×××
株式交付費償却	×××
社債発行費償却	×××

【注記例】（一部）
〈重要な会計方針に係る事項に関する注記〉
- 創立費は５年間で定額法により償却している。
- 社債発行費は償還期限である４年間で定額法により償却している。

2．支出時の費用として計上した場合

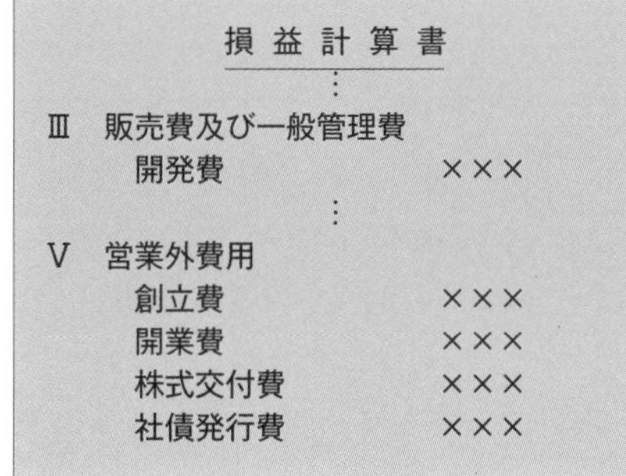

損益計算書

⋮	
Ⅲ　販売費及び一般管理費	
開発費	×××
⋮	
Ⅴ　営業外費用	
創立費	×××
開業費	×××
株式交付費	×××
社債発行費	×××

【注記例】（一部）
〈重要な会計方針に係る事項に関する注記〉
- 創立費は全額支出時の費用として処理している。
- 社債発行費は全額支出時の費用として処理している。

Chapter 11
外貨換算会計

「経済のグローバル化」という言葉が叫ばれる昨今、世界に目を向けて活躍する企業も少なくありません。言葉や文化が異なる相手との取引は困難の連続だと思いますが、簿記論や財務諸表論を学習するうえで困るのは、外国の通貨をどのように処理するのかという点です。様々な国の通貨を、日々変化する為替相場の中で、どのように処理していけばよいのでしょうか？

このChapterでは、外国通貨での取引があった場合、どのように処理するかを中心に学習します。

Section 1

外貨建取引の概要

ここまでの学習は、日本国内での取引を前提としていましたが、経済のグローバル化が進んでいる現在、外国の会社との取引は不可欠になってきています。海外企業との取引は円ではなく、ドルやユーロなど外国の通貨で行われますが、日本の財務諸表や仕訳の通貨単位は日本円が前提となっているので、ドルやユーロなどで取引した場合、金額を日本円に直す必要があります。

Section1 では、外国通貨での取引に関する基本的な会計処理について学習します。

1 外貨建取引とは

外貨建取引とは、取引価額が外国通貨の単位で表示される取引をいいます。外貨建取引を会計帳簿に記録するためには、**取引価額を円建て(えんだて)**[*01] **に直す必要があります。なお、外貨建金額を円建てに直すことを換算(円換算)**といいます。

*01)円単位で示されているものを円建て、ドル単位で示されているものをドル建てといいます。

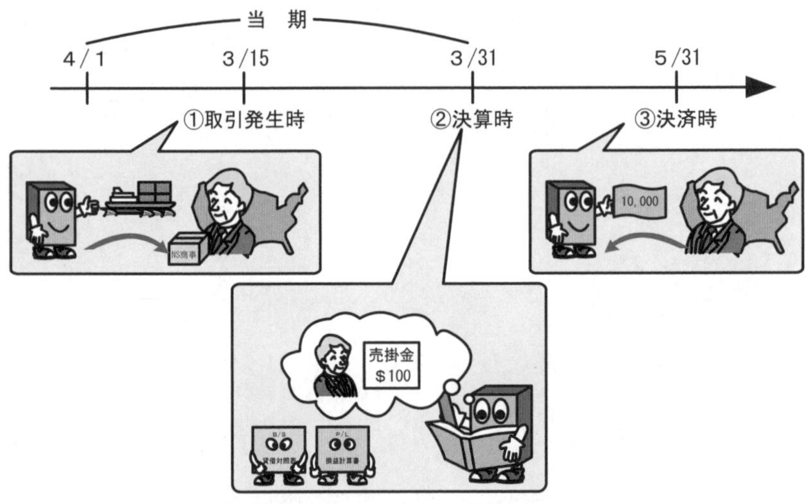

外貨建取引では、**(1)外貨建金額**と**(2)為替レート**[*02] を用いて会計処理を行い、外貨建取引の換算は、**取引発生時**、**決算時**および**決済時**の時点で必要になります。なお、会計処理を行ううえで必要な用語を示すと、次のとおりです。

*02)円と外国通貨との交換比率のことです。為替相場ともいいます。

(1)外貨建金額	取得原価	HC(ヒストリカル*03)・コスト)
	時価(決算日の時価)	CC(カレント*04)・コスト)
(2)為替レート	取引発生時のレート	HR(ヒストリカル・レート)
	決算日(決済日)のレート	CR(カレント・レート)
	期中平均レート	AR(アベレージ*05)・レート)
	予約レート	FR(フォワード*06)・レート)

*03)ヒストリカル(Historical)とは「過去の出来事の」という意味で、ここでは「取得時の」と訳します。

*04)カレント(Current)とは「現在の」という意味で、ここでは「決算日(決済日)現在の」と訳します。

*05)アベレージ(Average)とは「平均的な」という意味で、ここでは「期中平均の」と訳します。

*06)フォワード(Forward)とは「将来の」という意味で、ここでは「予約した将来の」と訳します。

2 外貨建取引の一巡(取引→決済)

簿A 財計B

▶▶簿問題集:問題1
▶▶財問題集:問題5

1. 取引発生時の処理

取引の発生時には、外貨建金額を取引発生時の為替レートで換算して記帳します。

【商品を輸入(仕入)する場合の仕訳例】

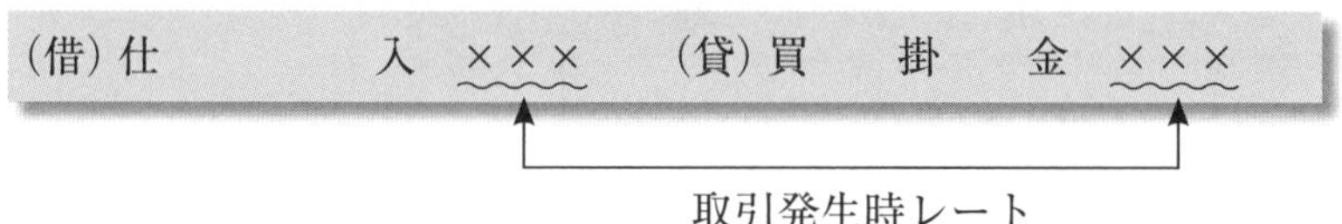

なお、商品を返品し買掛金と相殺した場合や、商品が返品され売掛金と相殺した場合には、仕入(輸入)時または売上(輸出)時の為替レート(取引発生時レート)を用いて処理を行います。

2. 決済時の処理

決済時には、決済にともなう収入・支出額を決済時の為替レートで換算します。このとき、取引発生時に換算した債権・債務と決済にともなう収入・支出額とに差額が生じますが*01)、この**取引発生時と決済時の為替レートの変動から生じる差額は『為替差損益(かわせさそんえき)』**として処理します。

なお、損益計算書上は、為替によって生じた**差損益の純額**を**『為替差益』**(営業外収益)または**『為替差損』**(営業外費用)として表示します*02)。

*01)レートは日々変動しているため、差額が生じるのが通常です。

*02)P/Lの営業外収益または営業外費用の区分に為替差益または為替差損として純額が記載されます。総額で記載することの例外の一つです。

【外貨建債務の決済の仕訳例】

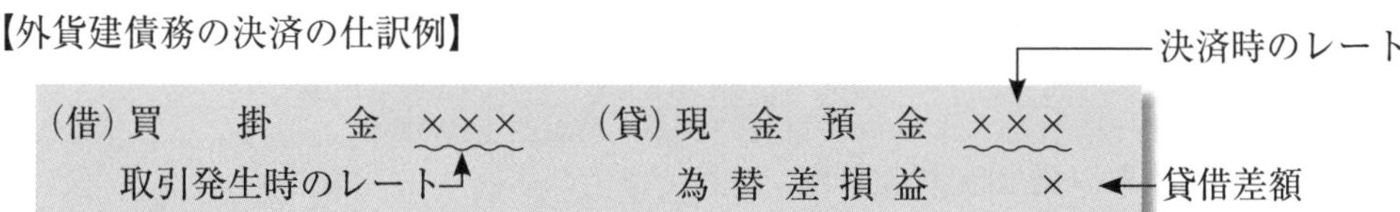

設例 1-1　　外貨建取引の一巡 1

次の各取引の仕訳を示しなさい。

(1)　商品1,000ドルを掛けで輸入した(輸入時の為替レート：1ドル100円)。

(2)　(1)の掛代金1,000ドルを現金預金で決済した(決済時の為替レート：1ドル97円)。

解答

(1)	(借)仕　　入	100,000[*03)]	(貸)買　掛　金	100,000
(2)	(借)買　掛　金	100,000	(貸)現　金　預　金	97,000[*04)]
			為替差損益	3,000[*05)]

*03) 1,000ドル×@100円(輸入時)=100,000円

*04) 1,000ドル×@97円(決済時)=97,000円

*05) 貸借差額

3．前渡金(前払金)・前受金がある場合の処理

(1) 前渡金支払時

商品を輸入するにあたり、前渡金[*06)]を支払ったときは前渡金を支払時の為替レートで換算します。

*06) 前払金・前受金がある場合も、前渡金と同様の方法で換算処理します。

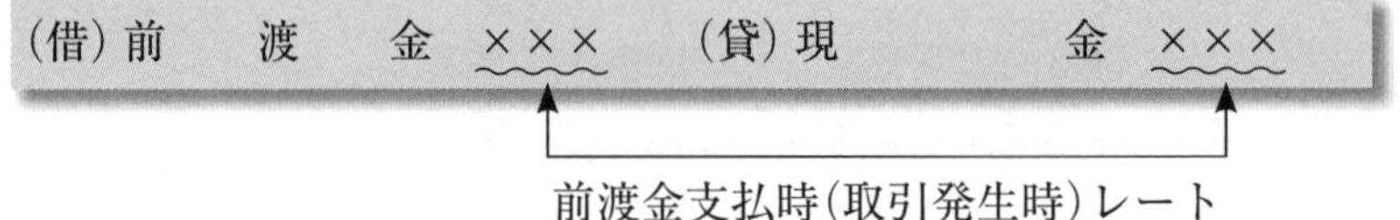

(2) 商品仕入時

商品を輸入したときは、外貨建ての仕入額から外貨建ての前渡金を除いた残額を、取引発生時の為替レートで換算します。この換算額と前渡金の合計額が、商品の仕入価額となります。

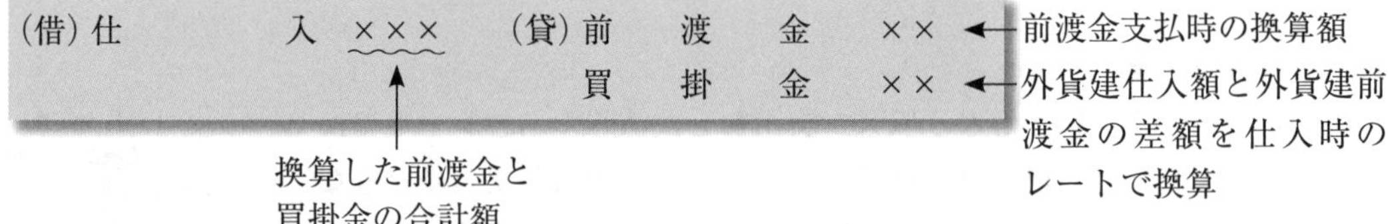

(3) 代金決済時

支出額を決済時のレートで換算し、(2)で計上した買掛金との差額は『為替差損益』として処理します。

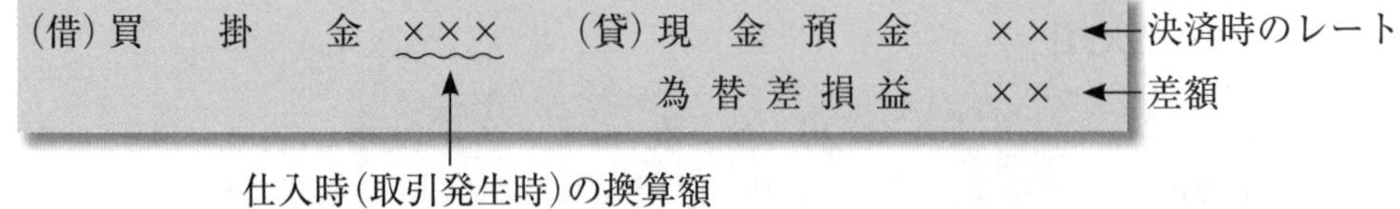

設例 1-2　外貨建取引の一巡2

次の各取引について必要な仕訳を示しなさい。

(1)　海外にあるN社から商品を輸入するにあたり、前渡金として200ドルを現金で支払った(支払時の為替レート：1ドル＝105円)。

(2)　(1)の商品1,000ドルを輸入し、残額は掛けとした(輸入時の為替レート：1ドル100円)。

(3)　(2)の掛代金800ドルを現金で決済した(決済時の為替レート：1ドル97円)。

(1)	(借)前渡金	21,000 *07)	(貸)現金預金	21,000
(2)	(借)仕入	101,000 *09)	(貸)前渡金	21,000
			買掛金	80,000 *08)
(3)	(借)買掛金	80,000 *08)	(貸)現金預金	77,600 *10)
			為替差損益	2,400 *11)

＊07)@105円(支払時)×200ドル＝21,000円

＊08)@100円(輸入時)×(1,000ドル－200ドル(前渡分))＝80,000円

＊09)商品1,000ドルのうち、200ドルは前渡金を充当しているため仕入額は買掛金と前渡金の合計額で求めます。
80,000円(買掛金)＋21,000円(前渡金)＝101,000円
借方の仕入を@100円×1,000ドル＝100,000円としないように注意してください。

＊10)@97円(決済時)×800ドル＝77,600円

＊11)80,000円－77,600円＝2,400円(為替差益)

※設例1-1と仕入金額が違う点に注目してください。

4 決算時の換算

簿A 財計B

▶▶簿問題集：問題 2,3,4
▶▶財問題集：問題 6

1．貨幣・非貨幣法での換算

決算時の外貨建資産・負債(在外支店・在外子会社を除く)の換算は、**貨幣・非貨幣法**で行われます。

貨幣項目とは、最終的に現金化する資産および負債をいい、**非貨幣項目**とは、貨幣項目以外の資産および負債をいいます。

なお、貨幣項目、非貨幣項目には次の項目が該当します。

分類		換算のレート	具体的な項目	
貨幣項目	最終的に現金化する資産および負債	決算時の為替レート(CR)により換算	資産項目	・通貨(現金) ・預金 ・売掛金 ・受取手形 ・貸付金 ・売買目的有価証券 ・満期保有目的の債券 ・その他有価証券 ・未収収益など
			負債項目	・買掛金 ・支払手形 ・借入金 ・自社発行社債 ・未払費用 など
非貨幣項目	貨幣項目以外の資産および負債	取得時または発生時の為替レート(HR)により換算[*01)]	資産項目	・棚卸資産(商品) ・前渡金 ・繰延資産 ・有形固定資産 ・無形固定資産 ・前払費用 ・子会社株式および関連会社株式 (時価の著しい下落のあるものを除く)など
			負債項目	・前受金 ・前受収益

＊01)「HRに換算する」とはいいますが、元々取引時にHRで記録されているので実質的に換算する必要はありません。

外貨建ての前渡金(前払金)、前受金、前受収益、前払費用については、決算時に換算は行いません。これは、前払いや前受けしたものに対しては、すでに現金の支払いや受取りが完了しているため、未払いや未収の項目のように将来の現金支払額や受取額に変動がないためです。

換算による差額は、『為替差損益』で処理します。なお、その差額が為替差益(貸方)であるか、為替差損(借方)であるかは、決算時(決済時)の換算額と取得時の換算額を比べて判断します[*02)]。

＊02)要は、資産・負債の現在の換算額と過去(取得時等)の換算を比べて、資産・負債が増えたか減ったかで、為替差益か為替差損かを判断します。

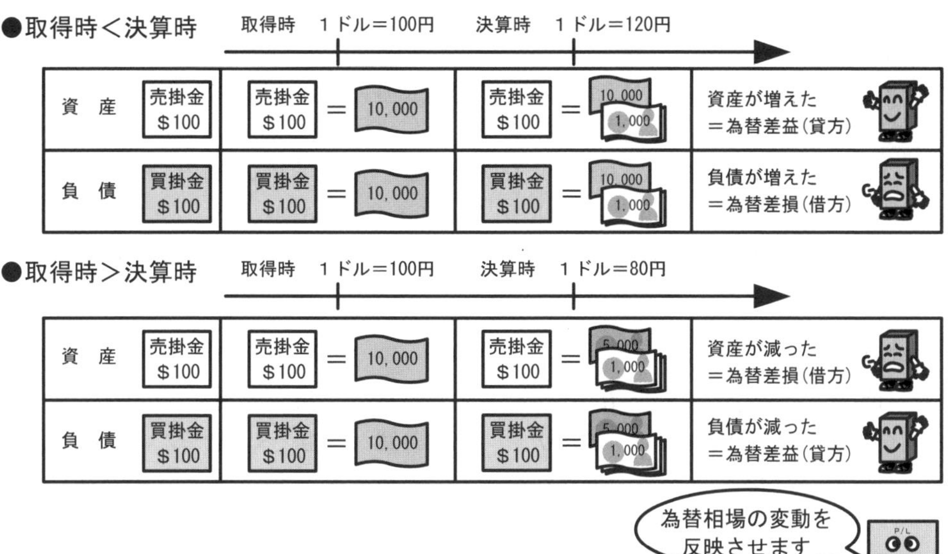

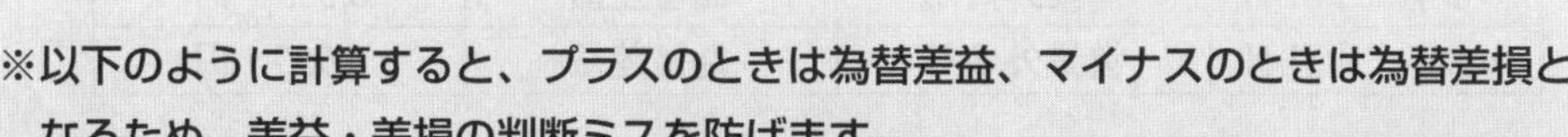

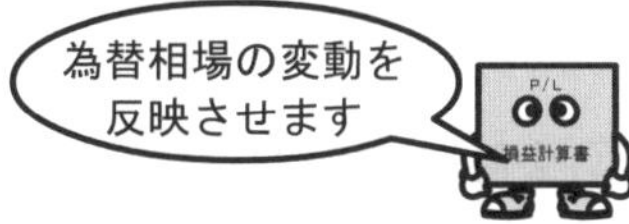

※以下のように計算すると、プラスのときは為替差益、マイナスのときは為替差損となるため、差益・差損の判断ミスを防げます。

資産項目：決算時の換算額 － 取得時の換算額
負債項目：取得時の換算額 － 決算時の換算額
＝ ＋の場合 → 為替差益
＝ △の場合 → 為替差損

設例 1-3 決算時の換算1

次の各取引の仕訳を示すとともに、各会計期間の為替差損益について損益計算書の表示箇所、表示科目および金額を答えなさい。

(1) 取引時(×1年1月31日)：商品1,000ドルを掛けで輸入した(1ドル100円)。

(2) 決算時(×1年3月31日)：買掛金1,000ドルがある(1ドル105円)。

(3) 決済時(×1年5月31日)：買掛金1,000ドルを現金預金で決済した(1ドル97円)。

解答

1．各取引の仕訳

(1)	(借)**仕入**	*100,000*[*03)]	(貸)**買掛金**	*100,000*
(2)	(借)**為替差損益**	*5,000*[*04)]	(貸)**買掛金**	*5,000*
(3)	(借)**買掛金**	*105,000*	(貸)**現金預金**	*97,000*
			為替差損益	*8,000*[*05)]

2．各会計期間の損益計算書の表示

決 算 日	表示箇所	表示科目	金 額
×1年3月31日	**営業外費用**	**為替差損**	*5,000* 円
×2年3月31日	**営業外収益**	**為替差益**	*8,000* 円

＊03)@100円×1,000ドル=100,000円

＊04)(@100円−@105円)×1,000ドル=△5,000円(為替差損=負債の増加)

＊05)(@105円−@97円)×1,000ドル=8,000円

2．決算時の為替相場により換算される理由

外国通貨や外貨建金銭債権・債務は、外貨額では時価の変動リスクを負っていません[＊06)]。しかし円貨額に換算した場合には、為替相場の変動リスクを負っているため、決算時の為替相場により換算を行います[＊07)]。

これは、**為替相場の変動を財務諸表に反映させることを重視する観点**から行います。

＊06)円建ての現金預金や売掛金などは、期末に時価評価などの評価替えをしませんよね。

＊07)収益や費用は取引時に確定するので、決算時に換算することはありません。

設例 1-4　決算時の換算2

期末に次の外貨建資産および負債があるとき、それぞれの貸借対照表価額を計算するとともに、計上される為替差損益について損益計算書に記載される表示箇所、表示科目および金額を答えなさい。なお、期末為替レートは１ドル106円とする。

資　産・負　債	帳簿価額	外貨建金額
①現　金	107,000円	1,000ドル
②定　期　預　金	109,000円	1,000ドル
③売　掛　金	103,000円	1,000ドル
④前　渡　金	105,000円	1,000ドル
⑤商　品	107,000円	1,000ドル
⑥短　期　貸　付　金	107,500円	1,000ドル
⑦長　期　貸　付　金	110,000円	1,000ドル
⑧土　地	110,000円	1,000ドル
⑨自　社　発　行　社　債	104,000円	1,000ドル
⑩満期保有目的の債券	102,000円	1,000ドル

資　産・負　債	貸借対照表価額
①現　金	*106,000* 円
②定　期　預　金	*106,000* 円
③売　掛　金	*106,000* 円
④前　渡　金	*105,000* 円
⑤商　品	*107,000* 円
⑥短　期　貸　付　金	*106,000* 円
⑦長　期　貸　付　金	*106,000* 円
⑧土　地	*110,000* 円
⑨自　社　発　行　社　債	*106,000* 円
⑩満期保有目的の債券	*106,000* 円

損益計算書

表示箇所	表示科目	金　額
営業外費用	**為替差損**	*4,500* 円

解説

資　産・負　債	帳簿価額	貸借対照表価額	為替差損益
①現　金	107,000円	@106円×1,000ドル＝106,000円	△1,000円(損)
②定　期　預　金	109,000円	@106円×1,000ドル＝106,000円	△3,000円(損)
③売　掛　金	103,000円	@106円×1,000ドル＝106,000円	3,000円(益)
④前　渡　金	105,000円	105,000円	－
⑤商　品	107,000円	107,000円	－
⑥短　期　貸　付　金	107,500円	@106円×1,000ドル＝106,000円	△1,500円(損)
⑦長　期　貸　付　金	110,000円	@106円×1,000ドル＝106,000円	△4,000円(損)
⑧土　地	110,000円	110,000円	－
⑨自　社　発　行　社　債	104,000円	@106円×1,000ドル＝106,000円	△2,000円(損)＊08)
⑩満期保有目的の債券	102,000円	@106円×1,000ドル＝106,000円	4,000円(益)
			△4,500円(損)

＊08)⑨の自社発行社債は負債ですから、B/S価額が増えることにより為替差損が生じることに注意してください。

Section 2

為替予約

商品を外国の会社に掛けで売って売掛金があるときに、1ドルが100円であったものが99円、98円……と円高が進むと、決済時に現金で回収する金額が小さくなってしまいます。取引金額が大きいほど、この影響は大きくなり、当期純利益に与える影響も甚大となります。

取引時にあらかじめ決済時のレートを決めることができたならば、その後の為替相場の変動による損失を防げるのに……と思うことでしょう。ここで生まれたのが為替予約です。

このSectionでは為替予約について学習します。

1 為替予約(かわせよやく)とは　簿B 財計B

為替予約とは、為替レートの変動にともなうリスクを回避するために[*01]、外貨建金銭債権債務の**決済時の為替レートをあらかじめ決定(予約)して**おく方法です。

為替予約には**独立処理**(原則[*02])と**振当処理**(ふりあてしょり)(容認)が認められています。まずは、振当処理から学習していきます。

*01)為替予約は、将来、為替差損が生じなくてすむ代わりに、為替差益も生じなくなります。

*02)為替予約はデリバティブの一種であるため、時価評価が原則となります。

2 振当処理とは　簿B 財計B

振当処理[*01]は、為替予約取引と外貨建金銭債権債務の取引とをまとめて処理する方法です。為替予約が取引発生時(まで)のものか取引発生後のものかにより、処理方法が異なります。

*01)振当処理が為替予約の容認処理ですが、こちらも問われる可能性が高いです。

3 振当処理(取引発生時までに為替予約を付した場合)　簿A 財計B

取引発生時(まで)に為替予約を付した場合は、それが(1)**営業取引**(仕入、売上)によるものか、(2)**資金取引**(貸付け、借入れ等)によるものかにより処理方法が異なります[*01]。

1．営業取引の場合

(1)原則的な方法

仕入取引、売上取引といった営業取引の場合、債権債務のみを予約レート(先物為替相場(さきものかわせそうば)[*02])で換算し、相手科目は取引発生時レート(直物為替相場(じきものかわせそうば)[*02])で換算します。差額は『前払費用』または『前受収益』として処理します[*03]。

*01)営業取引の原則的な方法と資金取引は同じ処理となります。

*02)先物為替相場とは将来の為替レートを指します。また直物為替相場とはその日の為替レートを指します。
ニュースなどで聞く「今日のレートは…」は、直物為替相場を伝えています。

*03)換算差額を『為替差損益』で処理し、期末に『前払費用』や『前受収益』に振り替える方法もあります。どちらで処理しても後T/Bは同じになります。

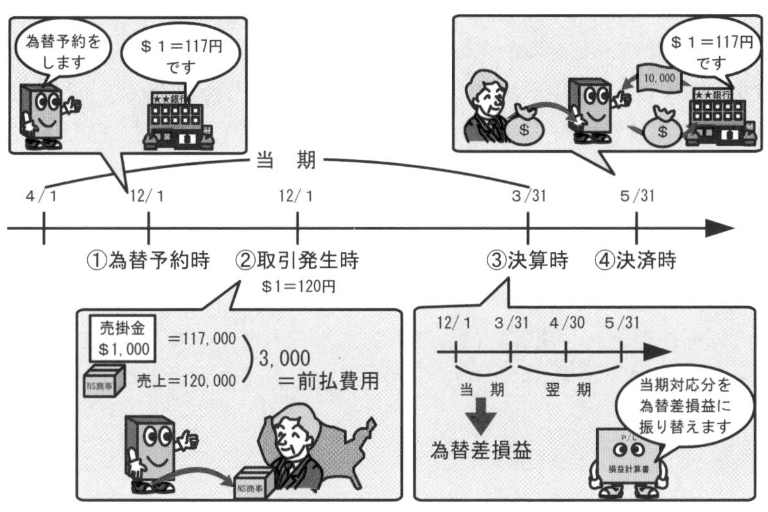

【為替予約・振当処理(営業取引の原則処理)】

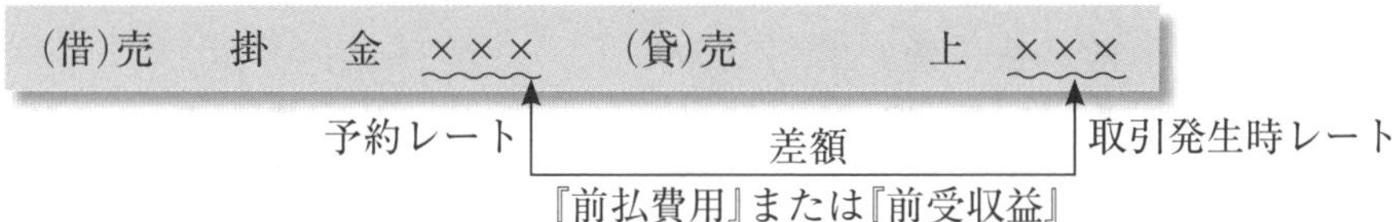

(借)売　掛　金 ×××	(貸)売　　上 ×××

予約レート　差額　取引発生時レート
『前払費用』または『前受収益』

なお、決算時にこの差額のうち当期対応分[*04]を為替差損益に振り替えます。

*04)月数等で按分します。

(2)簡便的な方法

仕入取引、売上取引といった営業取引の場合、取引発生時に取引全体を予約レート(先物為替相場(さきものかわせそうば))で換算することも認められています。したがって、この方法によった場合は、決算時、決済時に為替差損益は発生しません[*05]。

*05)換算替えをしないために為替差損益は発生しません。

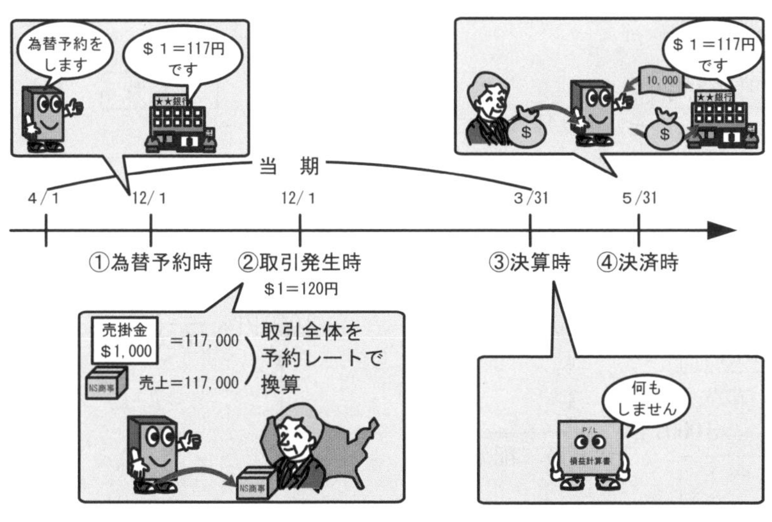

【為替予約・振当処理(営業取引の簡便的な方法)】

(借)売　掛　金 ×××	(貸)売　　上 ×××

予約レート　予約レート

設例 2-1　為替予約・振当処理（営業取引・取引発生時まで）

次の①～③の一連の取引について、為替予約につき振当処理を採用した場合の(1)原則的な方法と(2)簡便的な方法(為替差損益を認識しない方法)による仕訳を示しなさい。なお、為替予約による差額は月割りにより配分する。

① ×1年12月1日に商品1,000ドルを輸出し、代金は掛けとした。輸出と同時に為替予約を付しており、輸出時の為替レートは1ドル120円、予約レートは1ドル117円である。なお、掛代金の決済日は×2年5月31日である。

② ×2年3月31日、決算をむかえた。決算日における為替レートは1ドル110円である。

③ ×2年5月31日において掛代金1,000ドルを現金で受け取った。決済時の為替レートは1ドル100円である。

(1)　振当処理を採用した場合の原則的な方法

①取引発生時	(借)売　掛　金	*117,000*	(貸)売　　上	*120,000*
	前　払　費　用	*3,000*		
②決　算　時	(借)為 替 差 損 益	*2,000*	(貸)前　払　費　用	*2,000*
③決　済　時	(借)現　金　預　金	*117,000*	(貸)売　掛　金	*117,000*
	(借)為 替 差 損 益	*1,000*	(貸)前　払　費　用	*1,000*

(2)　振当処理を採用した場合の簡便的な方法

①取引発生時	(借)売　掛　金	*117,000*	(貸)売　　上	*117,000*
②決　算　時	(借)仕　訳　な　し		(貸)	
③決　済　時	(借)現　金　預　金	*117,000*	(貸)売　掛　金	*117,000*

解説

(1)　振当処理を採用した場合の原則的な方法

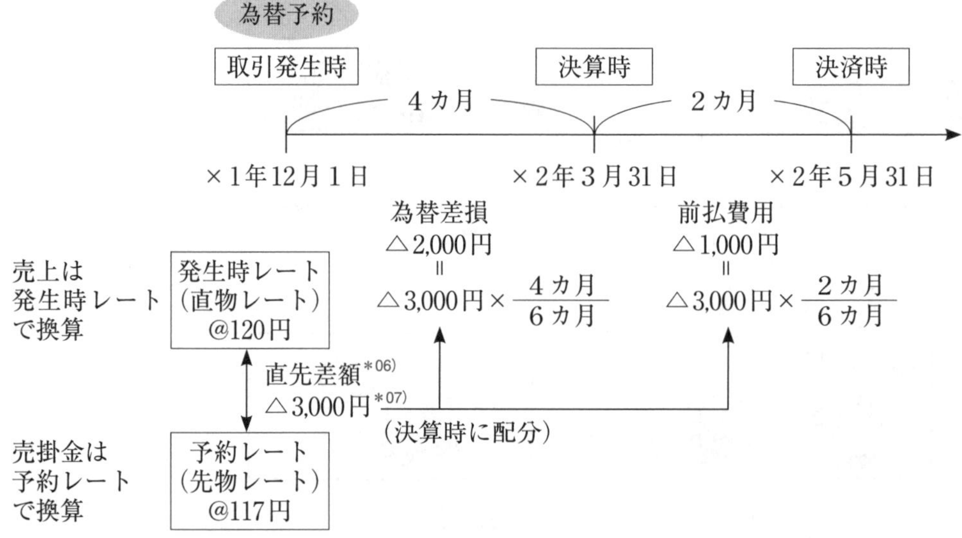

*06) 予約時の直物為替相場と将来の決済する時点でのレート(先物為替相場)との差額という意味です。

*07) (@117円－@120円)×1,000ドル＝△3,000円(前払費用)(∴資産(売掛金)の減少→為替差損が生じる)

① 取引発生時：売掛金は予約レート(@117円)で、売上は取引発生時レート(@120円)で換算します。

② 決　算　時：取引発生時に計上した前払費用のうち当期に対応する金額を為替差損益として処理します。

③ 決　済　時：取引発生時に付した予約レート(@117円)で決済し、前払費用の残高を為替差損益に振り替えます。

(2)　振当処理を採用した場合の簡便的な方法

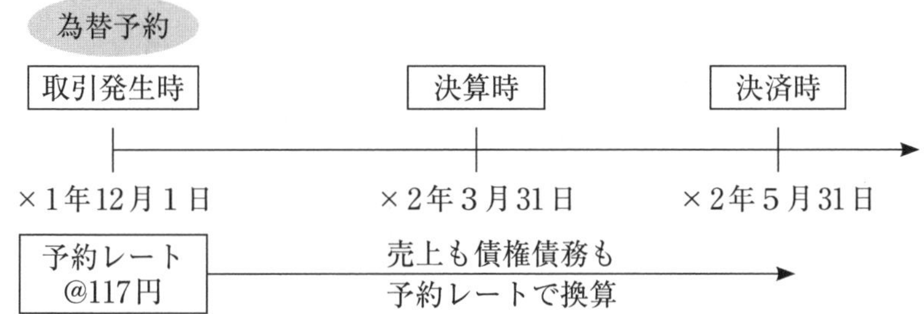

① 取引発生時：取引全体を予約レート(@117円)で換算します。

② 決　算　時：換算替の必要がないため、仕訳は行いません。

③ 決　済　時：取引発生時に付した予約レート(@117円)で決済します。

2．資金取引の場合

貸付け、借入れといった資金取引について為替予約を付した場合は、債権債務のみを予約レート(先物為替相場)で換算し、相手科目は取引発生時レート(直物為替相場)で換算します。換算差額は、『前払費用』または『前受収益』として処理します[*08]。

なお、利息が生じる資金取引において、利息も含めて為替予約を付した場合は、受取利息や支払利息(期末の経過勘定も含む)は、予約レートを用いて換算します。

*08)営業取引と同様に、為替予約を付した時点で『為替差損益』として、期末に『前払費用』や『前受収益』に振り替える方法もあります。

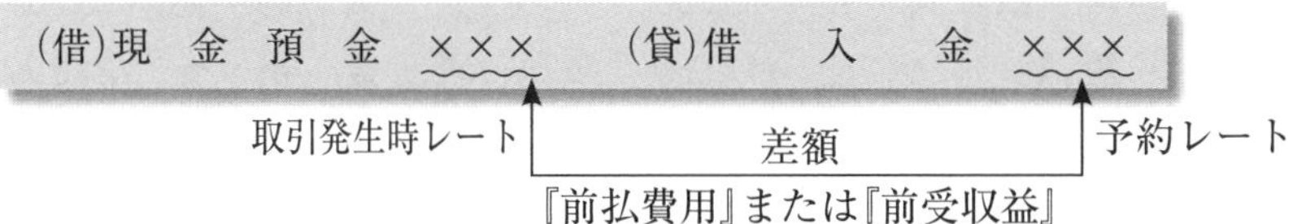

なお、決算時にこの差額のうち当期対応分を『為替差損益』に振り替えます。

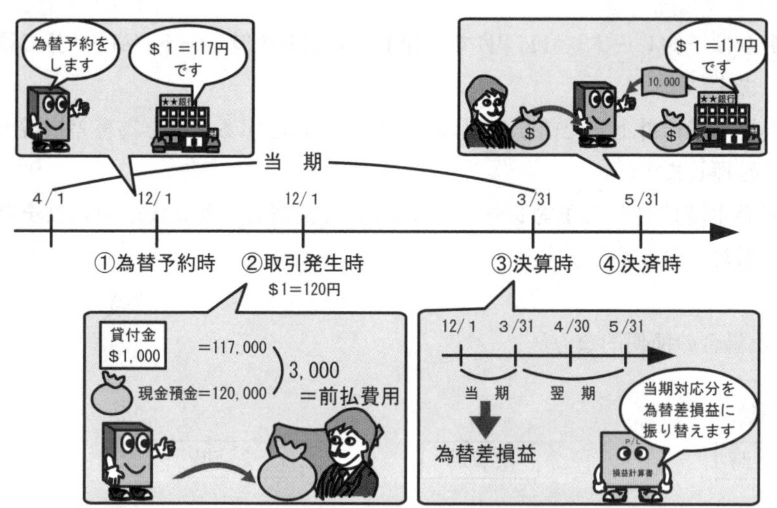

設例 2-2　為替予約・振当処理（資金取引・取引発生時まで）

次の①～④の一連の取引について為替予約につき振当処理を採用した場合の仕訳を示しなさい。なお、為替予約による差額は月割りにより配分する。

① ×1年12月1日に米国企業から現金1,000ドルを借り入れた。借入れと同時に元本に為替予約を付しており、借入時の為替レートは1ドル120円、予約レートは1ドル117円である。なお、借入金の返済日は×2年5月31日であり、利息は年9％で返済日に一括して支払う。

② ×2年3月31日、決算をむかえた。決算日における為替レートは1ドル110円である。

③ ×2年4月1日、期首につき経過勘定の再振替仕訳を行う。

④ ×2年5月31日に借入金1,000ドルを現金で決済した。返済時の為替レートは1ドル100円である。

解答

①取引発生時	(借)現金預金	120,000	(貸)短期借入金	117,000
			前受収益	3,000
②決算時	(借)支払利息	3,300	(貸)未払費用	3,300
	(借)前受収益	2,000	(貸)為替差損益	2,000
③翌期首	(借)未払費用	3,300	(貸)支払利息	3,300
④決済時	(借)短期借入金	117,000	(貸)現金預金	121,500
	支払利息	4,500		
	(借)前受収益	1,000	(貸)為替差損益	1,000

解説

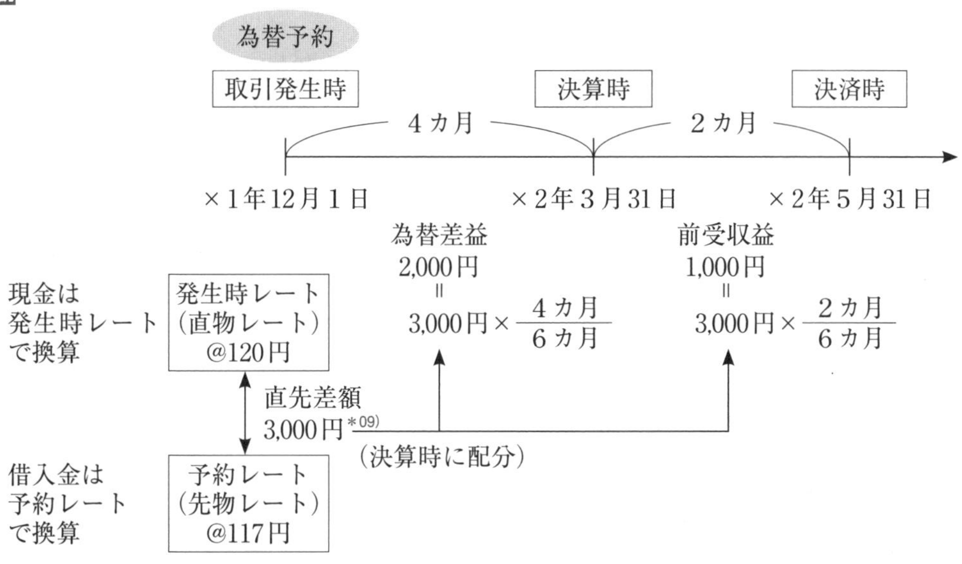

*09)(@120円－@117円)×1,000ドル＝3,000円(前受収益)(∴負債(借入金)の減少→為替差益が生じる)

① 取引発生時：借入金は予約レート(@117円)で、現金は取引発生時レート(@120円)で換算します。

② 決　算　時：取引発生時に計上した前受収益のうち、当期に対応する金額を為替差損益として処理します。

なお、支払利息の見越計上については、問題文の指示により利息部分には為替予約を付していないため、決算時レート(@110円)で換算します。

支払利息(未払利息)：$@110円 \times 1,000ドル \times 0.09 \times \dfrac{4カ月}{12カ月} = 3,300円$

③ 翌　期　首：期首につき、経過勘定(未払利息)の再振替仕訳を行います。

④ 決　済　時：取引発生時に付した予約レートで決済し、前受収益の残高を為替差損益に振り替えます。

支払利息は決済時レート(@100円)で計算します。

支払利息：$@100円 \times 1,000ドル \times 0.09 \times \dfrac{6カ月}{12カ月} = 4,500円$

4 振当処理（取引発生後に為替予約を付した場合） 簿A 財計B

▶▶簿問題集：問題 7,8,9
▶▶財問題集：問題 12,13

取引発生後に為替予約を付した場合、次のように処理します。

(1) 取引発生時レート（直物為替相場）による換算額と予約時の為替レート（直物為替相場）による換算額との差額（**直直差額**（じきじきさがく））[*01]については**当期の損益（為替差損益）**とします。

(2) 予約時の為替レート（直物為替相場）による換算額と予約時の予約レート（先物為替相場）による換算額との差額（**直先差額**（じきさきさがく））については**予約時から決済時までの期間に配分**します[*02]（『前払費用』または『前受収益』[*03]に計上し、期末に当期対応分を『為替差損益』に振り替えます）。

＊01) 取引発生時の直物為替相場（その時点でのレート）と予約時の直物為替相場との差額（直物為替レート同士の差額）という意味です。

＊02) ここでは、営業取引と資金取引の処理に差はありません。

＊03) 財務諸表の表示に関しては、決済日が決算日の翌日から1年超となる長期の場合には『長期前払費用』または『長期前受収益』となります。ただし、決算日から1年以内に費用または収益となる部分については『前払費用』または『前受収益』に振り替えます。

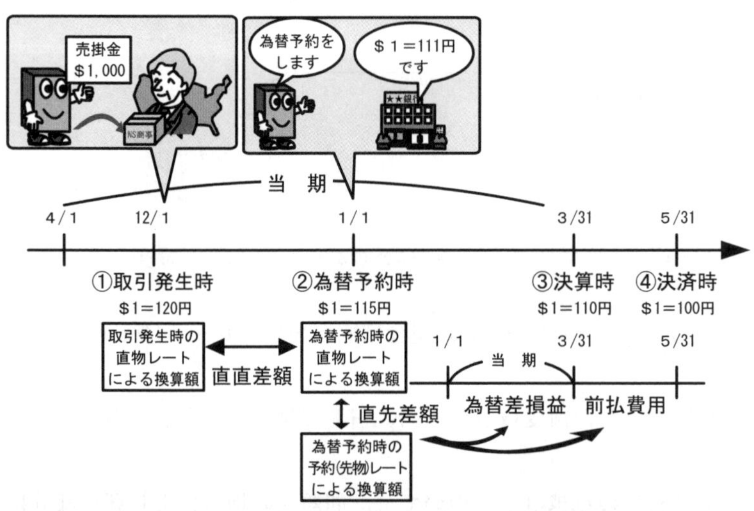

設例 2-3 為替予約・振当処理（営業取引・取引発生後）

次の①～④の一連の取引について為替予約につき振当処理を採用した場合の仕訳を示しなさい。なお、為替予約による差額は月割りにより配分する。

① ×1年12月1日に商品1,000ドルを輸出し、代金は掛けとした。輸出時の為替レートは1ドル120円であり、掛代金の決済日は×2年5月31日である。

② ×2年1月1日に売掛金1,000ドルに為替予約を付した。この日の為替レートは1ドル115円であり、予約レートは1ドル111円である。

③ ×2年3月31日、決算をむかえた。決算日における為替レートは1ドル110円である。

④ ×2年5月31日において掛代金1,000ドルを現金で受け取った。決済時の為替レートは1ドル100円である。

解答

	借方	金額	貸方	金額
①取引発生時	(借)売掛金	120,000	(貸)売上	120,000
②予約時	(借)為替差損益	5,000	(貸)売掛金	9,000
	前払費用	4,000		
③決算時	(借)為替差損益	2,400	(貸)前払費用	2,400
④決済時	(借)現金預金	111,000	(貸)売掛金	111,000
	(借)為替差損益	1,600	(貸)前払費用	1,600

解説

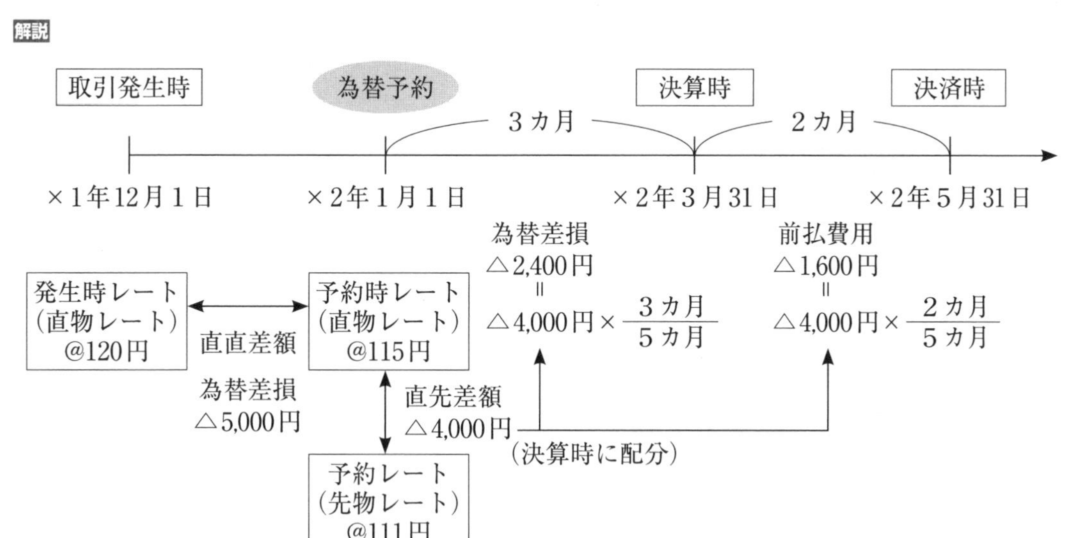

① 取引発生時：取引全体を、取引発生時レートで換算します。

② 予　約　時：a．取引発生時と予約時の直物レートによる換算差額（直直差額）

→当期の損益

（@115円－@120円）×1,000ドル＝△5,000円（為替差損）

b．予約時の直物レートと予約レートによる換算差額（直先差額）

→当期と翌期以後に配分

（@111円－@115円）×1,000ドル＝△4,000円（前払費用）

③ 決　算　時：△4,000円×$\frac{3カ月}{5カ月}$＝△2,400円→当期の損益（為替差損）

④ 決　済　時：予約レートで決済し、前払費用の残高を為替差損益に振り替えます。

設例 2-4　為替予約・振当処理（資金取引・取引発生後）

次の①～⑤の一連の取引について為替予約につき振当処理を採用した場合の仕訳を示しなさい。

① ×1年12月1日に米国企業から現金1,000ドルを借り入れた。借入時の為替レートは1ドル120円である。なお、借入金の返済日は×2年5月31日であり、利息は年9％で返済日に一括して支払う。

② ×2年1月1日に借入金の元本1,000ドルに為替予約を付した。予約日の為替レートは1ドル115円であり、予約レートは1ドル111円である。

③ ×2年3月31日、決算をむかえた。決算日における為替レートは1ドル110円である。

④ ×2年4月1日、期首につき経過勘定の再振替仕訳を行う。

⑤ ×2年5月31日に借入金1,000ドルを現金で決済した。決済時の為替レートは1ドル100円である。

解答

①取引発生時	(借)現金預金	120,000	(貸)短期借入金	120,000
②予約時	(借)短期借入金	9,000	(貸)為替差損益	5,000
			前受収益	4,000
③決算時	(借)支払利息	3,300	(貸)未払費用	3,300
	(借)前受収益	2,400	(貸)為替差損益	2,400
④翌期首	(借)未払費用	3,300	(貸)支払利息	3,300
⑤決済時	(借)短期借入金	111,000	(貸)現金預金	115,500
	支払利息	4,500		
	(借)前受収益	1,600	(貸)為替差損益	1,600

解説

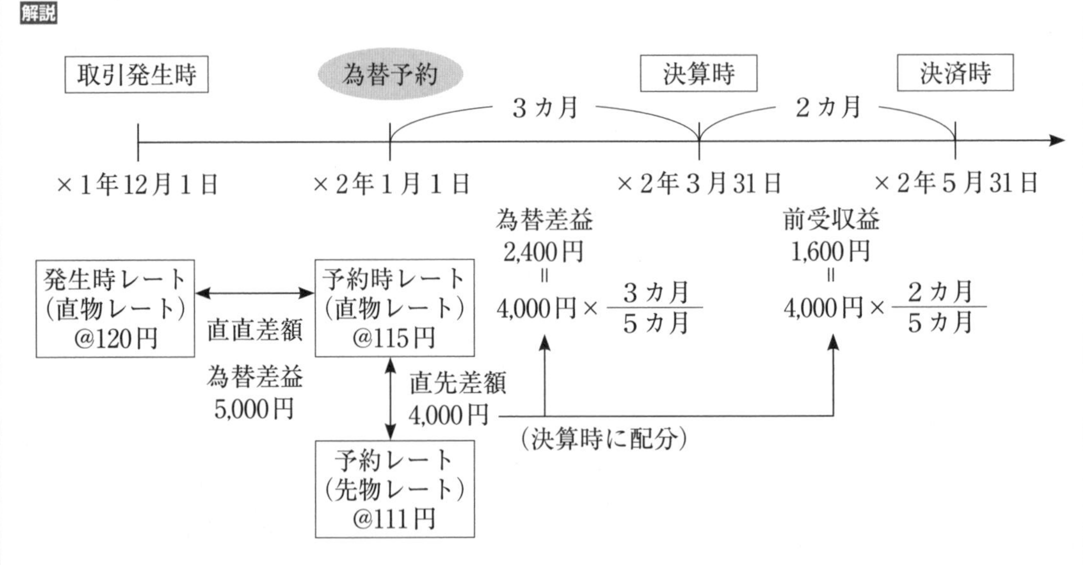

① 取引発生時：取引全体を、取引発生時レートで換算します。

② 予　約　時：a．取引発生時と予約時の直物レートによる換算差額(直直差額)
→当期の損益
(@120円－@115円)×1,000ドル＝5,000円(為替差益)
b．予約時の直物レートと予約レートによる換算差額(直先差額)
→当期と翌期に配分
(@115円－@111円)×1,000ドル＝4,000円(前受収益)

③ 決　算　時：a．前受収益の按分
為替差益：4,000円×$\frac{3カ月}{5カ月}$＝2,400円→当期の損益
b．利息の見越計上
利息について為替予約を付していない場合には、利息の見越分は決算時レート(@110円)で換算します[*04)]。
支払利息(未払利息)：@110円×1,000ドル×９％×$\frac{4カ月}{12カ月}$＝3,300円

④ 翌　期　首：期首につき経過勘定の再振替仕訳を行います。

⑤ 決　済　時：予約レートで決済し、前受収益の残高を為替差損益に振り替えます。支払利息は決済時レート(@100円)で計算します。
支払利息：@100円×1,000ドル×９％×$\frac{6カ月}{12カ月}$＝4,500円

＊04）借入金の元本と利息(元利)に為替予約をしている場合には、支払利息は予約レートで換算します。

〈直先差額の表示〉

外貨建借入金や外貨建貸付金などにかかる為替予約差額(**直先差額**)は、原則として為替差損益として処理しますが、**「支払利息」や「受取利息」に加減して表示**することができます。

設例２－４について、直先差額について支払利息に加減して表示した場合は、次のようになります。

①取引発生時	(借)現金預金	120,000	(貸)借入金	120,000
②予約時	(借)借入金	9,000	(貸)為替差損益	5,000
			前受収益	4,000
③決算時	(借)支払利息	3,300	(貸)未払費用	3,300
	(借)前受収益	2,400	(貸)支払利息	2,400
④翌期首	(借)未払費用	3,300	(貸)支払利息	3,300
⑤決済時	(借)借入金	111,000	(貸)現金預金	115,500
	支払利息	4,500		
	(借)前受収益	1,600	(貸)支払利息	1,600

5 独立処理

▶▶簿問題集：問題10,11
▶▶財問題集：問題14

独立処理とは、外貨建金銭債権債務と為替予約とを分けて処理する方法です。

具体的には、外貨建金銭債権債務については決算時レートにより円換算し、為替予約については決算日において時価評価(先物為替相場の変動をもとに『為替予約』を計上)します。

この結果、外貨建金銭債権債務から発生するリスク(為替差損益)が為替予約によってどれほど回避されているかがわかります。

『為替予約』は貸借対照表上において、流動資産または流動負債に表示されます。

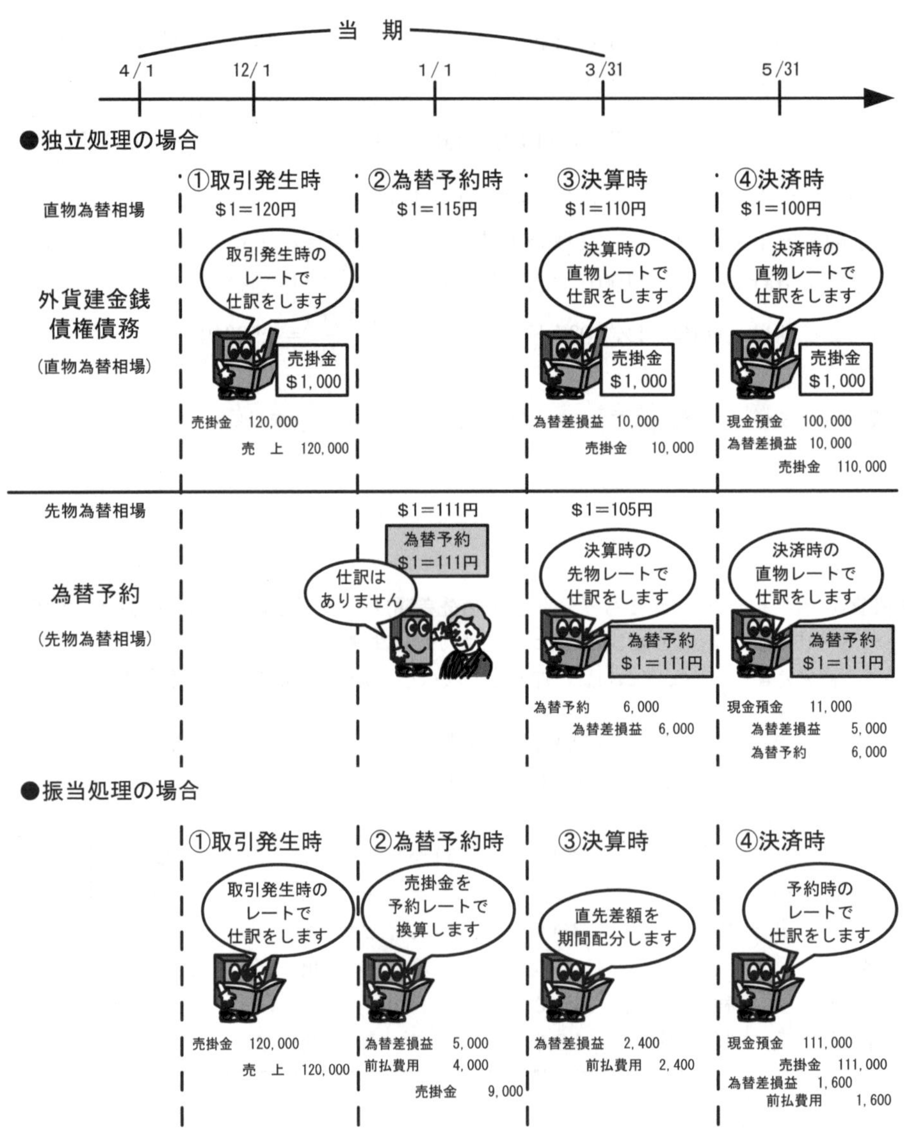

設例 2-5　独立処理

次の資料にもとづいて、①～④の一連の取引について為替予約につき独立処理を採用した場合の仕訳を示しなさい。

【資　料】

1　取引の内容　①×1年12月1日に商品1,000ドルを輸出し、代金は掛けとした。掛代金の決済日は×2年5月31日である。

②×2年1月1日に売掛金1,000ドルに為替予約(売予約)を行った。

③×2年3月31日、決算日をむかえた。

④×2年5月31日において掛代金1,000ドルを現金で受け取った。

2　為替相場の推移

先物為替相場は、いずれも×2年5月31日を決済日としたものである。

日付	直物為替相場	先物為替相場
×1年12月1日	120円	117円
×2年1月1日	115円	111円
×2年3月31日	110円	105円
×2年5月31日	100円	—

解答

①取引発生時	(借)売掛金	*120,000*	(貸)売上	*120,000*
②予約時	(借)仕訳なし		(貸)	
③決算時	(借)為替差損益	*10,000*	(貸)売掛金	*10,000*
	(借)為替予約	*6,000*	(貸)為替差損益	*6,000*
④決済時	(借)現金預金	*100,000*	(貸)売掛金	*110,000*
	為替差損益	*10,000*		
	(借)現金預金	*11,000*	(貸)為替差損益	*5,000*
			為替予約	*6,000*

解説

設例2-3について独立処理を採用して仕訳を行った場合です。振当処理によった場合と仕訳が異なる部分がありますが、最終的な損益はどちらの方法でも変わりません。

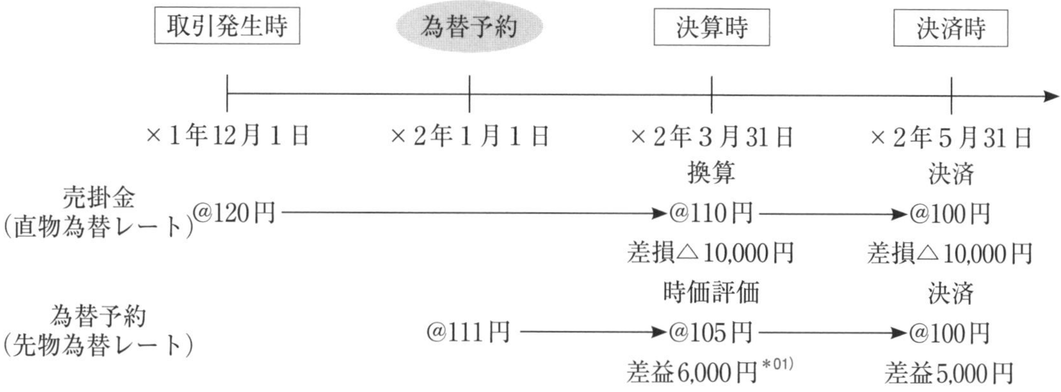

*01)もし決算日に為替予約をしていたら1ドル105円で売ることになっていたので、1ドルあたり6円得したと考えます。

独立処理の場合、外貨建金銭債権債務に関する仕訳と、為替予約に関する仕訳を別々に行います。

	外貨建金銭債権債務	為替予約
①取引時 ×1.12.1	(借)売　掛　金 120,000　(貸)売　　上 120,000 @120円×1,000ドル＝120,000円	仕訳なし 為替予約をまだ行っていないので、仕訳は行いません。
②為替予約時 ×2.1.1	仕訳なし 売掛金に関する換算替えは決算時に行うため、仕訳は行いません。	仕訳なし 為替予約時においては、為替予約の効果がまだ出ていないため、仕訳は行いません。
③決算時 ×2.3.31	(借)為替差損益　10,000　(貸)売　掛　金　10,000 (@110円－@120円)×1,000ドル＝△10,000円 決算時における直物為替レートで換算します。	(借)為替予約　6,000　(貸)為替差損益　6,000 (@111円－@105円)×1,000ドル＝6,000円 為替予約について時価評価を行います。
④決済時 ×2.5.31	(借)現金預金 100,000　(貸)売　掛　金 110,000 為替差損益　10,000 (@100円－@110円)×1,000ドル＝△10,000円 決済時レートにより決済します。 このように外貨建金銭債権債務は、通常の換算・決済と同じ処理となります。 (※売掛金は前期末において為替差損が10,000円計上された時点で、10,000円減額されているので、残高は110,000円となっています)	(借)現金預金　11,000　(貸)為替差損益　5,000 為替予約　6,000 予約時の先物為替相場と決済時の直物為替相場との差額を現金で受け取ります*02)。 現金預金：(@111円－@100円)×1,000ドル＝11,000円 前期末までに計上した為替予約6,000円との差額で為替差損益を求めます。 為替差損益：11,000円－6,000円＝5,000円

結果的には120,000円の売掛金に対して、111,000円の現金を受け取っており、トータル9,000円の為替差損が生じた点は振当処理と同様になります。

*02) 1ドル100円(直物)のものを1ドル111円で売ることができたことになるので、為替差益になります。

6 注記事項

外貨建取引または為替予約を行ったさいには、本邦通貨(日本円)への換算方法について、「重要な会計方針に係る事項に関する注記」が必要となります。

【注記例】

<重要な会計方針に係る事項に関する注記>

・外貨建資産及び負債の本邦通貨への換算方法

外貨建資産及び負債については、外貨建取引等会計処理基準に基づいて換算している。

・為替予約の処理方法

為替予約は、振当処理により処理を行っている。

Section 3 外貨建有価証券の評価

Section1では、主に外国にある会社と取引をしたときの処理について学習しました。このSectionでは、外国で発行された株式や債券といった外貨建ての有価証券を購入したときの会計上の処理について学習します。

外貨建ての売掛金や買掛金には時価が存在しないため、為替相場の変動の影響を受けるだけですが、外貨建ての有価証券となると時価が存在するため、為替相場の変動の影響だけでなく、時価の変動の影響まで受けることになります。このときの差額をどのように処理するかが、ここでのポイントです。

1 外貨建有価証券の期末評価

外貨建有価証券は、金融商品に関する会計基準の考え方との整合性を考慮し、**為替相場の変動を財務諸表に反映**させることを重視する観点から、決算時の為替相場により換算を行います[*01]。

*01) ただし、外貨建子会社・関連会社株式はCR換算しません。

2 外貨建売買目的有価証券

円建ての売買目的有価証券は期末に時価評価し、有価証券評価損益を計上します。これと同様に、外貨建ての売買目的有価証券も外国通貨による時価を決算時の為替相場により換算を行います[*01]。取得原価(期首簿価)との差額は『有価証券評価損益』を計上します。

*01) 換算というよりも、むしろ時価評価です。為替による評価差額も『有価証券評価損益』に含める点がポイントです。

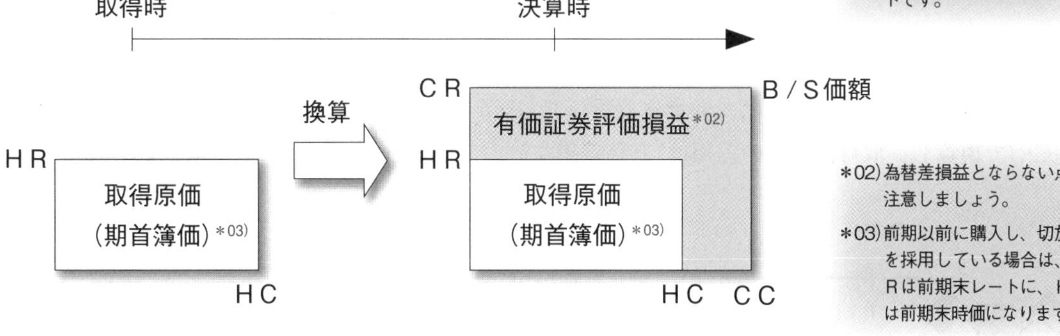

*02) 為替差損益とならない点に注意しましょう。

*03) 前期以前に購入し、切放法を採用している場合は、HRは前期末レートに、HCは前期末時価になります。

取得原価(決算整理前の帳簿に記載されている金額)
　＝取得時の価額(HC)×取得時レート(HR)

B/S価額(貸借対照表に記載される金額)
　＝決算時の時価(CC)×決算時レート(CR)

設例 3-1　外貨建売買目的有価証券

次の資料にもとづいて、決算整理において必要となる仕訳を示しなさい。

【資　料】

銘　柄	取得原価	取得時レート	時　価	保有目的
A社株式	3,000ドル	110円	3,050ドル	売買目的

なお決算時の為替レートは1ドル100円であり、当該株式は当期に取得している。

解答

(借)有価証券評価損益	25,000	(貸)有　価　証　券	25,000

※有価証券は『売買目的有価証券』でも可。

解説

決算時換算額－取得時換算額
＝3,050ドル×@100円
－3,000ドル×@110円
＝△25,000円(有価証券評価損)

CR@100円　HR@110円
有価証券評価損益 △25,000円
取得原価 330,000円
B/S価額 305,000円
HC 3,000ドル　CC 3,050ドル

3　外貨建満期保有目的の債券

簿A　財計A　▶▶簿問題集：問題19

外貨建満期保有目的の債券は、金銭債権[*01]との類似性を考慮しているため、決算時の為替相場による換算を行います。

なお、満期保有目的の債券の処理において、**原価法**(取得価額で評価)**を適用している場合**と、**償却原価法を適用している場合**では、換算するさいの外貨建金額が異なります。

*01)長期性預金や長期貸付金をイメージしてください。

(1)原価法を適用している場合

原価法を採用している場合は、外貨建取得価額(HC)[*02]を決算時レート(CR)で換算し、取得価額との差額は『為替差損益』として計上します。

*02)満期保有目的の債券は、期末に時価評価せずに、取得価額のままで評価しましたね。

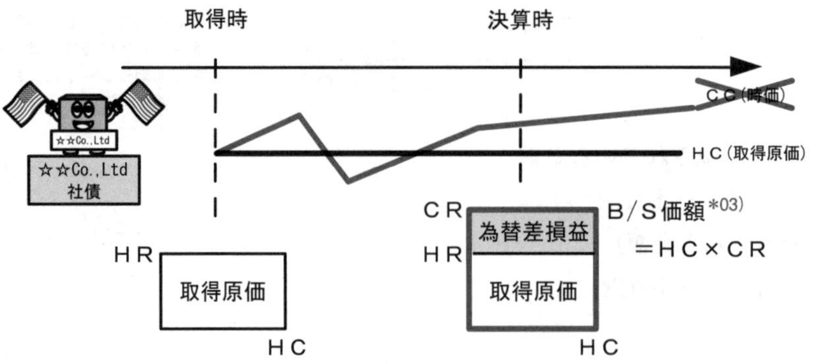

*03)商品の評価と異なり、外枠がB/S価額となっている点に注意してください。

(2)償却原価法を適用している場合

償却原価法を適用している場合は、外貨による償却原価を算定し、それに決算時レート(CR)を掛けて期末の貸借対照表価額とし、償却原価との差額は『為替差損益』として計上します。なお、**償却額は期中平均レート(AR)を用いて換算し**[*04]、**『有価証券利息』で処理**します。

*04)償却額は利息に相当するものなので、期中を通じて平均的に発生するため期中平均レート(AR)を用います。

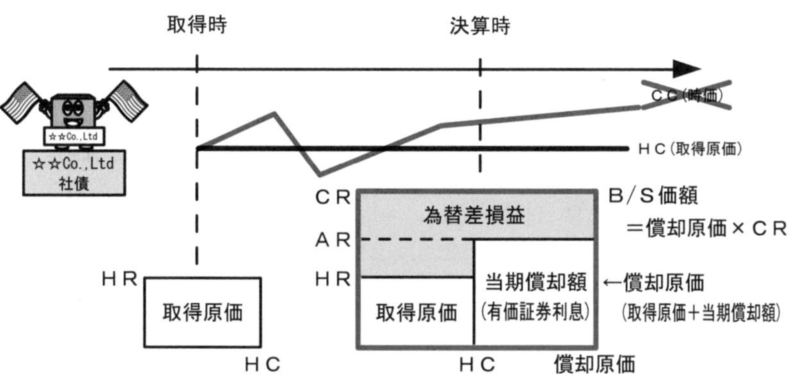

設例 3-2　外貨建満期保有目的の債券

当期(×3年3月31日に終了する1年間)における次の資料にもとづいて、決算整理において必要となる仕訳を示しなさい。

【資　料】

銘　　柄	取得原価	取得時レート	時　　価	保有目的
N社社債	4,000ドル	113円	4,050ドル	満期保有
S社社債	7,400ドル	117円	7,700ドル	満期保有

1　決算時の為替レートは1ドル120円である。
2　当期の期中平均為替レートは1ドル116円である。
3　N社社債の償還期限は×5年3月31日であり、当社は発行日に額面で取得し、原価法で処理している。
4　S社社債の償還期限は×5年3月31日であり、当社は×2年4月1日に額面金額8,000ドルを7,400ドルで取得している。なお、額面金額と取得価額との差額は金利の調整と認められるため、償却原価法(定額法)を適用する。

解答

N社社債	(借)**投資有価証券**	*28,000*	(貸)**為替差損益**	*28,000*
S社社債	(借)**投資有価証券**	*23,200*	(貸)**有価証券利息**	*23,200*
	(借)**投資有価証券**	*23,000*	(貸)**為替差損益**	*23,000*

※投資有価証券は『満期保有目的債券』でも可。

解説

(1) N社社債

決算時換算額－取得時換算額
(CR@120円－HR@113円)
×4,000ドル＝28,000円(為替差益)

＜N社社債＞

(2) S社社債

① 外貨建償却額
(8,000ドル－7,400ドル)
$\times \frac{12カ月}{36カ月}$＝200ドル

② 円建償却額(有価証券利息)
AR@116円×200ドル
＝23,200円

③ 為替差損益(B/S価額－償却原価)
CR@120円×(7,400ドル＋200ドル)
－(HR@117円×HC7,400ドル＋23,200円)
　　　　取得原価　　　　　　　償却額
＝23,000円(為替差益)

＜S社社債＞

4 外貨建その他有価証券

簿A　財計A　▶▶簿問題集：問題16,17

1．決算時の処理

外貨建その他有価証券は、**金融商品に関する会計基準において時価での評価が求められているため**、外国通貨による時価を決算時の為替相場により換算を行います。

2．評価差額の処理

その他有価証券を時価評価したことによる評価差額は、金融商品に関する会計基準にもとづいて処理を行います(**原則処理**)＊01)。

ただし、**その他有価証券のうち外国債券**については、時価の変動にともなう差額を評価差額とし、それ以外の差額(為替相場の変動)は当期の損益＊02)として処理することができます(**容認処理**)。

これは、金銭債権債務＊03)の換算方法との整合性の観点から、その他有価証券の為替変動を含む時価の変動を、価格変動リスク＊04)と為替変動リスク＊05)に分解して取り扱うことを目的としているためです。

＊01) その他有価証券であれば、税効果会計を適用したうえで、純資産直入法により処理します。

＊02) 為替差損益とすることです。

＊03) 満期保有目的の債券の為替相場の変動による換算差額は、「為替差損益」となることとの整合性を考えています。

＊04) 税効果適用のうえ、その他有価証券評価差額金となります。

＊05) 為替差損益として処理することが容認されています。

(1)原則処理(為替差損益を認識しない方法)

その他有価証券は決算時レートで換算しますが、①**時価(市場価格)があある株式または債券**と、②**市場価格のない株式**とで処理が異なります。また、評価差額の処理は**全部純資産直入法**と**部分純資産直入法**が認められています[*06]。

*06)円建てのその他有価証券の評価と同じです。

① 時価(市場価格)がある場合	全部純資産直入法
② 市場価格のない株式	部分純資産直入法

①時価(市場価格)がある場合

その他有価証券に時価(CC)がある場合は、その他有価証券の**時価(CC)**を**決算時レート(CR)**で換算します。

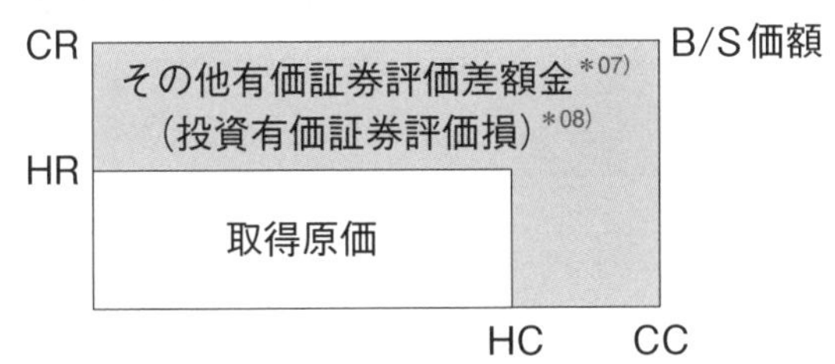

*07)円建てのその他有価証券と同様に、税効果会計の対象となります。

*08)部分純資産直入法を採用していて、かつ評価損のときだけ『投資有価証券評価損』となります。

②市場価格のない株式

その他有価証券のうち市場価格のない様式は、**取得原価(HC)**を**決算時レート(CR)**で換算します。

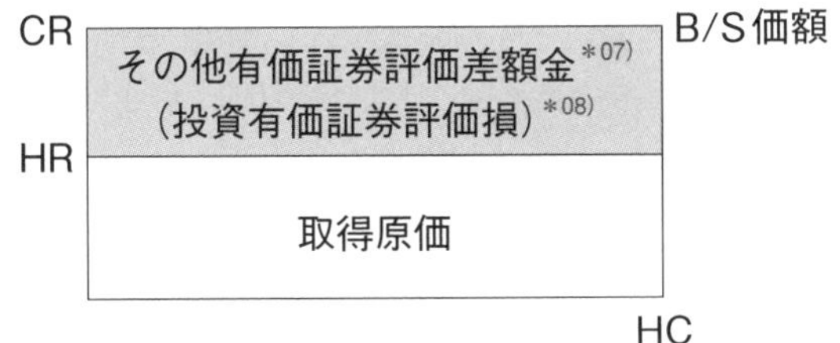

設例 3-3　外貨建その他有価証券（原則処理）

次の資料にもとづき、決算整理において必要となる仕訳を示しなさい。

【資　料】

銘　　柄	取得原価	取得時レート	期末時価	保有目的
N社社債	1,000ドル	100円	1,300ドル	その他

N社社債は当期に取得したものであり、全部純資産直入法を採用する。なお、決算日のレートは1ドル110円であり、換算差額は原則処理(為替差損益を認識しない方法)によること。(法定実効税率：30%、税効果会計を適用する。)

N社社債	(借)投資有価証券	43,000	(貸)繰延税金負債	12,900
				その他有価証券評価差額金	30,100

※投資有価証券は『その他有価証券』でも可。

解説

N社社債

決算時換算額－取得時換算額

＝CR@110円×CC1,300ドル

－HR@100円×HC1,000ドル

＝43,000円※

※法定実効税率を乗じて税効果を考慮します。

(2) 容認処理

その他有価証券のうち外国債券については、時価の変動にともなう差額を評価差額とし、それ以外の差額(為替相場の変動)は**『為替差損益』**として処理することができます[*09]。

＊09) 満期保有目的の債券の換算差額を『為替差損益』で処理することとの整合性から認められています。

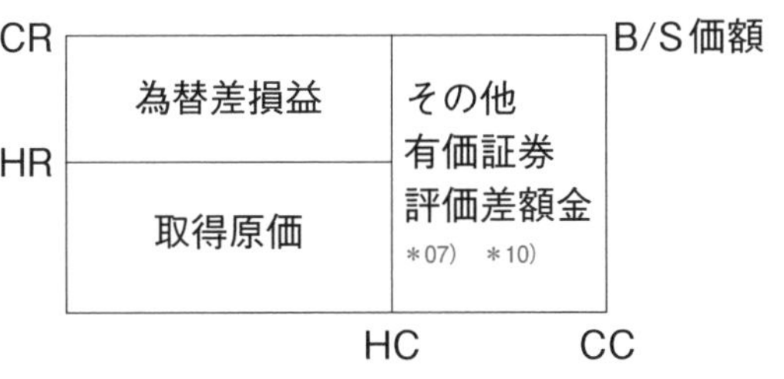

＊10) 部分純資産直入法を採用していて、かつ、評価損のときだけ『投資有価証券評価損』となります。

設例 3-4　外貨建その他有価証券（容認処理）

次の資料にもとづき、決算整理において必要となる仕訳を示しなさい。

【資　料】

銘　　柄	取得原価	取得時レート	期末時価	保有目的
N社社債	1,000ドル	100円	1,300ドル	その他

N社社債は当期に取得したものであり、全部純資産直入法を採用する。なお、決算日のレートは1ドル110円であり、換算差額は容認処理(為替差損益を認識する方法)によること。(法定実効税率：30%、税効果会計を適用する。)

解答

N社社債	(借)投資有価証券	*10,000*	(貸)為替差損益	*10,000*
	(借)投資有価証券	*33,000*	(貸)繰延税金負債	*9,900*
			その他有価証券評価差額金	*23,100*

※投資有価証券は『その他有価証券』でも可。

解説

N社社債

①為替差損益

= CR@110円×HC1,000ドル

− HR@100円×HC1,000ドル

= 10,000円

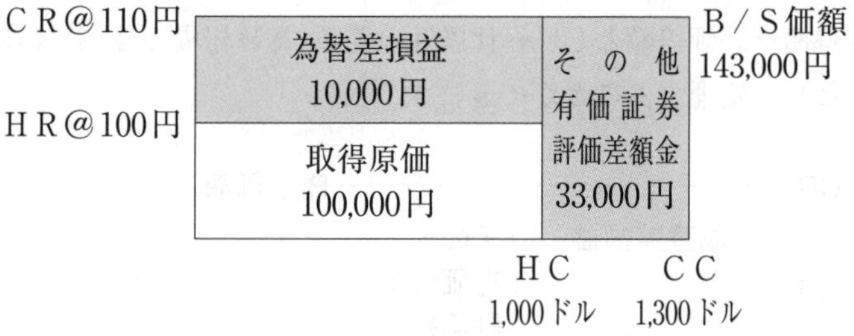

②その他有価証券評価差額金

= CR@110円×CC1,300ドル

− CR@110円×HC1,000ドル

= 33,000円※

※法定実効税率を乗じて税効果を考慮します。

CR@110円	為替差損益 10,000円	その他有価証券評価差額金 33,000円	B/S価額 143,000円
HR@100円	取得原価 100,000円		
	HC 1,000ドル	CC 1,300ドル	

3．償却原価法を適用する債券(その他有価証券)

その他有価証券のうち外国債券について、額面金額と取得原価との差額が金利の調整と認められるときは、まず、償却原価法を適用し、その後時価評価を行い、評価差額は原則として『その他有価証券評価差額金』とします。

設例 3-5　外貨建その他有価証券（償却原価法）

次の資料にもとづき、決算整理において必要となる仕訳を示しなさい。

【資　料】

銘　柄	取得原価	取得時レート	期末時価	保有目的
S社社債	980ドル	100円	988ドル	その他

S社社債は、当期首に額面金額1,000ドル(期間5年、利札は考慮しなくてよい)を取得したものである。額面金額と取得原価との差額は金利の調整と認められ、償却原価法(定額法)を採用する。

なお、その他有価証券は全部純資産直入法を採用する。また、当期の期中平均為替レートは1ドル102円であり、決算日の為替レートは1ドル106円であり、換算差額は原則処理(為替差損益を認識しない方法)によること。(法定実効税率：30%、税効果会計を適用する。)

S社社債	(借)投資有価証券	*408*	(貸)有価証券利息	*408*
	(借)投資有価証券	*6,320*	(貸)繰延税金負債	*1,896*
			その他有価証券評価差額金	*4,424*

解説

外貨建償却額：(1,000ドル－980ドル)×$\frac{12カ月}{60カ月}$＝4ドル

円建償却額：AR@102円×4ドル＝408円

その他有価証券評価差額金(B/S価額－償却原価)：

CR@106円×988ドル(時価)－(HR@100円×HC 980ドル(取得原価)＋408円(償却額))＝6,320円※

※法定実効税率を乗じて税効果を考慮します。

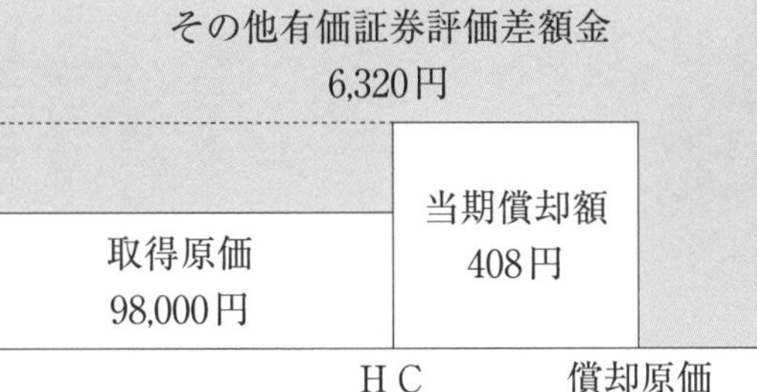

CR@106円
AR@102円
HR@100円
その他有価証券評価差額金 6,320円
取得原価 98,000円
当期償却額 408円
B/S価額 104,728円
HC 980ドル
償却原価 984ドル
CC 988ドル

5 子会社株式・関連会社株式

外貨建ての子会社株式や関連会社株式は、支配力や影響力を及ぼすことを目的として所有されているため、**時価評価の対象となりません**[*01]。

*01)つまり、取得原価で評価します。

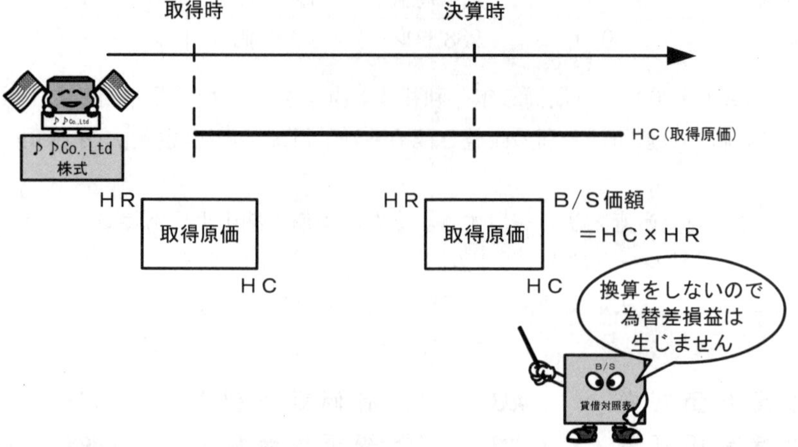

設例 3-6 外貨建子会社株式・関連会社株式

次の資料にもとづいて、決算時に必要となる仕訳を示しなさい。

【資　料】

銘　柄	取得原価	取得時レート	期末時価	保有目的
K社株式	1,000ドル	100円	1,100ドル	支配目的

なお、K社は当社の子会社に該当し、決算日の為替レートは1ドル98円である。

K社株式 (借)仕　訳　な　し　　(貸)

6 決算日における換算のまとめ

外貨建有価証券の換算をまとめると、次のようになります。

分類			貸借対照表価額	評価差額の処理
売買目的有価証券			CC × CR	有価証券評価損益
満期保有目的の債券		原価法	HC × CR	為替差損益
		償却原価法	償却原価 × CR	為替差損益
その他有価証券	原則	時価あり	CC × CR	その他有価証券評価差額金 (投資有価証券評価損*01))
		市場価格のない株式	HC × CR	
	容認(債券のみ)		CC × CR	その他有価証券評価差額金 (投資有価証券評価損*01))　為替差損益
子会社株式 関連会社株式			HC × HR	—

外貨建金額には、時価(CC)、取得原価(HC)、償却原価とさまざまなものが用いられますが、為替レートにHR（取得時レート）が用いられるのは、子会社株式・関連会社株式のみと把握しておきましょう。

＊01) 部分純資産直入法を採用し、かつ評価差損が生じた場合に計上します。

7 強制評価減（減損処理）

▶▶簿問題集：問題15,18
▶▶財問題集：問題20,21

外貨建有価証券も時価や実質価額が著しく下落あるいは低下した場合には、強制的に評価の減額を行わなければなりません。適用要件などをまとめると、次のようになります。

分類	適用要件	減額処理法	貸借対照表価額	評価差額
時価(市場価格)のある有価証券	時価が著しく下落した時 (回復見込みのあるものを除く)*01)	強制評価減	外貨による時価 × CR	当期の損失として処理
市場価格のない株式	実質価額が著しく低下した時	実価法	外貨による実質価額 × CR	当期の損失として処理

いずれの場合も、外貨による時価(CC)や実質価額を決算時レート(CR)で換算し、評価損を計上*02)します。

なお、**時価や実質価額の著しい下落の判断は、外貨ベース**で行います。

＊01) 回復の見込みのないもの、または不明な場合です。

＊02) 減損処理を行った場合は、切放法を用います。

設例 3-7　外貨建有価証券の減損処理

次の資料にもとづいて、決算時に必要となる仕訳を示しなさい。なお、決算時の為替相場は1ドル100円である。

【資　料】

〔決算整理事項〕

(1)　A社は当社の子会社に該当し、A社株式の取得原価は45,000円(取得原価500ドル、取得時の為替レートは1ドル90円、当期中に取得)である。決算時の時価は180ドルであり、回復の見込みは不明であるため、適切な処理を行う。

(2)　B社は当社の関連会社に該当し、B社株式の取得原価は33,000円(取得原価300ドル、取得時の為替レートは1ドル110円、市場価格なし、当期中に30株を取得)である。期末におけるB社の財政状態は次のとおりであるため、実価法を適用する。なお、B社の発行済株式総数は100株である。

貸借対照表　(単位：ドル)

諸資産	700	諸負債	600
		資本金	400
		繰越利益剰余金	△300
	700		700

解答

A社株式	(借)**関係会社株式評価損**	*27,000*＊03)	(貸)**関係会社株式**	*27,000*
B社株式	(借)**関係会社株式評価損**	*30,000*＊04)	(貸)**関係会社株式**	*30,000*

＊03) A社株式は、ドル建時価が著しく下落しているため、減損処理を行います。
@100円×180ドル－45,000円＝△27,000円(評価損)

＊04) B社株式は、ドル建実質価額が著しく低下しているため、実価法による減損処理を行います。
B社の1株あたり純資産額に保有株式数をかけて、ドル建実質価額を求めます。
次にドル建実質価額を決算時の為替レートで円換算し、評価損を計算します。

$$(700\text{ドル}-600\text{ドル})\times\frac{30\text{株}}{100\text{株}}=30\text{ドル}(\text{ドル建実質価額})$$

@100円×30ドル－33,000円＝△30,000円(評価損)

このChapterでの表示と注記

貸借対照表

(資産の部)		(負債の部)	
Ⅰ　流動資産		Ⅰ　流動負債	
前払費用	×××	前受収益	×××
⋮		⋮	
		(純資産の部)	
		⋮	

損益計算書

⋮	
Ⅳ　営業外収益	
為替差益	×××*
Ⅴ　営業外費用	
(為替差損	×××)*
⋮	

＊『為替差損益』は、相殺して純額で為替差益 or 為替差損として表示

【注記例】(一部)
〈重要な会計方針に係る事項に関する注記〉
・外貨建資産及び負債の本邦通貨への換算方法
　外貨建資産及び負債については、外貨建取引等会計処理基準に基づいて換算している。
・為替予約の処理方法
　為替予約は、振当処理により処理を行っている。

Chapter 12

棚卸資産Ⅱ

教科書Ⅰ基礎導入編において、期末商品原価の算定方法として、先入先出法や平均法といった方法を学習しましたが、その他にもちょっと特殊な方法として「売価還元法」とよばれる方法があります。

このChapterでは、売価還元法による期末商品原価の算定方法について学習します。

Section 1

売価還元法

多種多様な商品を大量に取り扱っている小売業や卸売業では、期末に財務諸表を作成するにあたり、どのようにして期末商品原価を求めるのでしょう。バーコードを読み取れば、各商品の売価はわかるのですが原価まではわかりません。それでは1種類ずつ求めるのでしょうか。それはたいへんな作業ですね。

このSectionでは、売価還元法という小売業や卸売業を対象とした期末商品原価の算定方法について学習します。

1 売価還元法

売価還元法とは、いったん売価によって棚卸を行い、それに原価率を掛けて、期末商品の原価を算定する方法です[*01)]。売価還元法には、会計上の売価還元法と税法上の売価還元法があります。

*01) この方法は、多種多様な商品を扱う百貨店、スーパーマーケットなどで適用されています。

期末商品原価 ＝ 期末商品売価 × 原価率

- 売価還元法
  - 会計上の売価還元法
  - 税法上の売価還元法

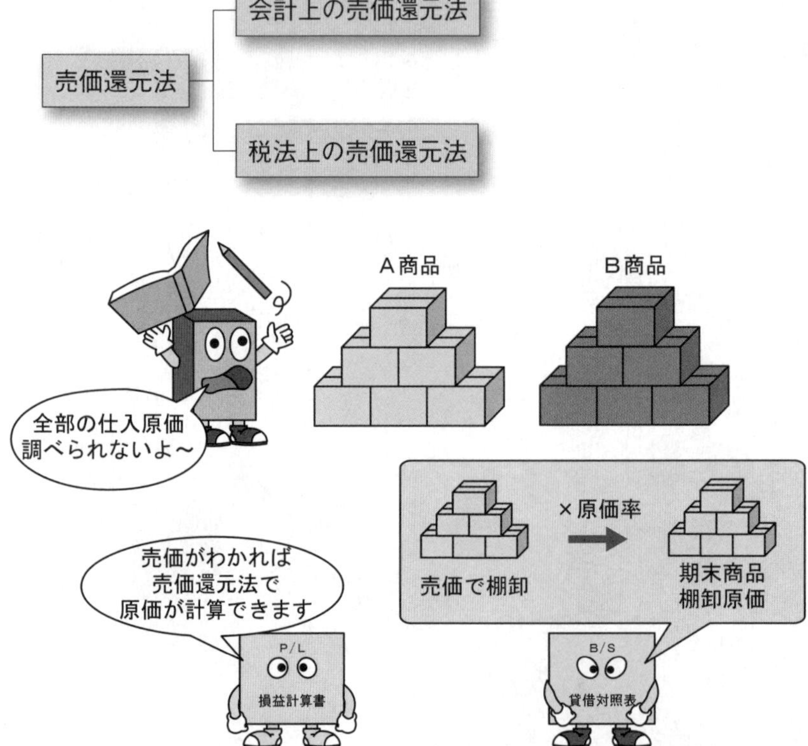

2 会計上の売価還元法

簿B 財計C

▶▶簿問題集：問題1,2,3,5
▶▶財問題集：問題6

1．原価率および期末商品原価の算定

会計上の売価還元法における原価率および期末商品原価は、次の算式によって求めます。

原価率[*01] ＝ $\dfrac{\text{期首商品原価} + \text{当期仕入原価}}{\text{期首商品売価} + \text{当期仕入原価} + \text{原始値入額}^{*02} + \text{純値上額}^{*03} - \text{純値下額}^{*04}}$

期末商品原価 ＝ 期末商品棚卸売価 × 原価率

＊01）この原価率を原価法原価率と呼びます。

＊02）商品の仕入時に予定した利益の額を原始値入額（げんしねいれがく）といい、これを当期仕入原価に加えることにより、当期仕入商品の売価となります。

＊03）純値上額＝値上額－値上取消額

＊04）純値下額＝値下額－値下取消額

設例 1-1　売価還元法による期末商品原価の計算

次の資料にもとづいて、売価還元法による原価率、期末商品原価を求めるとともに、決算整理仕訳を示しなさい。なお、棚卸減耗および商品評価損は発生していないものとする。

【資　料】

	原　価	売　価	
期首商品	500円	550円	
当期仕入	2,500円	3,250円	（原始値入額 750円）
純値上額	—	200円	
純値下額	—	250円	
期末商品	—	800円	
売上高	—	2,950円	

原　価　率	*80*　%	期末商品原価	*640*　円

決算整理仕訳

（借）仕　入	*500*	（貸）繰越商品	*500*
（借）繰越商品	*640*	（貸）仕　入	*640*

解説

(1)　原価率の算定

$$\frac{500\text{円} + 2{,}500\text{円}}{550\text{円} + 3{,}250\text{円} + 200\text{円} - 250\text{円}} = \frac{3{,}000\text{円}}{3{,}750\text{円}} = 0.8$$

（3,250円＝2,500円（仕入）＋750円（原始値入））

(2)　期末商品原価の算定

800円 × 0.8 ＝ 640円

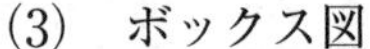

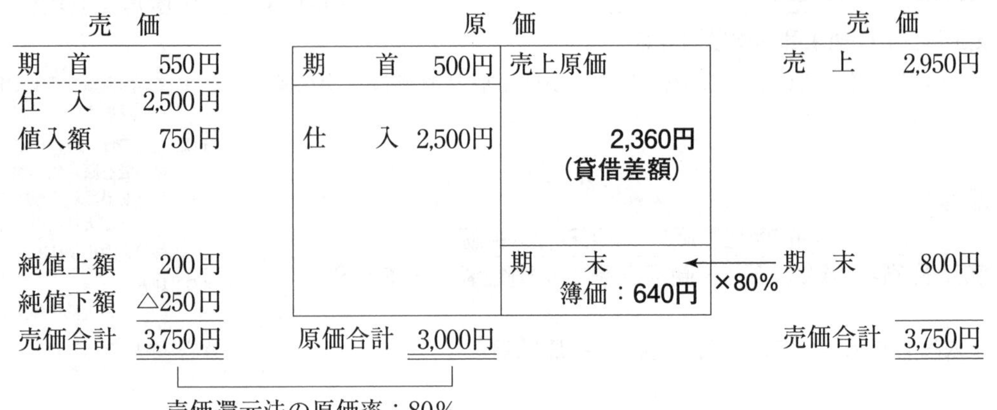

売価還元法の原価率：80％

ボックス図の記入順序

① ボックス図の枠と問題文で与えられた金額を記入します。

② ボックス図借方側の売価と原価の関係から原価率を算定します。

③ ①、②をもとに残りの各金額を記入します。

2．棚卸減耗損の算定

棚卸減耗損は、期末商品帳簿棚卸売価と期末商品実地棚卸売価[*05]との差額に原価率を掛けて算定します。なお、期末商品帳簿棚卸売価が与えられていない場合には、期首商品売価と当期仕入売価[*06]の合計額(売価合計)から売上高(値引き、割戻しを含む)を差し引いて求めます。

＊05）期末商品実地棚卸売価は、商品の棚卸を実際に行って、その売価合計として求めます。

＊06）純値上額および純値下額を考慮した後の金額です。

棚卸減耗損の計算

棚卸減耗損 ＝(期末商品帳簿棚卸売価 － 期末商品実地棚卸売価)× 原価率

設例 1-2 売価還元法による棚卸減耗損の計算

次の資料にもとづいて、売価還元原価法による棚卸減耗損を求めなさい。なお、原価率は80％である。

【資　料】

	原　価	売　価	
期首商品	500円	550円	
当期仕入	2,500円	3,250円	(原始値入額 750円)
純値上額	—	200円	
純値下額	—	250円	
期末商品帳簿棚卸高	—	?	
期末商品実地棚卸高	—	700円	
売上高	—	2,950円	

解答

棚卸減耗損	*80* 円

解説

(1) 期末帳簿売価

売価合計：550円 + 3,250円 + 200円 − 250円 = 3,750円

期末帳簿売価：3,750円 − 2,950円 = 800円

(2) 棚卸減耗損の算定

棚卸減耗損(売価)：800円 − 700円 = 100円

棚卸減耗損(原価)：100円 × 0.8 = 80円

(3) ボックス図

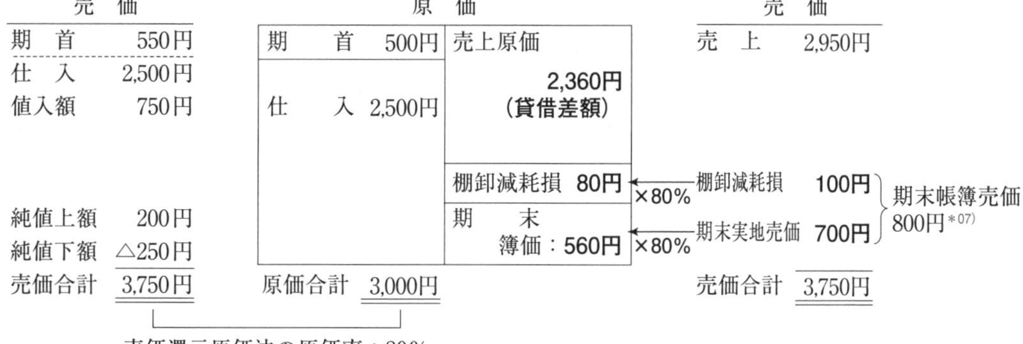

棚卸減耗損の計算

原価率80%

商品のB／S価額 560円	棚卸減耗損 80円
実地棚卸売価 700円	帳簿棚卸売価 800円

＊07)3,750円(借方売価合計)−2,950円(売上高)＝800円

3．期末商品の評価

(1) 原則

期末商品の評価については、**原則**として期末の正味売却価額が帳簿価額よりも下落している場合[*08)]には、**正味売却価額をもって貸借対照表価額**とし、商品評価損を計上します。

＊08)正味売却価額が帳簿価額を上回っている場合は、帳簿価額のままで、商品評価損の計上はありません。

商品評価損の計算

商品評価損 ＝ 期末商品棚卸売価 × 原価率 − 正味売却価額

貸借対照表価額 ＝ 正味売却価額

設例 1-3 期末商品の評価（原則）

次の資料にもとづいて、売価還元原価法による商品評価損を求めるとともに、決算整理仕訳を示しなさい。なお、原価率は80％であり、棚卸減耗損は売上原価に算入しない。

また、期末商品実地棚卸高の正味売却価額は500円であった。

【資　料】

	原　価	売　価	
期首商品	500円	550円	
当期仕入	2,500円	3,250円	（原始値入額 750円）
純値上額	—	200円	
純値下額	—	250円	
期末商品帳簿棚卸高	—	800円	
期末商品実地棚卸高	—	700円	
売上高	—	2,950円	

解答

商品評価損	*60* 円

決算整理仕訳

（借）仕入	*500*	（貸）繰越商品	*500*
（借）繰越商品	*640*	（貸）仕入	*640*
（借）棚卸減耗損	*80*	（貸）繰越商品	*80*
（借）商品評価損	*60*	（貸）繰越商品	*60*

解説

(1)　棚卸減耗損の算定

(800円 − 700円) × 0.8 = 80円

(2)　商品評価損の算定

期末商品帳簿棚卸高：800円 × 0.8 = 640円

期末商品実地棚卸高：700円 × 0.8 = 560円

商品評価損：560円 − 500円 = 60円

(3)　ボックス図

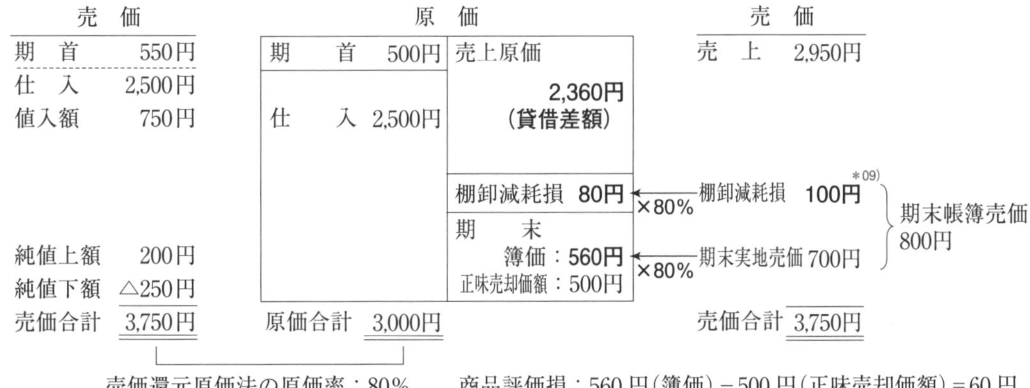

棚卸減耗損と商品評価損の計算

原価率80%

商品評価損　60円	棚卸減耗損 80円
商品のB／S価額 500円	
実地棚卸売価 700円	帳簿棚卸売価 800円

*09)800円(期末帳簿棚卸売価)－700円(期末実地棚卸売価)＝100円(売価ベースの棚卸減耗損)

(2)容認処理

①商品評価損を計上する方法

商品ごとに正味売却価額の把握が困難であっても、純値下額が売価合計に適切に反映されている場合には、**容認処理**として**純値下額を考慮しない原価率**[*10)]を別途算定し、**その原価率に期末商品棚卸売価を掛けた金額をもって貸借対照表価額**とし、その原価率と原価法原価率の差にもとづいて商品評価損を計上することも認められます。

*10)この原価率を低価法原価率と呼びます。

低価法原価率は次のように求めます[*11)]。

*11)この低価法原価率は分母に純値下額を考慮しないため、原価法原価率よりも小さくなります。

低価法原価率 ＝

$$\frac{\text{期首商品原価} + \text{当期商品仕入原価}}{\text{期首商品売価} + \text{当期仕入原価} + \text{原始値入額} + \text{純値上額}}$$

商品評価損の計算

商品評価損 ＝ 期末商品実地棚卸売価 ×(原価法原価率 － 低価法原価率)

貸借対照表価額 ＝ 期末商品実地棚卸売価 × 低価法原価率

設例 1-4　期末商品の評価(容認処理・商品評価損を計上する方法)

次の資料にもとづいて、売価還元法による原価法原価率および低価法原価率を求め、決算整理仕訳を示しなさい。

【資　料】

(1) 期首商品(原価 500円　売価は原価の1.1倍)
　　当期仕入(原価 2,500円　値入率は30%)
　　純値上額　200円　　純値下額　250円

(2) 売上高　2,950円
　　期末商品帳簿棚卸高　800円(売価)
　　期末商品実地棚卸高　700円(売価)

解答

原価法原価率	80　%	低価法原価率	75　%

決算整理仕訳

(借)	仕　　入	500	(貸)	繰越商品	500
(借)	繰越商品	640	(貸)	仕　　入	640
(借)	棚卸減耗損	80	(貸)	繰越商品	80
(借)	商品評価損	35	(貸)	繰越商品	35

解説

(1) 原価率の算定

① 原価法原価率

$$\frac{500円 + 2{,}500円}{500円 \times 1.1 + 2{,}500円 + 2{,}500円 \times 0.3 + 200円 - 250円} = \frac{3{,}000円}{3{,}750円} = 0.8$$

② 低価法原価率

$$\frac{500円 + 2{,}500円}{500円 \times 1.1 + 2{,}500円 + 2{,}500円 \times 0.3 + 200円} = \frac{3{,}000円}{4{,}000円} = 0.75$$

(2) 棚卸減耗損の算定

$(800円 - 700円) \times 0.8 = 80円$

(3) 商品評価損の算定

$700円 \times (0.8 - 0.75) = 35円$

(4) ボックス図

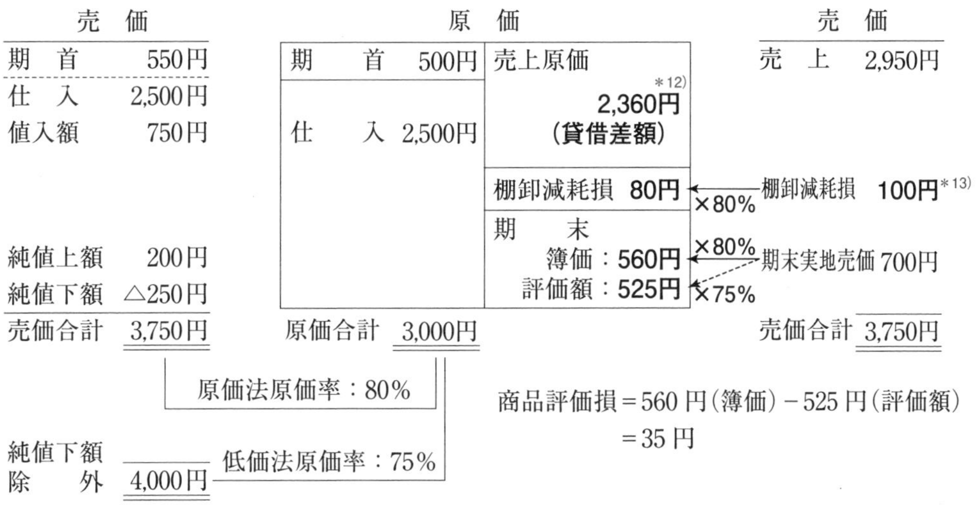

売価	
期首	550円
仕入	2,500円
値入額	750円
純値上額	200円
純値下額	△250円
売価合計	3,750円

原価	
期首 500円	売上原価 2,360円 *12)（貸借差額）
仕入 2,500円	棚卸減耗損 80円
	期末 簿価：560円 評価額：525円
原価合計 3,000円	

売価	
売上	2,950円
棚卸減耗損	100円 *13)
期末実地売価	700円
売価合計	3,750円

棚卸減耗損 100円 ×80% → 棚卸減耗損 80円
期末実地売価 700円 ×80% → 簿価：560円
期末実地売価 700円 ×75% → 評価額：525円

原価法原価率：80%

純値下額除外 4,000円 低価法原価率：75%

商品評価損＝560円（簿価）－525円（評価額）
＝35円

棚卸減耗損と商品評価損の計算

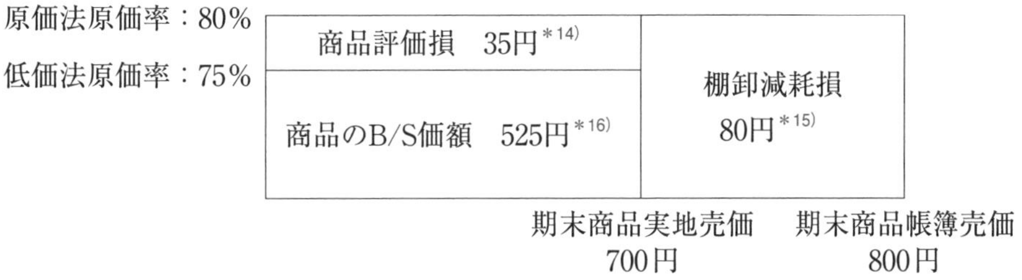

原価法原価率：80%
低価法原価率：75%

商品評価損 35円 *14)	棚卸減耗損 80円 *15)
商品のB/S価額 525円 *16)	

期末商品実地売価 700円　期末商品帳簿売価 800円

*12) この売上原価2,360円と売上2,950円は原価率80%で一致しています。

$$\frac{2,360円}{2,950円}=0.8$$

*13) 800円（期末帳簿棚卸売価）－700円（期末実地棚卸売価）＝100円（売価ベースの棚卸減耗損）

*14) 700円×（0.8－0.75）＝35円

*15) （800円－700円）×0.8＝80円

*16) 700円×0.75＝525円

②商品評価損を計上しない方法

商品評価損を計上しない方法では、原価法原価率を使用せず低価法原価率のみを用いて期末商品の評価を行う方法です。この方法では、売上原価を差額で求めることにより、商品評価損は自動的に売上原価に含まれ、独立した費用項目としては計上されません。また、棚卸減耗損も低価法原価率により計算することになります。

棚卸減耗損の計算

棚卸減耗損 ＝
（期末商品帳簿棚卸売価 － 期末商品実地棚卸売価）× 低価法原価率
貸借対照表価額 ＝ 期末商品実地棚卸売価 × 低価法原価率

設例 1-5　期末商品の評価(容認処理・商品評価損を計上しない方法)

次の資料にもとづいて決算整理仕訳を示しなさい。なお、商品評価損は独立した費用として計上しない簡便法による。

【資　料】

(1) 期首商品(原価500円　売価は原価の1.1倍)
　　当期仕入(原価2,500円　値入率は30%)
　　純値上額　200円　　純値下額　250円

(2) 売上高　2,950円
　　期末商品帳簿棚卸高　800円(売価)
　　期末商品実地棚卸高　700円(売価)

解答

(借)	仕入	*500*	(貸)	繰越商品	*500*
(借)	繰越商品	*600*	(貸)	仕入	*600*
(借)	棚卸減耗損	*75*	(貸)	繰越商品	*75*

解説

(1)　低価法原価率の算定

$$\frac{500円+2{,}500円}{500円\times1.1+2{,}500円+2{,}500円\times0.3+200円}=\frac{3{,}000円}{4{,}000円}=0.75$$

(2)　期末商品の評価額の算定

700円 × 0.75 = 525円

(3)　棚卸減耗損の算定

(800円 − 700円) × 0.75 = 75円

(4)　ボックス図

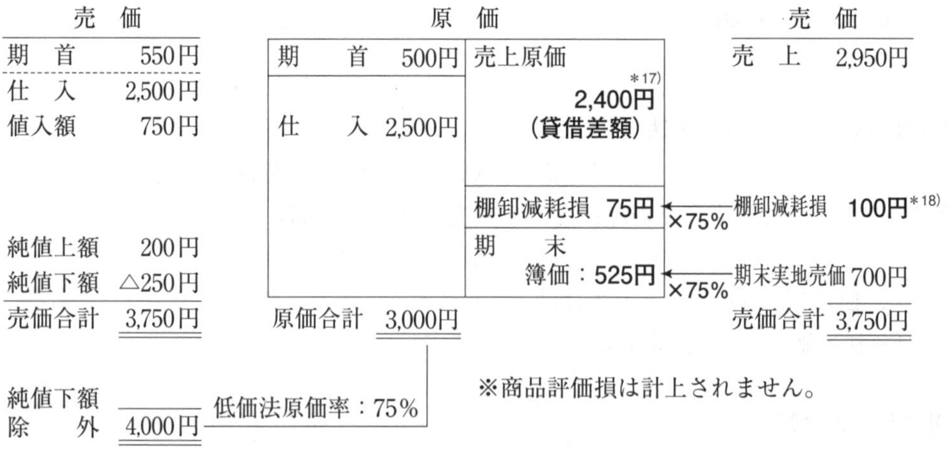

売価

期　首	550円
仕　入	2,500円
値入額	750円
純値上額	200円
純値下額	△250円
売価合計	3,750円
純値下額除外	4,000円

原価

期　首　500円	売上原価 2,400円 *17)（貸借差額）
仕　入　2,500円	棚卸減耗損　75円
	期　末　簿価：525円
原価合計　3,000円	

低価法原価率：75%

売価

売　上	2,950円
棚卸減耗損	100円 *18)（×75%→棚卸減耗損75円）
期末実地売価	700円（×75%→期末簿価525円）
売価合計	3,750円

※商品評価損は計上されません。

棚卸減耗損の計算

低価法原価率：75%

商品のB/S価額　525円*20)	棚卸減耗損 75円*19)

期末商品実地棚卸売価 700円　期末商品帳簿棚卸売価 800円

*17) $\frac{2,400円}{2,950円}$=0.81355…
この売上原価2,400円と売上2,950円は原価率で一致しません。これは、商品評価損が売上原価に含まれて計算されてしまうからです。

*18) 800円(期末帳簿棚卸売価)－700円(期末実地棚卸売価)＝100円(売価ベースの棚卸減耗損)

*19) (800円－700円)×0.75=75円

*20) 700円×0.75=525円

3 売価還元法における控除項目の扱い

▶▶簿問題集：問題4

値引・割戻・返品といった売上や仕入からの控除項目は、次のように扱います。

	総仕入高(から)	総売上高(から)
値引・割戻	控除する	控除しない
返　　品	控除する	控除する

〈税法上の売価還元法〉

税法上の売価還元法における原価率および期末商品原価は、次の算式によって求めます。

$$税法上の原価率 = \frac{期首商品原価 + 当期仕入原価}{売上高 + 期末商品実地売価}$$

このChapterでの表示と注記

貸借対照表

（資産の部）		（負債の部）
Ⅰ　流動資産		：
商品	×××	（純資産の部）
		：

【注記例】（一部）
〈重要な会計方針に係る事項に関する注記〉
・商品は売価還元法（貸借対照表価額は収益性の低下に基づく簿価切下げの方法により算定）により評価している。

損益計算書

Ⅰ　売上高		×××
Ⅱ　売上原価		
1　期首商品棚卸高	×××	
2　当期商品仕入高	×××	
合計	×××	
3　期末商品棚卸高	×××	
差引	×××	
4　商品評価損	×××	×××
売上総利益		×××
Ⅲ　販売費及び一般管理費		
棚卸減耗損	×××	

Chapter 13

金融商品Ⅱ

教科書Ⅰ基礎導入編では金融商品の代表として有価証券を取り上げました。売買目的有価証券やその他有価証券などの分類に応じて期末評価を行うのですが、その保有目的が変更になった場合にはどのような処理が必要となるのでしょうか。

このChapterでは、教科書Ⅰ基礎導入編に引き続き、有価証券やその他の金融商品の会計処理について学習します。

Section 1

保有目的区分の変更

有価証券を保有する目的は様々ですが、長期間にわたって保有し続けていると、保有目的が当初の目的から他の目的に変わることもあります。

このSectionでは、有価証券の保有目的を変更した場合の会計処理について学習します。

1 保有目的区分の変更

有価証券の取得後に保有目的区分を変更することは、恣意的な会計処理による利益操作の余地[*01)]があるため、**原則として認められません**。しかし、有価証券を長期間保有する中で、資金運用方針の変更など**正当な理由がある場合は、保有目的区分を変更することが認められます**。

＊01）粉飾決算のことですね。

2 変更が認められる場合

有価証券は、その保有目的により売買目的有価証券、満期保有目的の債券、子会社株式および関連会社株式(関係会社株式)、その他有価証券に区分されます。その区分は、**正当な理由がない限り変更することはできません**。正当な理由があって保有目的を変更した場合の処理は、次のようになります。

変更前	変更後	振替価額	振替時の差額	振替後の評価
売買目的有価証券	関係会社株式	時価	有価証券評価損益	原価
	その他有価証券			時価
満期保有目的の債券	売買目的有価証券	償却原価	—	時価
	その他有価証券			
関係会社株式	売買目的有価証券	簿価	—	時価
	その他有価証券			
その他有価証券	売買目的有価証券	時価	投資有価証券評価損益(ロ)	時価
	関係会社株式	簿価(イ)	—	原価

3 保有目的変更のルール

簿B 財計C

1．振替価額

原則：**変更前の保有目的による評価**にしたがいます。

例外：表中(イ)

その他有価証券から関係会社株式に変更する場合には、**振替時の簿価**で振り替えます。ただし、部分純資産直入法を採用し、前期末に評価損が生じていた場合は、**前期末時価**で振り替え、評価差額は投資有価証券評価損益とします。

2．振替時の差額

原則：**変更前の保有目的の処理**にしたがいます。

例外：表中(ロ)

その他有価証券から売買目的有価証券に振り替える場合、振替時の差額は『**投資有価証券評価損益**』で処理します。

4 売買目的有価証券からの変更

売買目的有価証券を他の保有目的区分に変更したときは、一度、**時価評価を行い、時価により変更先の有価証券に振り替えます**。なお、このさいの評価損益は、変更前の保有目的区分(売買目的)に属するものとして『有価証券評価損益』に計上します。

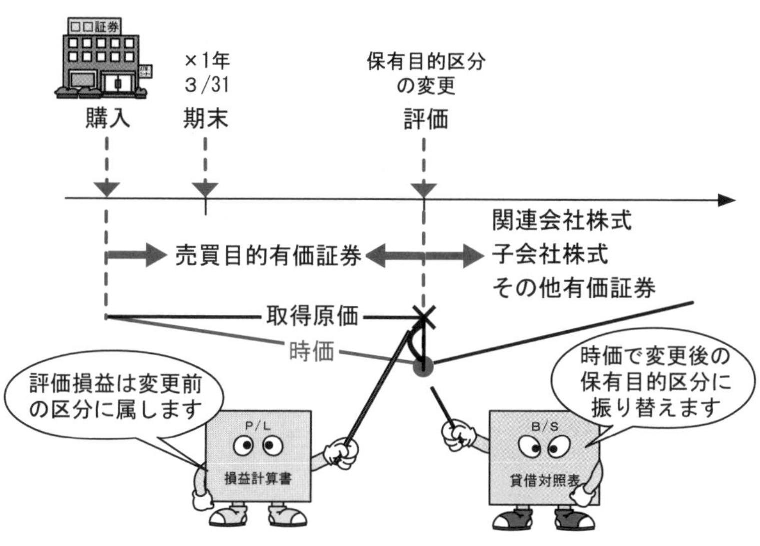

設例 1-1　保有目的区分の変更１(売買⇒その他)

次の資料にもとづき、保有目的区分の変更時および決算時の仕訳を示しなさい。なお、その他有価証券の評価差額は全部純資産直入法により処理し、税効果は無視するものとする。

【資　料】

当社は資金運用方針の変更により、売買目的で保有するＡ社株式をその他有価証券に保有目的区分を変更することとした。Ａ社株式の価格情報は以下のとおりである。

振替時の簿価：10,000円　　振替時の時価：9,500円　　当期末の時価：10,500円

(仕訳の必要がない場合は、借方科目欄に「仕訳なし」と書くこと)

変更時	(借)投資有価証券	9,500	(貸)有価証券	10,000
	有価証券評価損益*01)	500*02)		
決算時	(借)投資有価証券	1,000	(貸)その他有価証券評価差額金	1,000

*01) 有価証券に関する評価損益は『有価証券評価損(益)』や『有価証券運用損益』でも可

*02) 9,500円(振替時の時価)－10,000円(振替時の簿価)＝△500円

設例 1-2　保有目的区分の変更２(売買⇒子・関連)

次の資料にもとづき、保有目的区分の購入時、変更時および決算時の仕訳を示しなさい。

【資　料】

当社が売買目的で保有するＡ社株式を買い増した結果、関連会社株式に該当することとなったので、保有目的区分を変更することとした。Ａ社株式の価格情報は以下のとおりである。

振替時の簿価：10,000円　　振替時の時価：9,500円　　当期末の時価：10,500円

追加購入分：　50,000円(現金にて購入)

(仕訳の必要がない場合は、借方科目欄に「仕訳なし」と書くこと)

購入時	(借)関係会社株式	50,000	(貸)現金預金	50,000
変更時	(借)関係会社株式	9,500	(貸)有価証券	10,000
	有価証券評価損益	500*03)		
決算時	(借)仕訳なし		(貸)	

*03) 9,500円(振替時の時価)－10,000円(振替時の簿価)＝△500円

5 子会社および関連会社株式からの変更　簿B 財計C

子会社・関連会社株式を他の保有目的区分に変更したときは、**帳簿価額により変更先の有価証券に振り替えます**。このため、評価損益は発生しません。

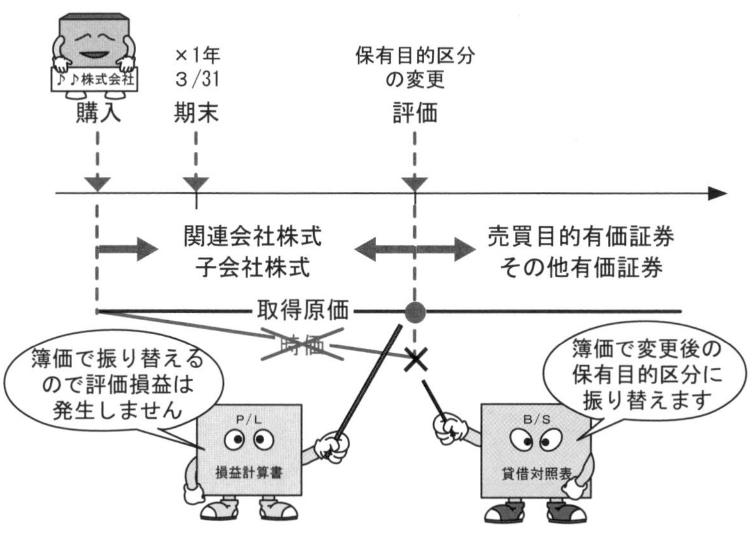

設例 1-3　保有目的区分の変更3（子・関連⇒その他）

次の資料にもとづき、売却時、保有目的区分の変更時および決算時の仕訳を示しなさい。なお、その他有価証券の評価差額は全部純資産直入法により処理し、税効果会計は無視するものとする。

【資　料】

当社がB社(当社の関連会社に該当する)株式を一部売却したところ、B社は関連会社に該当しないこととなったため、その他有価証券に保有目的区分を変更することとした。B社株式の価格情報は次のとおりである。

売却前簿価：100,000円　　売却価額：　80,000円(現金で受領)

売却原価：　85,000円　　当期末時価：18,000円

(仕訳の必要がない場合は、借方科目欄に「仕訳なし」と書くこと)

売却時	(借)現金預金	80,000	(貸)関係会社株式	85,000
	関係会社株式売却損	5,000＊01)		
変更時	(借)投資有価証券	15,000	(貸)関係会社株式	15,000
決算時	(借)投資有価証券	3,000	(貸)その他有価証券評価差額金	3,000

＊01) 80,000円(売却価額)－85,000円(売却原価)＝△5,000円

6 その他有価証券からの変更

▶▶簿問題集：問題1,2
▶▶財問題集：問題5

1．売買目的有価証券への変更

その他有価証券を売買目的の保有目的区分に変更したときは、**時価により変更先の有価証券に振り替えます**。なお、このさいの評価損益は、変更前の保有目的区分(その他)に属するものとして『投資有価証券評価損(益)』に計上します。

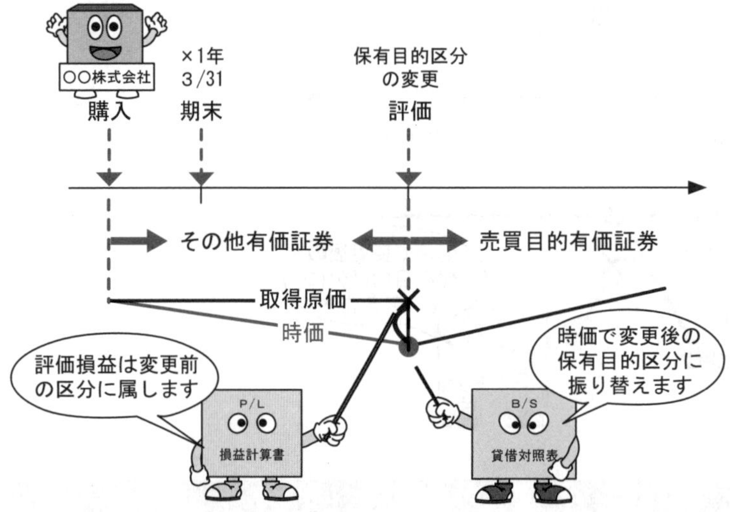

設例 1-4 保有目的区分の変更４（その他⇒売買）

次の資料にもとづき、保有目的区分の変更時および決算時の仕訳を示しなさい。なお、その他有価証券の評価差額は全部純資産直入法により処理し、税効果会計は無視するものとする。

【資　料】

当社の資金運用方針の変更により、その他有価証券として保有しているC社株式を売買目的に保有目的区分を変更することとした。C社株式の価格情報は以下のとおりである。

前期末の時価：9,000円　　振替時の簿価：10,000円　　振替時の時価：9,500円

当期末時価：　10,500円

(仕訳の必要がない場合は、借方科目欄に「仕訳なし」と書くこと)

解答

変更時	(借)有　価　証　券	9,500	(貸)投 資 有 価 証 券	10,000
	投資有価証券評価損益	500＊01)		
決算時	(借)有　価　証　券	1,000	(貸)有価証券評価損益	1,000＊02)

＊01) 9,500円(振替時の時価)－10,000円(振替時の簿価)＝△500円

＊02) 10,500円(当期末の時価)－9,500円(振替時の時価)＝1,000円

２．子会社株式および関連会社株式への変更

その他有価証券を子会社・関連会社株式の保有目的区分に変更したときは、**帳簿価額により変更先の有価証券に振り替えます**。このため、評価損益は発生しません。

ただし、その他有価証券の評価差額につき**部分純資産直入法を採用**し、かつ、**前期末に評価差損を計上している**場合は、**前期末の時価により変更先の有価証券に振り替えます**。なお、このさいの評価損益は、変更前の保有目的区分（その他）に属するものとして『投資有価証券評価損（益）』に計上します。

設例 1-5　保有目的区分の変更５（その他⇒関係）

次の資料にもとづき、購入時、保有目的区分の変更時および決算時の仕訳を示しなさい。なお、その他有価証券の評価差額は全部純資産直入法により処理し、税効果会計は無視するものとする。

【資　料】

当社がその他有価証券として保有するＣ社株式を買い増した結果、関連会社株式に該当することとなったので、保有目的区分を変更することとした。Ｃ社株式の価格情報は以下のとおりである。

前期末の時価： 9,000円　振替時の簿価：10,000円　振替時の時価：9,500円

当期末の時価：10,500円　追加購入分　：50,000円（現金にて購入）

（仕訳の必要がない場合は、借方科目欄に「仕訳なし」と書くこと）

解答

購入時	（借）関係会社株式	*50,000*	（貸）現金預金	*50,000*
変更時	（借）関係会社株式	*10,000*	（貸）投資有価証券	*10,000*
決算時	（借）仕訳なし		（貸）	

設例 1-6　保有目的区分の変更6（その他⇒関係）

設例1-5において、その他有価証券の評価差額を「部分純資産直入法」によっていた場合の仕訳を示しなさい。
（仕訳の必要がない場合は、借方科目欄に「仕訳なし」と書くこと）

解答

購入時	（借）**関係会社株式**	*50,000*	（貸）**現金預金**	*50,000*
変更時	（借）**関係会社株式**	*9,000*＊03)	（貸）**投資有価証券**	*10,000*
	投資有価証券評価損益	*1,000*		
決算時	（借）**仕訳なし**		（貸）	

＊03)前期末の時価

解説

部分純資産直入法によった場合、期首に次の仕訳を行っています。

期首の再振替仕訳

（借）投資有価証券	1,000	（貸）投資有価証券評価損益	1,000

そのため、仮に全部純資産直入法と同様に簿価で振替えを行うと、「投資有価証券評価損益1,000円」という**未実現利益が計上されてしまいます**。そこで、この未実現利益の計上を防ぐため、前期末の時価で振り替えることになります。

Section 2

株式配当金の処理

企業が配当を行うために使う原資には、利益剰余金と資本剰余金の二種類があります。利益剰余金は処分可能性、資本剰余金は維持拘束性という特徴がありましたね。

このSectionでは、本来維持しなければならない資本剰余金から配当を受け取ったときにおける、株主側の会計処理について学習していきます。

1 その他資本剰余金の処分による受取配当金

▶▶簿問題集：問題3

企業が株式の配当を行う場合、通常は**その他利益剰余金の処分**として行い、配当金を受け取る側は『受取配当金』で処理します。

しかし、例外的に**その他資本剰余金の処分**として配当が行われる場合があります。このさい、配当を受け取る側の処理は、その株式の保有目的によって異なります[*01]。

*01) その他資本剰余金は株主からの出資金、つまり払込資本により構成されているからです。

(1)売買目的有価証券

売買目的で保有する株式について、その他資本剰余金の処分として配当を受けた場合は、『受取配当金』で処理します[*02]。

*02) 配当にともなう株価低下が期末の時価評価に反映されるため、配当原資に関係なく『受取配当金』で処理します。

(2)売買目的有価証券以外

売買目的以外の目的で保有する株式について、その他資本剰余金(払込資本)の処分による配当を受けた場合、原則としてその受取額を対象となる**有価証券の帳簿価額から減額します**[*03]。

*03) 払込資本の処分による配当は、実質的に株主に対する有価証券の払戻しと考えるためです。

	配当の原資	
	その他利益剰余金	その他資本剰余金
売買目的有価証券	受取配当金	
売買目的有価証券以外	受取配当金	投資有価証券 関係会社株式 }の減額

設例2-1 **その他資本剰余金による配当**

次の各取引の仕訳を示しなさい。

(1)　保有する売買目的有価証券について、配当金領収証15,000円(うち5,000円はその他資本剰余金を原資としている)を受け取った。

(2)　保有するその他有価証券について、配当金領収証15,000円(うち5,000円はその他資本剰余金を原資としている)を受け取った。

(1)	(借)現金預金	15,000	(貸)受取配当金	15,000
(2)	(借)現金預金	15,000	(貸)受取配当金	10,000 *04)
			投資有価証券	5,000

*04) 15,000円−5,000円＝10,000円

※特に指示がない場合は「その他利益剰余金」を配当原資にしていると判断します。なお、本問は配当受取日に収益計上する方法で説明しています。

Section 3

新株予約権の取得者側の処理

新株予約権を発行した側の処理については、Chapter 9「純資産会計」のところで学習しました。それでは、その新株予約権を取得した側はどのように会計処理を行えばよいのでしょうか？

このSectionでは、新株予約権の取得者側の会計処理を学習します。

1 新株予約権の取得者側の処理

新株予約権を取得した場合には、その保有目的に応じて『**売買目的有価証券**』または、『**その他有価証券**』として処理します。

1．売買目的有価証券として保有する場合

新株予約権を売買目的有価証券として取得した場合は、決算時および権利行使時に時価評価を行います。

また、権利行使時に交付される株式の取得原価は、新株予約権の帳簿価額(時価評価後)と権利行使による払込金額の合計額になります。

設例 3-1　新株予約権の取得者側の処理（売買目的）

次の取引の仕訳を示しなさい。なお、すべての取引は現金により行っている。

(1)　×1年4月1日、以下の条件でA社の新株予約権を「売買目的有価証券」(切放法)として取得した。

① 新株予約権の取得にかかる条件
取得総数：20個　　払込金額：新株予約権1個につき500円

② 新株予約権の権利行使にかかる条件
新株予約権1個あたりの株式交付数：2株　　1株あたり権利行使価額：1,500円
権利行使期限：×3年3月31日

(2)　×2年3月31日、決算日につき時価評価を行う。なお、新株予約権の時価は1個あたり600円である。

(3)　×2年9月30日、新株予約権のうち10個を権利行使した。なお、新株予約権の時価は1個あたり550円であり、取得するA社株式は売買目的で保有することとする。

(4)　×3年3月31日、新株予約権10個を権利行使しないまま権利行使期限が到来した。

解答

(1)(借)	**有　価　証　券**	*10,000*	(貸)**現　金　預　金**	*10,000*
(2)(借)	**有　価　証　券**	*2,000*	(貸)**有価証券評価損益**	*2,000*
(3)(借)	**有　価　証　券**	*35,500*	(貸)**現　金　預　金**	*30,000*
	有価証券評価損益	*500*	**有　価　証　券**	*6,000*
(4)(借)	**新株予約権未行使損**	*6,000*	(貸)**有　価　証　券**	*6,000*

解説

(1) ×1年4月1日(取得時)　取得原価：@500円×20個＝10,000円

(2) ×2年3月31日(決算時)　評価損益(時価評価)：(@600円－@500円)×20個＝2,000円(評価益)

(3) ×2年9月30日(権利行使時)　時価評価＋権利行使の仕訳を行います。

時価評価

(借)	有価証券評価損益	500	(貸)有　価　証　券	500

※(@550円－@600円)×10個＝△500円(評価損)

権利行使

(借)	有　価　証　券	35,500	(貸)現　金　預　金	30,000
			有　価　証　券	5,500

※払込金額(現金預金)：(@1,500円×2株)×10個＝30,000円

貸方の有価証券(新株予約権の時価評価)：@550円×10個＝5,500円

(4) ×3年3月31日(権利行使期限到来時)　未行使分がある場合は、『**新株予約権未行使損**』を計上します。

新株予約権未行使損：@600円×10個＝6,000円(切放法を採用しているため、前期末の時価を用います)

２．その他有価証券として保有する場合

新株予約権をその他有価証券として取得した場合は、決算時のみ時価評価を行います。

また、権利行使時に交付される株式の取得原価は、新株予約権の帳簿価額(取得原価)と権利行使による払込金額の合計額になります。

設例 3-2　新株予約権の取得者側の処理（その他）

設例３-１について、Ａ社の新株予約権と株式を「その他有価証券」として取得・保有する場合について、仕訳を示しなさい。なお、法定実効税率を30%として、税効果会計を適用すること。

解答

	借方	金額	貸方	金額
(1)	(借)投資有価証券	10,000	(貸)現金預金	10,000
(2)	(借)投資有価証券	2,000	(貸)繰延税金負債	600
			その他有価証券評価差額金	1,400
(3)	(借)投資有価証券	35,000	(貸)現金預金	30,000
			投資有価証券	5,000
(4)	(借)新株予約権未行使損	5,000	(貸)投資有価証券	5,000

解説

(1)×1年４月１日(取得時)　取得原価：@500円×20個＝10,000円

(2)×2年３月31日(決算時)　時価評価の上、税効果会計を適用します。

評価損益：(@600円－@500円)×20個＝2,000円(評価益)

繰延税金負債：2,000円×0.3＝600円

その他有価証券評価差額金：2,000円－600円＝1,400円

※翌期首に、決算時の仕訳の振戻し仕訳を行います。

(3)×2年９月30日(権利行使時)　権利行使の仕訳を行います(時価評価は行いません)。

権利行使	(借)投資有価証券 35,000	(貸)現金預金 30,000
		投資有価証券 5,000

※払込金額(現金預金)：(@1,500円×２株)×10個＝30,000円

貸方の投資有価証券(新株予約権の取得原価)：@500円×10個＝5,000円

(4)×3年３月31日(権利行使期限到来時)　未行使分がある場合は、『**新株予約権未行使損**』を計上します。

新株予約権未行使損：@500円×10個＝5,000円

Section 4

その他の金融商品

コマーシャルペーパー等の金融商品は、企業の短期資金調達には必要不可欠なものです。
このSectionでは、その他の金融商品について学習します。
ここで扱う内容は、本試験での出題可能性は決して高くはありませんが、決して難しい内容ではありませんので、保険的な意味で見ていきましょう。

1 コマーシャルペーパー

コマーシャルペーパー(CP)[*01]は、企業が短期資金調達のために割引形式で発行する無担保の約束手形です。CPを取得したときは、有価証券として処理をし、流動資産に『有価証券』として表示し、償却額は営業外収益に『有価証券利息』として計上します[*02]。

＊01) Commercial Paperの略です。

＊02) 発行者側の処理は、償却原価法を適用し、B/Sの流動負債に「コマーシャルペーパー」として表示します。利息は営業外費用に「コマーシャルペーパー利息」として表示します。

設例 4-1　コマーシャルペーパー

×1年3月1日に満期まで保有する目的でコマーシャルペーパー(額面10,000円、6カ月満期)を9,700円で取得した。額面金額と取得原価との差額は金利の調整と認められるため、償却原価法(定額法)を適用する。取得日および×1年3月31日(決算日)に必要な仕訳を示しなさい。

解答

取得日

(借)	有価証券	9,700 [*03]	(貸) 現金預金	9,700

決算日

(借)	有価証券	50	(貸) 有価証券利息	50 [*04]

＊03) 1年内に満期が到来するので有価証券とします。

＊04) $(10,000円-9,700円) \times \frac{1カ月}{6カ月} = 50円$

2 ゴルフ会員権

簿C 財計B

▶▶簿問題集：問題4
▶▶財問題集：問題6

ゴルフ会員権は、ゴルフ場の優先的な利用や割引料金での利用、その他様々なサービスを受けることができる権利です。ゴルフ会員権には、**預託金方式**と**株式方式**があります。

ゴルフ会員権は、取得原価で評価し、通常「ゴルフ会員権」として投資その他の資産に表示します。時価(市場価格)または実質価額が著しく低下したときは減損処理をします。

1．預託金方式

一定の金額をゴルフクラブに預けることにより会員となります。ゴルフクラブは会員から預かった預託金を資金としてゴルフ場をつくります。その後退会する場合、預託金返還請求権があり、預託金の返還を請求できます。

(1) ゴルフ会員権(市場価格があるもの)

市場価格があるゴルフ会員権も原則は取得原価で評価しますが、時価(市場価格)が著しく下落し、かつ回復の可能性が合理的に立証できない場合、減損処理を行います。その時、預託金を上回る部分は**ゴルフ会員権評価損(特別損失)**を計上し、下回る部分は金銭債権としての性格があるので、貸倒引当金を設定します。

(2) ゴルフ会員権(市場価格がないもの)

市場価格がないゴルフ会員権は発行会社の財政状態が著しく悪化し、預託保証金の回収可能性に疑いが生じたとき、回収不能見込額について貸倒引当金を設定[*01]します。

*01) 貸倒引当金繰入のP/L上の表示区分については、問題文や答案用紙の指示に従って解答してください。

設例4-2 ゴルフ会員権(預託金方式)その1

Aゴルフ会員権(預託金300円)を1,000円で取得した。時価は400円であり、回復の可能性は不明である。貸借対照表(一部)を完成させなさい。

解答

貸借対照表 (単位：円)

Ⅱ 固定資産	
3 投資その他の資産	
ゴルフ会員権 400[*02]	
：	

*02) 時価

解説

(借) ゴルフ会員権評価損	600	(貸) ゴルフ会員権	600

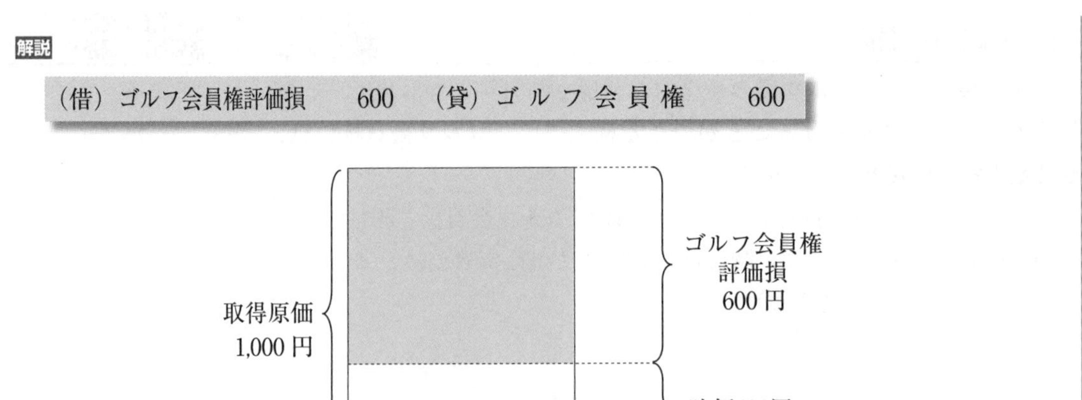

設例4-3 ゴルフ会員権(預託金方式)その2

Bゴルフ会員権(預託金300円)を1,000円で取得した。時価は100円であり、回復の可能性は不明である。貸借対照表(一部)を完成させなさい。

解答

貸借対照表 (単位:円)

Ⅱ 固定資産		
3 投資その他の資産		
ゴルフ会員権	300 *03)	
貸倒引当金	△ 200 *04)	100

*03)預託金300円

*04)貸倒引当金(1,000円−100円)−(1,000円−300円)=200円

解説

(借) ゴルフ会員権評価損	700	(貸) ゴルフ会員権	700
(借) 貸倒引当金繰入	200	(貸) 貸倒引当金	200

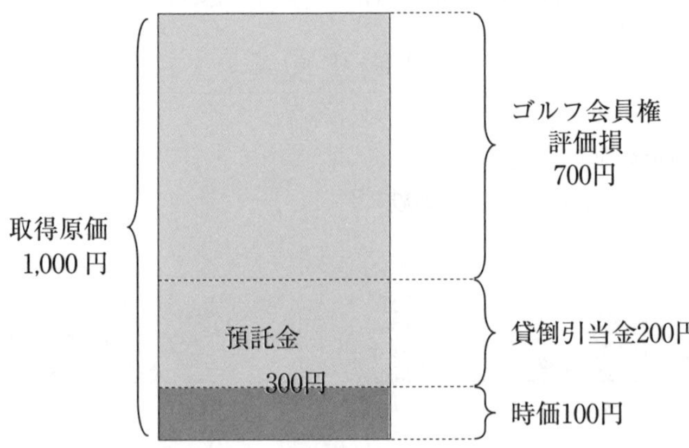

2．株式方式

ゴルフクラブが決めた入会に必要な金額をゴルフクラブに出資することにより、株主となります。ゴルフクラブが解散になった場合、持株比率に応じた残余財産の分配を受ける権利があります。市場価格のある会員権も、市場価格のない会員権も原則として**取得原価**で評価しますが、時価(市場価格)が著しく低下しかつ回復の可能性が合理的に立証できない場合、また発行会社の財政状態が悪化し、実質価額が著しく低下した場合は**減損処理**を行います。

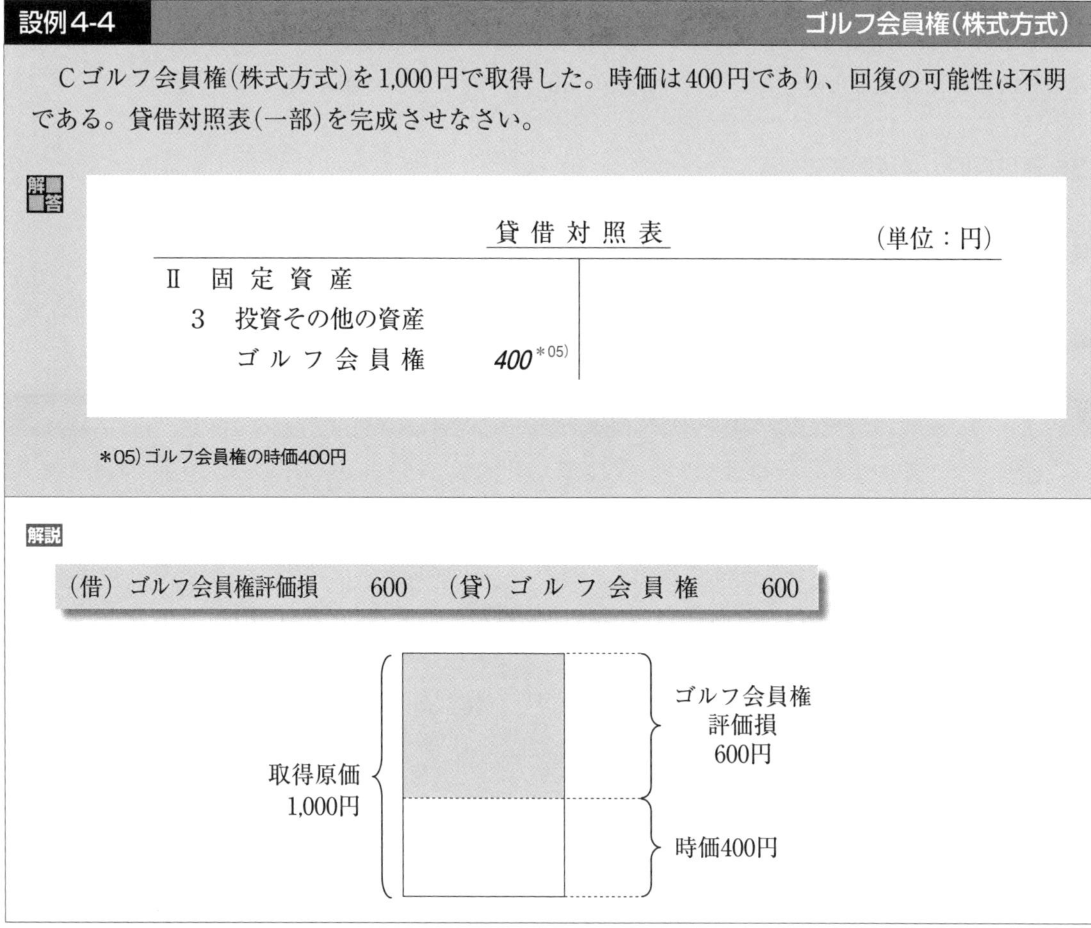

設例4-4　ゴルフ会員権(株式方式)

Cゴルフ会員権(株式方式)を1,000円で取得した。時価は400円であり、回復の可能性は不明である。貸借対照表(一部)を完成させなさい。

解答

貸借対照表　(単位：円)

Ⅱ 固定資産	
3 投資その他の資産	
ゴルフ会員権 *400*＊05)	

＊05) ゴルフ会員権の時価400円

解説

(借) ゴルフ会員権評価損 600　(貸) ゴルフ会員権 600

3 金銭の信託

1．信託とは

信託とは、保有している財産を信託会社(信託銀行)に預けその運用を委託し、委託者は受託者より元本と運用による収益を受け取るものをいいます。金銭の信託は、金銭を財産として委託する信託をいいます。

2．金銭の信託の区分

金銭の信託も有価証券と同様に、その保有目的により運用目的、満期保有目的、その他に区分して会計上処理します。ただし、元本割れが生じないものは取得原価で評価します。なお、金銭の信託は、一般的には運用目的と考えられるため、運用目的の金銭の信託について見ていきます。

3．運用目的の金銭信託の処理

運用目的の金銭の信託を構成する各金融資産および金融負債を時価評価し、その合計額をもって貸借対照表価額(「**金銭の信託**」として**流動資産**に表示)とし、評価差額は当期の損益(「**金銭の信託運用損益**」として**営業外損益**に表示)として処理します。

設例 4-5　運用目的の金銭信託

期首および期末における運用目的の金銭信託の時価は、次のとおりであった。必要な仕訳を示しなさい。

	期首	期末
信託の時価	2,340 円	2,110 円

解答

(借) 金銭の信託運用損益	230 *01)	(貸) 金銭の信託	230

*01) 2,110円－2,340円＝△230円

4 証券投資信託

簿C 財計C ▶▶財問題集：問題7

1．証券投資信託とは

証券投資信託とは、多数の一般投資家から小口の資金を集めて、共同でファンド（基金）に出資し、有価証券の運用の専門家がその信託を受けて、その資金を株式や債券などの有価証券に投資して、その成果をそれぞれの投資金額に応じて投資家に分配するものです。

2．証券投資信託の処理

証券投資信託は、その保有目的にしたがって、売買目的有価証券またはその他有価証券として**時価**で評価します。ただし、預金と同様の性質を有する証券投資信託は、**取得原価**で評価します[*01]。

*01）たとえば中期国債ファンドやMMF（Money Management Fund）です。

保有目的		評価	表示
売買目的有価証券		時価	有価証券（流動資産）
その他有価証券	1年内満期到来	時価	有価証券（流動資産）
	預金の性質	原価	有価証券（流動資産）
	上記以外	時価	投資有価証券（投資その他の資産）

設例 4-6　証券投資信託

次の取引により期末の貸借対照表（一部）を完成させなさい。

① 当期中にMMFを30,000円購入した。これは預金と同様の性質を有するものである。

② 当期中に売買目的でA証券投資信託を5,000円購入した。期末時価は、5,400円である。

③ 前期からその他有価証券としてB証券投資信託を10,000円保有している。前期末時価は11,000円、当期末時価は10,600円である。全部純資産直入法により、税効果会計は無視するものとする。

解答

貸借対照表　（単位：円）

Ⅰ 流動資産		Ⅱ 評価・換算差額等	
有価証券	*35,400*[*02]	その他有価証券評価差額金	*600*[*04]
Ⅱ 固定資産			
3 投資その他の資産			
投資有価証券	*10,600*[*03]		

*02）MMF30,000円＋A証券投資信託時価5,400円＝35,400円

*03）B証券投資信託当期末時価10,600円

*04）B証券投資信託当期末時価10,600円－取得原価10,000円＝600円

このChapterでの表示と注記

貸借対照表

（資産の部）		（負債の部）	
Ⅰ　流動資産			
有価証券	×××		
未収配当金	×××	：	
金銭の信託	×××		
Ⅱ　固定資産		（純資産の部）	
：		：	
3　投資その他の資産		Ⅱ　評価・換算差額等	
投資有価証券	×××	その他有価証券評価差額金	×××
関係会社株式	×××		
ゴルフ会員権	×××		

損益計算書

：	
Ⅳ　営業外収益	
有価証券利息	×××
受取配当金	×××
有価証券売却益＊01)	×××
有価証券評価益＊01)	×××
金銭の信託運用益＊01)	×××
Ⅴ　営業外費用	
投資有価証券評価損	×××
Ⅵ　特別利益	
関係会社株式売却益＊02)	×××
投資有価証券売却益＊03)	×××
Ⅶ　特別損失	
投資有価証券評価損	×××
関係会社株式評価損	×××
ゴルフ会員権評価損	×××

＊01) 営業外費用に計上される場合もある。
＊02) 特別損失に計上される場合もある。
＊03) 営業外収益または費用に計上される場合もある。

【注記例】（一部）
〈貸借対照表等に関する注記〉
・投資有価証券のうち×××千円を長期借入金の担保にしている。
・親会社株式が投資その他の資産に×××千円計上されている。
〈重要な会計方針に係る事項に関する注記〉
1．有価証券の評価基準及び評価方法
　イ　売買目的有価証券は時価法を採用し、売却原価は総平均法にて算定している。
　ロ　満期保有目的の債券は、償却原価法（利息法）を採用している。
　ハ　子会社株式及び関連会社株式は、移動平均法による原価法を採用している。
　ニ　その他有価証券は、時価法を採用し、評価差額は全部純資産直入法、売却原価は総平均法にて算定している。

索　　引

あ行

か行

さ行

た行

な行

は行

ま行

や行

ら行

わ行

● 税理士試験の学習を本格的に始める前に…

知識ゼロでも大丈夫！　税理士試験のための簿記入門

税理士試験向けの独自の内容で簿記の基本が学習できる1冊です。

本書を読むことで、税理士試験の簿記論に直結した基礎学習が可能なので、簿記の学習経験が無い方や基礎が不安な方にオススメです。

2,640円（税込）好評発売中！

法人税法の教材

税理士試験教科書・問題集　法人税法Ⅰ　基礎導入編【2025年度版】	3,300円（税込）	好評発売中
税理士試験教科書　法人税法Ⅱ　基礎完成編【2025年度版】	3,630円（税込）	好評発売中
税理士試験問題集　法人税法Ⅱ　基礎完成編【2025年度版】	3,300円（税込）	好評発売中
税理士試験教科書　法人税法Ⅲ　応用編【2025年度版】	2024年12月発売	
税理士試験問題集　法人税法Ⅲ　応用編【2025年度版】	2024年12月発売	
税理士試験理論集　法人税法【2025年度版】	2,420円（税込）	2024年9月発売

相続税法の教材

税理士試験教科書・問題集　相続税法Ⅰ　基礎導入編【2025年度版】	3,300円（税込）	好評発売中
税理士試験教科書　相続税法Ⅱ　基礎完成編【2025年度版】	3,630円（税込）	好評発売中
税理士試験問題集　相続税法Ⅱ　基礎完成編【2025年度版】	3,300円（税込）	好評発売中
税理士試験教科書　相続税法Ⅲ　応用編【2025年度版】	2024年12月発売	
税理士試験問題集　相続税法Ⅲ　応用編【2025年度版】	2024年12月発売	
税理士試験理論集　相続税法【2025年度版】	2,420円（税込）	2024年9月発売

消費税法の教材

税理士試験教科書・問題集　消費税法Ⅰ　基礎導入編【2025年度版】	3,300円（税込）	好評発売中
税理士試験教科書　消費税法Ⅱ　基礎完成編【2025年度版】	3,630円（税込）	好評発売中
税理士試験問題集　消費税法Ⅱ　基礎完成編【2025年度版】	3,300円（税込）	好評発売中
税理士試験教科書　消費税法Ⅲ　応用編【2025年度版】	2024年12月発売	
税理士試験問題集　消費税法Ⅲ　応用編【2025年度版】	2024年12月発売	
税理士試験理論集　消費税法【2025年度版】	2,420円（税込）	2024年9月発売

国税徴収法の教材

税理士試験教科書　国税徴収法【2025年度版】	4,620円（税込）	好評発売中
税理士試験理論集　国税徴収法【2025年度版】	2,420円（税込）	2024年9月発売

書籍のお求めは全国の書店・インターネット書店、またはネットスクールWEB-SHOPをご利用ください。

ネットスクール WEB-SHOP

https://www.net-school.jp/

※ 書名・価格・発行年月は変更する場合もございますので、予めご了承ください。（2024年9月現在）

本書の発行後に公表された法令等及び試験制度の改正情報、並びに判明した誤りに関する訂正情報については、弊社WEBサイト内の『**読者の方へ**』にてご案内しておりますので、ご確認下さい。

https://www.net-school.co.jp/

なお、万が一、誤りではないかと思われる箇所のうち、弊社WEBサイトにて掲載がないものにつきましては、**書名（ＩＳＢＮコード）と誤りと思われる内容**のほか、お客様の**お名前及び郵送の場合はご返送先の郵便番号とご住所**を明記の上、弊社まで**郵送またはe - mail**にてお問い合わせ下さい。

＜郵送先＞　〒101－0054
東京都千代田区神田錦町3－23メットライフ神田錦町ビル３階
ネットスクール株式会社　正誤問い合わせ係

＜e - mail＞　seisaku@net-school.co.jp

※正誤に関するもの以外のご質問、本書に関係のないご質問にはお答えできません。
※**お電話によるお問い合わせはお受けできません。**ご了承下さい。

税理士試験　教科書

簿記論・財務諸表論Ⅱ　基礎完成編　【2025年度版】

2024年９月６日　初版　第１刷

著　　者　ネットスクール株式会社
発 行 者　桑原知之
発 行 所　ネットスクール株式会社　出版本部
〒101－0054　東京都千代田区神田錦町3－23
電 話　03（6823）6458（営業）
ＦＡＸ　03（3294）9595
https://www.net-school.co.jp
執筆総指揮　熊取谷貴志
表紙デザイン　株式会社オセロ
編　　集　吉川史織　加藤由季
ＤＴＰ制作　中嶋典子　石川祐子　吉永絢子
有限会社ドアーズ本舎　長谷川正晴
印刷・製本　日経印刷株式会社

　ISBN　978-4-7810-3820-9